Jenny Nimmo
*Charlie Bone und das Geheimnis
der blauen Schlange*

Jenny Nimmo war schon als Kind eine ungeheure
Leseratte. Nachdem sie alle Bücher in der Schulbibliothek
ausgelesen hatte, fing sie an, sich eigene Geschichten
auszudenken. Seit dieser Zeit spukte ihr die Geschichte
von Charlie Bone im Kopf herum, die sie erst ihren kleinen
Geschwistern und später ihren drei Kindern immer wieder
erzählte. Ihre Kinder sind inzwischen erwachsen und sie lebt
mit ihrem Mann David und der Fledermaus Kevin in einer
alten Mühle in Wales.

**Von Jenny Nimmo
sind in den Ravensburger Taschenbüchern
erschienen:**

RTB 52324
Charlie Bone und das Geheimnis der sprechenden Bilder

RTB 52333
Charlie Bone und die magische Zeitkugel

RTB 52353
Charlie Bone und das Geheimnis der blauen Schlange

Jenny Nimmo

Charlie Bone

und das Geheimnis
der blauen Schlange

Aus dem Englischen von
Cornelia Holfelder-von der Tann

Ravensburger Buchverlag

Als Ravensburger Taschenbuch
Band 52353
erschienen 2008

Die englische Originalausgabe erschien 2004
unter dem Titel „Charlie Bone and the Blue Boa"
© 2004 by Jenny Nimmo

Die deutsche Erstausgabe erschien 2005
im Ravensburger Buchverlag
© 2005 für die deutsche Textfassung
Ravensburger Buchverlag Otto Maier GmbH

Umschlagillustration: Regina Kehn

Printed in Germany

1 2 3 4 5   12 11 10 09 08

ISBN 978-3-473-52353-5

www.ravensburger.de

Die Kinder
des Roten Königs

Alle Kinder in der Bloor-Akademie, die als sonderbegabt bezeichnet werden, sind Nachfahren des Roten Königs, eines großen Magiers, der vor tausend Jahren mit seinen drei Leoparden Afrika verließ. Sie haben alle etwas von seinen magischen Fähigkeiten geerbt.

Manfred Bloor ist der Oberaufsichtsschüler der Bloor-Akademie und Hypnotiseur. Er stammt von Borlath ab, dem ältesten Sohn des Roten Königs, einem grausamen Tyrannen.

Asa Pike ist Abkömmling eines Stammes, der in den Wäldern des Nordens lebte und sich wilde Bestien als Haustiere hielt. Asa kann sich in ein Untier verwandeln.

Billy Raven ist der Nachfahre eines Mannes, der sich mit den Raben unterhielt, die auf dem Galgen saßen. Dieser Gabe wegen wurde der Mann aus seinem Dorf vertrieben. Billy spricht die Sprache der Tiere.

Zelda Dobinski entstammt einem alten polnischen Zauberergeschlecht. Zelda beherrscht die Telekinese: Sie kann Gegenstände durch ihre Gedankenkraft bewegen.

Lysander Sage stammt von einem Geschlecht mächtiger Zauberer ab. Er kann die Geister seiner Ahnen heraufbeschwören.

Tancred Torsson ist Nachfahre eines skandinavischen Unwettermachers, der nach dem Donnergott Thor benannt war. Tancred kann Sturm, Regen, Blitz und Donner heraufbeschwören.

Gabriel Silk entstammt einer Sippe von Gedankenlesern. Gabriel kann Erlebnisse und Gefühle anderer Menschen wahrnehmen, indem er ihre Kleidungsstücke berührt oder anzieht.

Emma Tolly ist die Nachfahrin eines spanischen Ritters aus Toledo, der den Roten König auf seinen Reisen begleitete. Er heiratete die Tochter des Roten Königs. Emma kann sich in einen Vogel verwandeln.

Charlie Bone entstammt dem Geschlecht der Darkwoods, einer Sippe mit vielerlei Zaubergaben. Charlie kann die Stimmen von Menschen auf Fotos und Gemälden hören.

Dorcas Loom ist ebenfalls sonderbegabt. Welcher Art ihre Gabe ist, bleibt vorerst im Dunkeln.

Prolog

Als der Rote König Afrika verließ, nahm er eine ungewöhnliche Schlange mit, eine Boa, die ihm ein umherziehender Heiler und Magier geschenkt hatte. Die Boa hatte ein schwarz-silbernes Schuppenkleid und Augen wie schwarze Knopfperlen. Manchmal schlossen sich die glänzenden Augen, aber das war nur Tarnung. In Gegenwart des Roten Königs war die Boa stets wachsam. Kein Dieb oder Meuchelmörder traute sich an ihr vorbei. Der König, der die Sprache der Boa beherrschte, betrachtete die Schlange als Freundin, Leibwächterin und weise Ratgeberin. Er liebte sie von Herzen.

Eines Tages, als der König auf einem Jagdausflug war, fing sein ältester Sohn Borlath die Boa in einem Netz. Borlath war der grausamste Mensch auf Erden und sein liebster Zeitvertreib war es, andere Lebewesen zu quälen.

Innerhalb einer einzigen Woche machte er die weise, sanftmütige Boa zu einem bestialischen Geschöpf, das nur noch lebte, um zu töten. Die Riesenschlange erdrückte ihre Opfer binnen Minuten.

Eine der Töchter des Königs, Guanhamara, war entsetzt über die Verwandlung der Boa. Sie befreite die Schlange und sprach einen Zauber über sie, um sie zu heilen. Doch leider kam Guanhamaras Zauber viel zu spät: Er vermochte die tödlichen Kräfte der Schlange lediglich abzuschwächen. Die Opfer starben zwar nicht mehr, wurden aber unsichtbar.

Nach Guanhamaras Tod fiel die Boa in einen tiefen Schlaf. Sie verschrumpelte zu einem Etwas, das weder tot noch lebendig war. In der Hoffnung, die Boa eines Tages wieder zum Leben erwecken zu können, versiegelten Guanhamaras sieben Töchter (die allesamt Hexen waren) das verschrumpelte Etwas in einem Gefäß mit einem blauen Kräutersud. Dazu legten sie noch einen Vogel mit wunderschön leuchtenden Federn.

Doch der grausame Borlath stahl die einbalsamierten Tiere. Sie wurden unter seinen Nachkommen weitervererbt, bis sie schließlich in Ezekiel Bloors Besitz gelangten.

Durch ein Verfahren, das ihm sein Großvater beigebracht hatte, schaffte es Ezekiel, die inzwischen silbrig blau gewordene Boa wieder zum Leben zu erwecken. Mit dem Vogel klappte es nicht.

Ezekiel war jetzt über hundert. Er hatte sich immer schon gewünscht, unsichtbar werden zu können, doch soweit er wusste, war das, was die Boa mit ihren Opfern machte, endgültig. Also wagte er es nicht, sich von ihr umschlingen zu lassen. Der alte Mann war immer noch auf der Suche nach einem Mittel, die Unsichtbarkeit rückgängig machen zu können.

Unterdessen lebte die Boa in den dunklen Speicherräumen der Bloor-Akademie und wartete ...

Gefahr im Verzug

Eine Eule segelte übers Dach des Hauses Filbert Street Nummer neun. Sie schwebte einen kurzen Moment über einer davonflitzenden Maus und ließ sich dann auf einem Ast vor Charlie Bones Fenster nieder. Die Eule stieß ihren Eulenschrei aus, aber Charlie schlief einfach weiter.

Gegenüber, im Haus Nummer zwölf, war Benjamin Brown bereits wach. Er zog die Vorhänge auf, um nach der Eule Ausschau zu halten, und sah drei Gestalten aus der Tür von Nummer neun kommen.

Im fahlen Licht der Straßenlaterne waren ihre Gesichter nur verschwommene Flecken, aber Benjamin hätte die drei überall erkannt. Es waren Charlie Bones Großtanten: Lucretia, Eustacia und Venetia Darkwood. Als die drei Frauen verstohlen die Eingangstreppe hinunterschlichen, sah eine von ihnen plötzlich zu Benjamin hinauf. Er versteckte sich hinter dem Vorhang und beobachtete heimlich, wie sie eilig die Straße entlangmarschierten. Sie trugen schwarze Kapuzenmäntel und steckten verschwörerisch die Köpfe zusammen.

13

Es war erst halb fünf. Was machten die Dark-wood-Schwestern so früh da draußen? Waren sie die ganze Nacht in Charlie Bones Haus gewesen? Die brüten irgendwas Fieses aus, dachte Benjamin.

Wenn Charlie nur nicht diese seltsame Gabe geerbt hätte. Wenn nur seine Großtanten nichts davon erfahren hätten. Dann hätte er vielleicht seine Ruhe gehabt. Aber wenn man von jemandem abstammte, der Zauberer *und* König gewesen war – klar, dass die Verwandtschaft dann alles Mögliche von einem erwartete.

„Armer Charlie", murmelte Benjamin.

Benjamins großer gelber Hund Runnerbean, der auf dem Bett lag, winselte mitfühlend.

Benjamin fragte sich, ob der arme Runnerbean wohl schon ahnte, was ihm bevorstand. Höchstwahrscheinlich. Mr und Mrs Brown, Benjamins Eltern hatten die letzten beiden Tage mit Putzen und Packen verbracht. Hunde wussten immer, dass etwas in der Luft lag, wenn die Menschen Koffer packten.

„Benjamin, Frühstück!", rief Mrs Brown aus der Küche herauf.

Mr Brown sang unter der Dusche.

Benjamin und Runnerbean gingen nach unten. Auf dem Küchentisch standen drei Schälchen Haferbrei. Benjamin machte sich über seins her. Seine Mutter briet Würstchen und Tomaten und er sah mit Freude, dass sie seinen Hund nicht vergessen hatte. Runnerbeans Futternapf war schon voll mit klein geschnittener Bratwurst.

Mr Brown erschien, noch immer singend und im Bademantel. Mrs Brown war schon fertig angezogen. Sie hatte ein adrettes graues Kostüm an und ihr glattes, strohfarbenes Haar war ganz kurz geschnitten. Schmuck trug sie keinen.

Benjamins Eltern waren Privatdetektive und versuchten immer, so unauffällig wie möglich auszusehen. Manchmal benutzten sie deshalb einen falschen Bart oder eine Perücke als Tarnung. Normalerweise trug natürlich nur Mr Brown falsche Bärte, aber einmal (in einer Situation, die Benjamin lieber sofort vergessen hätte) hatte es Mrs Brown ebenfalls für nötig befunden sich einen anzukleben.

Benjamins Mutter ersetzte jetzt sein leeres Schälchen durch einen vollen Teller und sagte: „Bitte bring Runner gleich nach dem Zähneputzen zu Charlie rüber. Wir müssen in einer halben Stunde los."

„Ja, ist gut, Mum." Benjamin schlang den Rest seines Frühstücks hinunter und rannte dann nach oben. Er sagte seiner Mutter nicht, dass Charlie eigentlich noch gar nichts davon wusste, dass er Runnerbean bei sich aufnehmen sollte.

Das Bad der Browns ging auf die Filbert Street hinaus und beim Zähneputzen sah Benjamin einen großen Mann in einem langen, schwarzen Mantel die Stufen von Nummer neun herabkommen. Benjamin hielt inne und starrte hinüber. Was in aller Welt ging bei Charlie vor sich?

Der große Mann war Paton Darkwood, Charlies Großonkel. Er hatte eine Sonnenbrille auf und einen weißen Stab in der Hand. Die Sonnenbrille, dachte Benjamin, musste wohl irgendwas damit zu tun haben, dass Paton die lästige Gabe hatte, Glühbirnen in die Luft zu jagen. Paton verließ das Haus niemals bei Tageslicht, wenn er es irgendwie vermeiden konnte, aber frühmorgens vor Sonnenaufgang war selbst für ihn eine ungewöhnliche Zeit. Er ging zu einem mitternachtsblauen Wagen, öffnete den Kofferraum und legte den Zauberstab (denn darum handelte es sich) vorsichtig hinein.

Ehe Benjamin auch nur seine Zahnbürste ausgespült hatte, war Charlies Onkel bereits davongefahren. Entgegen der Richtung, in die seine Schwestern verschwunden waren.

Kein Wunder, dachte Benjamin, Paton Darkwood und seine Schwestern waren ja auch verfeindet.

„Du solltest jetzt zu Charlie rübergehen."

Benjamin packte Schlafanzug und Zahnbürste in seinen Koffer und ging nach unten. Runnerbean ließ Schwanz und Ohren hängen und verdrehte jämmerlich die Augen. Benjamin hatte Gewissensbisse.

„Komm, Runner." Er sagte es mit einer übertriebenen Munterkeit, die den Hund jedoch keine Sekunde täuschen konnte.

Der Junge und der Hund verließen gemeinsam das Haus. Sie waren dicke Freunde und Runnerbean wäre es nicht im Traum eingefallen, Benjamin nicht zu gehorchen, doch heute schleppte er sich höchst widerwillig die Stufen zu Nummer neun hinauf.

Benjamin klingelte und Runnerbean jaulte. Das Jaulen weckte Charlie. Alle anderen im Haus wachten ebenfalls auf, dachten aber, sie hätten schlecht geträumt, und schliefen gleich wieder ein.

Charlie, der das Jaulen erkannte, stolperte nach unten und machte auf.

„Was ist los?", fragte er und blinzelte ins Laternenlicht. „Es ist doch noch Nacht, oder?"

„Schon", sagte Benjamin. „Aber ich habe tolle Neuigkeiten. Ich fliege nach Hongkong."

Charlie rieb sich die Augen. „Was? Jetzt?"

„Ja."

Charlie starrte seinen Freund verwirrt an und lud ihn dann auf einen Toast ein. Während das Brot vor sich hin röstete, fragte Charlie Benjamin, ob Runnerbean auch mit nach Hongkong fliegen würde.

„Äh ... nein", sagte Benjamin. „Er müsste in Quarantäne und das wäre ganz scheußlich für ihn."

„Aber wo soll er dann hin?" Charlie sah Runnerbean an und der große Hund antwortete mit einer Art traurigem Grinsen.

„Das ist es ja", sagte Benjamin hüstelnd. „Es gibt niemanden außer dir, Charlie."

„Mir? Aber ich kann hier keinen Hund haben", sagte Charlie. „Grandma Bone würde ihn sofort umbringen."

„Sag so was nicht." Benjamin sah besorgt auf Runnerbean hinab, der sich unter dem Tisch verkroch. „Guck, was du angerichtet hast. Er ist sowieso schon ganz verstört."

Als Charlie protestieren wollte, erklärte Benjamin rasch, die Hongkong-Reise sei ganz überraschend gekommen. Ein chinesischer Multimilliardär habe seine Eltern gebeten, eine unglaublich wertvolle Perlenkette, die aus seiner Wohnung in Hongkong gestohlen worden sei, wieder zu finden. Einem so gut bezahlten und so schwierigen Fall hätten seine Eltern nicht widerstehen können und da sich die Sache womöglich ein paar Monate hinziehen werde, wollten sie ihn, Benjamin, mitnehmen. Runnerbean aber leider nicht.

Charlie sank auf seinem Stuhl zurück und kratzte sich am Kopf. Sein dickes Haar war noch strubbliger als sonst. „Oh", war alles, was er herausbrachte.

„Danke, Charlie." Benjamin schob sich ein großes Stück Toast in den Mund. „Ich finde allein raus." An der Küchentür drehte er sich schuldbewusst um. „Tut mir leid. Hoffentlich kriegst du keinen Ärger, Charlie." Und weg war er.

Vor lauter Aufregung hatte Benjamin völlig vergessen, Charlie von Onkel Paton und dem Zauberstab und vom nächtlichen Besuch der drei Großtanten zu erzählen.

Durchs Küchenfenster sah Charlie seinen Freund über die Straße flitzen und in das große, grüne Auto der Browns springen. Charlie hob die Hand, um ihm zu winken, aber das Auto fuhr schon los, ehe Benjamin noch mal herübergucken konnte.

„Und jetzt?", murmelte Charlie.

Wie zur Antwort knurrte Runnerbean unterm Tisch. Benjamin hatte nicht daran gedacht, Hundefutter dazulassen, und Mr und Mrs Brown waren offensichtlich viel zu beschäftigt, um sich um so banale Dinge zu kümmern.

„Detektive!", brummte er.

Fünf Minuten versuchte Charlie darüber nachzudenken, wie er Runnerbean vor Grandma Bone verstecken könnte. Aber denken war so früh am Morgen schrecklich anstrengend. Charlie legte den Kopf auf die Tischplatte und schlief ein.

Wie das Leben so spielt, kam Grandma Bone an diesem Morgen als Erste herunter.

„Was soll das?" Ihre schrille Stimme schreckte Charlie auf. „In der Küche schlafen?"

„Mmm." Charlie blinzelte zu der großen, hageren Frau im grauen Morgenrock empor. Ein schneeweißer Pferdeschwanz hing ihr über den Rücken und wedelte hin und her, als sie jetzt in der Küche herummarschierte, den Kessel auf den Herd, die Kühlschranktür zu und steinharte Butter auf die Arbeitsplatte knallte. Plötzlich drehte sie sich um und sah Charlie durchdringend an.

„Es riecht nach Hund", sagte sie anklagend.

Da fiel ihm plötzlich Runnerbean wieder ein. „H... Hund?", stotterte er. Zum Glück hing die schwere Tischdecke fast bis auf den Boden, sodass seine Großmutter Runnerbean nicht sehen konnte.

„War dieser Freund von dir hier? Der riecht immer nach Hund."

„Benjamin? Äh – ja", sagte Charlie. „Er war da, um Auf Wiedersehen zu sagen. Er fliegt nach Hongkong."

„Je weiter weg, desto besser", knurrte sie.

Als Grandma Bone daraufhin in der Speisekammer verschwand, packte Charlie Runnerbean am Halsband und zerrte ihn schnell nach oben.

„Ich weiß nicht, was ich mit dir machen soll", seufzte Charlie. „Am Montag muss ich in die Schule und dann bin ich erst Freitag wieder hier. Ich muss ja dort schlafen."

Runnerbean sprang schwanzwedelnd auf Charlies Bett. Er hatte viele glückliche Stunden in Charlies Zimmer verbracht.

In seiner Not beschloss Charlie seinen Onkel Paton um Hilfe zu bitten. Er schlüpfte leise zur Tür hinaus und schlich durch den Flur bis zum Zimmer seines Onkels. Knapp über seiner Augenhöhe hing ein

Schild: BITTE NICHT STÖREN. Charlie klopfte an.

Keine Reaktion.

Charlie öffnete dennoch vorsichtig die Tür und spähte hinein. Paton war nicht da. Es sah ihm gar nicht ähnlich, frühmorgens aus dem Haus zu gehen. Charlie ging zu dem großen Schreibtisch, der mit Büchern und Papieren übersät war. Auf dem höchsten Bücherstapel lag ein Umschlag mit Charlies Namen darauf.

Charlie entnahm dem Umschlag ein Blatt Papier und entzifferte die große, krakelige Handschrift seines Onkels.

Charlie, mein lieber Junge,
meine Schwestern führen etwas im Schilde.
Hörte sie zufällig in den frühen Morgenstunden
ungute Pläne schmieden. Habe beschlossen
loszufahren und etwas dagegen zu unter-
nehmen. Wenn ich's nicht tue, wird eine sehr
gefährliche Person auftauchen. Keine Zeit
für Erklärungen. Bin in ein paar Tagen wieder
zurück – hoffentlich!
Herzlichst,
Onkel Paton
PS: Habe Zauberstab mitgenommen.

„Oh, nein", stöhnte Charlie. „So ein Pechtag. Hört das denn gar nicht mehr auf?"

Aber leider hatte es gerade erst begonnen.

Seufzend verließ Charlie Onkel Patons Zimmer und lief direkt in einen Stapel Handtücher.

Seine andere Großmutter, Maisie Jones, die die Handtücher auf den Armen balancierte, taumelte rückwärts und plumpste aufs Hinterteil.

„Pass doch auf, Charlie!"

Charlie hievte seine recht mollige Großmutter hoch und erzählte ihr, während er ihr die Handtücher aufsammeln half, von Patons Brief und dem Problem mit Runnerbean.

„Keine Sorge, Charlie", sagte Maisie. Sie senkte die Stimme zu einem Flüstern, da Grandma Bone die Treppe heraufkam. „Ich kümmere mich um das arme Hundchen. Und wegen Onkel P. – das wird sich sicher alles zum Guten wenden."

Charlie ging wieder in sein Zimmer, zog sich schnell an und erklärte Runnerbean, Fressen gebe es zwar noch nicht sofort, aber sobald Grandma Bone aus dem Haus sei. Das konnte zwar irgendwann später am Tag sein oder auch gar nicht, aber Runnerbean war nicht weiter beunruhigt. Er rollte sich auf dem Bett zusammen und machte die Augen zu. Charlie ging nach unten.

Maisie steckte gerade Wäsche in die Maschine und Amy Bone, Charlies Mutter, stürzte ihre zweite Tasse Kaffee hinunter. Sie wünschte Charlie einen schönen Tag, drückte ihm ein Küsschen auf die Wange und flitzte davon zu dem Gemüseladen, in dem sie arbeitete. Charlie fand, dass sie sich viel zu hübsch gemacht hatte, um den ganzen Tag Gemüse abzuwiegen. Ihr goldbraunes Haar war mit einem Samtband zurückgebunden und sie trug einen nagelneuen, maisgelben Mantel.

Charlie fragte sich, ob sie vielleicht einen Freund hatte. Um seines verschwundenen Vaters willen hoffte er, dass dem nicht so war.

Fünf Minuten nachdem seine Mutter gegangen war, erschien Grandma Bone in einem schwarzen Mantel, das weiße Haar jetzt unter einem schwarzen Hut. Sie befahl Charlie sich die Haare zu bürsten und marschierte dann hinaus, ein merkwürdiges Lächeln im spitzen Gesicht.

Sobald sie weg war, rannte Charlie an den Kühlschrank und nahm eine Schüssel mit Resten heraus: Lammragout von gestern. Maisie grinste und schüttelte den Kopf, ließ aber zu, dass er ein bisschen davon auf eine Untertasse löffelte, um es Runnerbean zu bringen.

„Du solltest zusehen, dass dieser Hund ein wenig Bewegung kriegt, bevor Grandma Bone wiederkommt", rief sie ihm nach.

Charlie befolgte ihren Rat. Als Runnerbean das Lammragout hinuntergeschlungen hatte, nahm Charlie ihn mit in den Garten, wo sie eine gelungene Runde Schnapp-dir-den-Pantoffel spielten, mit einem

Hausschuh, den Charlie nicht ausstehen konnte, weil sein Name vorne in Blau draufgestickt war.

Runnerbean zerkaute gerade den letzten Pantoffelrest, als Maisie eins der oberen Fenster aufriss und rief: „Achtung, Charlie. Die Darkwoods sind im Anmarsch!"

„Bleib hier, Runner", befahl Charlie dem Hund. „Und sei still, wenn's irgendwie geht."

Er stürzte die Stufen zum Hintereingang hinauf und rannte in die Küche, wo er sich an den Tisch setzte und die erstbeste Illustrierte aufschlug. Die Stimmen der Tanten waren jetzt auf der Vordertreppe zu hören. Ein Schlüssel drehte sich im Schloss und schon waren sie in der Diele: Grandma Bone und ihre drei Schwestern. Sie redeten alle durcheinander.

Die Großtanten kamen in die Küche marschiert, alle drei in ihrer neuen Frühlingsgarderobe. Lucretia und Eustacia hatten ihre üblichen schwarzen Kostüme lediglich gegen dunkelgraue eingetauscht, aber Tante Venetia prangte in Lila. Sie trug sogar lila Stiefeletten mit goldenen Quasten an den Schnürsenkeln. Alle drei Schwestern lächelten auf eine Art, die nichts Gutes verhieß, und in ihren dunklen Augen lag etwas Drohendes.

Tante Lucretia sagte: „Da bist du ja, Charlie!" Sie war die Älteste nach Grandma Bone und Hausmutter in Charlies Internat.

„Da bin ich", sagte Charlie nervös.

„Immer noch die gleiche Haartracht, wie ich sehe", sagte Eustacia und setzte sich ihm gegenüber.

„Immer noch *dieselbe*", entgegnete Charlie.

„Sei nicht so frech." Eustacia tätschelte ihr üppiges graues Haar. „Warum hast du dich noch nicht gekämmt?"

„Keine Zeit gehabt", sagte Charlie.

Er hatte bemerkt, dass Grandma Bone draußen in der Diele immer noch mit jemandem sprach.

Tante Venetia trompetete plötzlich „Ta-taaa!" und öffnete die Küchentür so weit, als ob gleich die Königin oder irgendein Filmstar hereinschreiten würde. Aber es war nur Grandma Bone, gefolgt von dem hübschesten Mädchen, das Charlie je gesehen hatte. Es hatte goldene Locken, leuchtend blaue Augen und Lippen wie ein Engelsbildchen in einem Poesiealbum.

„Hallo, Charlie!" Das Mädchen streckte ihm die Hand hin wie jemand, der einen Handkuss samt Kniefall erwartet. „Ich bin Belle."

Charlie war so verdattert, dass er gar nicht reagieren konnte.

Das Mädchen lächelte und setzte sich neben ihn. „O, là, là. Eine Frauenzeitschrift."

Charlie merkte mit Entsetzen, dass er das Lieblingsblatt seiner Mutter erwischt hatte. Auf der Titelseite hielt eine Frau in einem rosa Spitzenkleid ein Kätzchen im Arm. Ihm war plötzlich ganz heiß. Bestimmt war er knallrot.

„Mach uns einen Kaffee, Charlie", sagte Tante Lucretia scharf. „Und dann sind wir auch schon wieder weg."

Charlie warf die Zeitschrift hin und bediente die Kaffeemaschine, während Grandma Bone und die Tanten am Küchentisch saßen und alle auf ihn einschwatzten. Belle werde aufs Bloor kommen, Charlies Schule, und Charlie müsse ihr unbedingt ganz genau erzählen, wie es dort sei.

Charlie seufzte. Er wollte seinen Freund Fidelio besuchen. Warum mussten einem die Tanten immer alles verderben? Eine halbe Stunde ließ er das Geschnatter und Gekicher bei Kaffee und Rosinenbrötchen über sich ergehen.

Belle benahm sich überhaupt nicht wie ein Kind, dachte er. Sie sah aus wie etwa zwölf, schien sich aber mit den Tanten bestens zu verstehen.

Als sie die Kaffeekanne bis zum letzten Tropfen geleert hatten, brachen die drei Darkwood-Schwestern auf, wobei sie Belle noch Kusshändchen zuwarfen.

„Kümmere dich um sie, Charlie", rief Tante Venetia.

Wie denn?, fragte sich Charlie.

„Wo kann ich die Hände waschen, Grizel ... äh ... Mrs Bone?" Belle hielt ihre klebrigen Finger hoch.

26 „Da drüben", sagte Charlie und deutete mit dem Kinn auf die Küchenspüle.

„Oben, Liebes", sagte Grandma Bone mit einem

finsteren Blick in Charlies Richtung. „Das Bad ist gleich links. Dort findest du eine feine Lavendelseife und ein sauberes Handtuch."

„Danke!" Belle tänzelte zur Tür hinaus.

Charlie guckte verwundert. „Wieso denn nicht in der Küche?", fragte er seine Großmutter.

„Belle hat empfindliche Haut", sagte Grandma Bone. „Sie verträgt keine Kernseife. Deck uns heute den Tisch im Esszimmer – für fünf Personen. Ich nehme an, Maisie isst mit."

„Im *Esszimmer*?", fragte Charlie ungläubig. „Da essen wir doch nur bei besonderen Anlässen."

„Der Anlass ist Belle", fauchte Grandma Bone.

„Ein *Kind*?" Charlie war baff.

„Belle ist nicht irgendein Kind."

Scheint allerdings so, dachte Charlie.

Er ging den Tisch decken, während Grandma Bone Anweisungen ins obere Stockwerk hinaufrief. „Wir möchten heute eine leichte Suppe, Maisie. Und danach eine Schinkenplatte und Salat. Und zum Dessert deine köstliche Mandeltorte."

„Ach, ja? Möchten wir das, Hoheit?", kam es von irgendwo oben. „Tja, da müssen wir uns wohl leider noch etwas gedulden. Uups! Wer bist du denn?"

Offenbar war sie auf Belle gestoßen.

Charlie machte die Esszimmertür zu und ging ans Fenster. Im Garten war keine Spur von Runnerbean zu entdecken. Charlie sah ihn im Geist schon leblos

27

im Rinnstein liegen. Er lief an die Hintertür, aber als er sie gerade öffnen wollte, rief eine singende Stimme: „Chaaarliiie!"

Belle stand in der Diele und sah ihn an. Charlie hätte schwören können, dass ihre Augen vorhin blau gewesen waren. Jetzt schillerten sie grün.

„Wo willst du hin, Charlie?", fragte sie.

„Ach, ich wollte nur in den Garten, ein bisschen … äh …"

„Kann ich mitkommen?"

„Nein. Das heißt, ich hab's mir anders überlegt."

„Fein. Komm, unterhalte dich mit mir."

War das die Möglichkeit? Jetzt waren Belles Augen graubraun. Charlie folgte ihr ins Wohnzimmer, wo sie sich aufs Sofa setzte und aufmunternd neben sich aufs Polster patschte. Charlie quetschte sich ans andere Ende.

„Also, erzähl mir alles über das Bloor." Belle lächelte auffordernd.

Charlie räusperte sich. Wo sollte er anfangen? „Na ja, da gibt's drei verschiedene Zweige, Musik, Kunst und Schauspiel. Ich bin am Musikzweig, deshalb muss ich einen blauen Umhang tragen."

„Ich komme in den Kunstzweig."

„Dann trägst du Grün." Charlie sah das Mädchen von der Seite an. „Haben dir meine Tanten das nicht schon alles erzählt? Ich meine, du wohnst doch bei ihnen, oder?"

28

„Ich möchte es von *dir* hören", sagte Belle und ging nicht weiter auf seine Frage ein.

Charlie fuhr fort: „Das Bloor ist ein riesiges, graues Gebäude am anderen Ende der Altstadt. Es ist ganz, ganz alt. Es hat drei Garderoben, drei große Aulen und drei Cafeterien. Man geht eine Treppe zwischen zwei Türmen rauf, durch einen Hof, noch eine Treppe rauf und in die Eingangshalle. In der Halle muss man still sein, sonst kriegt man Arrest. Die Schüler vom Musikzweig müssen durch eine Tür mit zwei gekreuzten Trompeten darüber. Deine Tür hat einen Bleistift und einen Pinsel als Symbol."

„Und was hat der Schauspielzweig?"

„Zwei Masken. Eine traurige und eine lachende." Wieso hatte Charlie das Gefühl, dass Belle das alles längst wusste? Ihre Augen waren jetzt wieder blau. Es war richtig unheimlich.

„Noch was", sagte er. „Bist du – äh – so wie ich? Eins von den Kindern des Roten Königs? Ich meine, stammst du auch von ihm ab?"

Belle richtete ihre leuchtend blauen Augen auf ihn. „Oh, ja, natürlich. Und sonderbegabt bin ich auch. Aber ich möchte lieber nicht darüber sprechen. Ich habe gehört, du kannst Stimmen aus Fotos hören und sogar aus Gemälden."

„Ja." Charlie konnte mehr, als nur Stimmen *hören*, aber diesem komischen Mädchen würde er gar nichts verraten. „Sonderbegabte müssen die Haus-

29

aufgaben im Königszimmer machen", sagte er. „Wir sind zu zwölft. Eine vom Kunstzweig wird dir zeigen, wo das ist: Emma Tolly. Sie ist eine Freundin von mir und auch sonderbegabt."

„Emma? Oh, über die weiß ich schon Bescheid." Belle rückte langsam immer dichter an Charlie heran. „Und jetzt erzähl mir von dir, Charlie. Ich habe gehört, dein Vater ist tot."

„Ist er *nicht*!", entgegnete Charlie heftig. „Sein Wagen ist in einen Steinbruch gestürzt, aber seine Leiche wurde nie gefunden. Er ist einfach nur – verschwunden."

„Ach, wirklich? Wie hast du das rausgefunden?"

Ohne zu überlegen sagte Charlie: „Mein Freund Gabriel hat eine tolle Gabe. Er kann Sachen fühlen, wenn er alte Kleider berührt. Ich habe ihm einen Schlips von meinem Vater gegeben und Gabriel sagt, er sei nicht tot."

„Tatsächlich?" Das Mädchen lächelte Charlie nett und verständnisvoll an, aber irgendwie passte das Lächeln gar nicht zu ihren kalten Augen – die jetzt dunkelgrau waren. Und war es nur ein komischer Lichteffekt oder waren da einen Moment lang feine Fältchen über der rosaroten Oberlippe?

Charlie schlüpfte vom Sofa. „Ich helfe mal lieber meiner anderen Großmutter mit dem Essen", sagte er.

In der Küche gab Maisie gerade gehackte Kräuter

in einen Topf. „So ein Getue, wegen so einer Göre", brummelte sie. „So was hab ich ja noch nie gehört."

„Ich auch nicht", sagte Charlie. „Sie ist ein bisschen komisch, oder?"

„Sie ist wirklich äußerst merkwürdig. Belle! Du liebe Güte!"

„Belle heißt schön", besann sich Charlie auf sein Französisch. „Und hübsch ist sie wirklich."

„Pff!", machte Maisie.

Als die Suppe fertig war, half Charlie Maisie, die Porzellanterrine ins eisige Esszimmer hinüberzubringen. Grandma Bone saß schon am Kopfende des Tischs, Belle zu ihrer Rechten.

„Wo bleibt Paton?", fragte Grandma Bone.

„Der kommt nicht", sagte Charlie.

„Und warum nicht?"

„Er isst doch nie mit uns", rief ihr Charlie in Erinnerung.

„Heute will ich ihn aber unbedingt dabeihaben", sagte Grandma Bone.

„Tja, daraus wird wohl nichts", sagte Maisie. „Er ist weggefahren."

„Ach?" Grandma Bones Haltung wurde ganz steif. „Und woher wisst ihr das?"

Charlie sagte: „Er hat einen Brief dagelassen."

„Und was stand da drin?", fragte Grandma Bone bohrend. 31

„Ich weiß nicht mehr genau", murmelte Charlie.

„Gib her!" Sie streckte die Hand aus.

„Ich hab ihn zerrissen", sagte Charlie.

Grandma Bones Augenbrauen zogen sich dräuend zusammen. „Das hättest du nicht tun dürfen. Ich will wissen, was los ist. Ich habe ein Recht zu erfahren, was mein Bruder geschrieben hat."

„Er sagt, er sei bei Urgroßvater, aber das interessiert dich sicher nicht, weil du deinen Vater ja nie besuchst."

Die tiefschwarzen Augen seiner Großmutter verschwanden fast zwischen ihren Hautfalten, so sehr verkniff sie das Gesicht.

„Das geht dich gar nichts an. Paton hat unseren Vater doch erst letzte Woche besucht. Er fährt immer nur einmal im Monat hin."

Charlie konnte es sich gerade noch verkneifen *seinen* Besuch bei seinem Urgroßvater zu erwähnen. Aber das musste geheim bleiben, wegen der Familienfehde. Onkel Paton hatte ihm nie erzählt, was diese Fehde eigentlich ausgelöst hatte und warum er nichts erzählen durfte. Er musste wohl zu einer weiteren Lüge greifen: „Es war ein Notfall."

Grandma Bone schien mit dieser Erklärung zufriedenzusein, aber Belle starrte Charlie immer noch an. Ihre Augen waren jetzt dunkelgrün und ihm kam ein schauriger Gedanke. Onkel Paton war weggefahren, um zu verhindern, dass eine gefährliche Person auftauchte. War diese Person vielleicht schon hier?

Der unsichtbare Junge

Der Rest des Mittagessens verlief in bleiernem Schweigen. Selbst Maisie hatte es die Sprache verschlagen. Doch als Charlie gerade abräumte, kam aus dem Garten plötzlich lautes Gebell und im unteren Teil des Fensters war Runnerbeans Kopf zu sehen.

Grandma Bone, die mit dem Rücken zum Garten saß, fuhr genau in dem Moment herum, als der Hundekopf abtauchte.

„Was war das?", fragte sie.

„Offenkundig ein Hund, Grizelda", sagte Maisie. „Sicher ein Streuner, der über den Gartenzaun gesprungen ist."

„Ich geh raus und verscheuche ihn", erbot sich Charlie.

Im Hinausgehen bemerkte er, dass Belle äußerst beunruhigt wirkte. Charlie ging rasch die Hintertür aufmachen und Runnerbean kam schwanzwedelnd hereingestürmt.

„Psst!", machte Charlie beschwörend zu Runner. „Keinen Mucks!" Er legte den Zeigefinger auf die Lippen.

33

Runnerbean schien das zu verstehen und trabte gehorsam mit nach oben in Charlies Zimmer.

„Du musst still sein oder du bist geliefert." Charlie fuhr sich mit dem Zeigefinger über die Kehle.

Runnerbean grunzte leise und rollte sich auf dem Bett zusammen.

„Hast du ihn erwischt?", fragte Belle, als Charlie wieder ins Esszimmer kam.

„Nein, leider nicht. Ich hab ihn nur verscheucht", sagte Charlie.

Belle stand auf. „Ich möchte jetzt nach Hause", erklärte sie Grandma Bone.

„Aber natürlich, Liebes." Grandma Bone ging erstaunlich schnell in die Diele, schlüpfte in ihren Mantel und setzte ihren Hut auf.

Charlie war verblüfft. Seine Großmutter hielt nach dem Mittagessen immer ein Schläfchen, auch wenn es nur einen kleinen Imbiss gegeben hatte. Das goldhaarige Mädchen schien irgendeine Art von Macht über sie zu haben.

„Wo genau ist denn ‚zu Hause'?", fragte er Belle.

„Weißt du nicht, wo deine Großtanten wohnen?", fragte sie zurück.

Charlie musste bekennen, dass er keine Ahnung hatte. Sie hatten ihn noch nie zu sich eingeladen und ihm auch nie gesagt, wo das war.

34

„Ich denke, du wirst es bald herausfinden", sagte Belle geheimnisvoll.

„Charlie braucht es nicht zu wissen", entgegnete Grandma Bone, während sie Belle in einen schicken Blazer half.

„Also, bis dann, Charlie!", flötete Belle. „Wir sehen uns Montag am Bloor. Ich bin im grünen Bus. Halt die Augen nach mir offen."

„Ich bin im blauen Bus. Aber ich schätze, wir sehen uns schon irgendwann."

Das seltsame Mädchen lächelte und warf die goldenen Locken zurück. Die Augen waren jetzt wieder blau.

Als Belle und Grandma Bone gegangen waren, half Charlie Maisie beim Abwasch.

„Wo wohnen die Tanten denn?", fragte er Maisie.

„In einem großen, alten Haus am Ende einer dieser unheimlichen und düsteren Gassen", sagte Maisie. „Darkly Wynd, finstere Kurve, heißt sie, glaube ich. Komischer Name – klingt irgendwie ungemütlich."

„Da war ich noch nie."

„Ich auch nicht", sagte Maisie. „Und ich bin froh, wenn ich auch nie hinmuss." Sie reichte ihm ein Schüsselchen mit Resten. „Da, bring das Runner. Ich weiß nicht, wie lange das noch gut geht. Grandma Bone wird den Braten riechen."

„Hauptsache, sie riecht keinen Hund", versuchte Charlie einen Witz zu machen.

Maisie schüttelte nur den Kopf.

Am Sonntag schaffte es Charlie, Runner raus- und wieder reinzuschmuggeln, ehe Grandma Bone aufwachte. Sie machten ein tolles Wettrennen durch den Park und danach briet Charlie sich und dem Hund Eier mit Speck zum Frühstück. Bis auf einen kurzen Auslauf im Garten nach Einbruch der Dunkelheit verbrachte Runnerbean den Rest des Tages auf Charlies Bett.

Am Montagmorgen versprach Charlies Mutter den Hund auszuführen, wenn sie von der Arbeit kam, und Maisie erklärte sich bereit ihn zu füttern. Aber als Charlie sich am Montagmorgen für die Schule fertig machte, kamen ihm doch Bedenken.

„Du musst mucksmäuschenstill sein", erklärte er Runnerbean. „Nicht bellen, kapiert? Wir sehen uns dann am Freitag."

Traurige Hundeaugen verfolgten, wie er die Zimmertür hinter sich zumachte.

Als Charlie und sein Freund Fidelio die Stufen zur Bloor-Akademie hinaufstiegen, sagte Fidelio: „Da ist ein superhübsches Mädchen, das irgendwas von dir will."

„Oh." Charlie drehte sich um und sah Belle vom Fuß der Treppe heraufgucken. „Hallo, Belle. Das ist Fidelio."

Belle schenkte Fidelio ein strahlendes Lächeln. „Musiker, wie ich sehe. Geige?" Sie deutete mit dem

Kinn auf den schwarzen Instrumentenkasten, den Fidelio in der Hand hielt.

„Mm-hmm", brachte Fidelio mühsam heraus. Er schien um Worte verlegen, was bei ihm wirklich selten vorkam.

„Bis später." Belle betrat munteren Schritts die Halle. „Ich weiß", flüsterte sie. „Nicht reden." Und schon hüpfte sie davon, in Richtung des Bleistift-und-Pinsel-Symbols. Ihr grüner Umhang umwehte sie höchst elegant, als sie in der grünen Garderobe verschwand.

„Wow!", sagte Fidelio, sobald sie unter den beiden Trompeten durch waren. „Wer ist das denn, Charlie?"

„Ich weiß nicht genau", brummelte Charlie. „Sie wohnt bei meinen Großtanten. Was würdest du sagen, welche Augenfarbe sie hat?"

„Blau", sagte Fidelio. „Knallblau."

„Tja, wenn du sie das nächste Mal triffst, sind ihre Augen vermutlich grün oder braun."

„Echt?" Fidelio guckte interessiert. „Das muss ich unbedingt sehen."

Sie gingen in die Morgenversammlung, wo sich Fidelio zum Schulorchester setzte und Charlie seinen Platz neben Billy Raven, dem Jüngsten am Bloor, einnahm. Billy war ein Albino mit schneeweißem Haar und einer Brille, die seinen runden Augen etwas permanent Überraschtes gab.

Nach der Versammlung hatte Charlie Trompetenstunde bei Mr Paltry. Er hatte die ganzen Ferien nicht geübt und weder reichte sein Atem, noch traf er die Töne. Mr Paltry klopfte mit den Fingerknöcheln aufs Pult und rief: „Nein, nein, nein! *B,* nicht Cis!"

Seine Quietschstimme tat Charlie in den Ohren weh und als es endlich klingelte, hatte Charlie es so eilig in den Garten hinauszukommen, dass er beinah Olivia Vertigo umrannte.

Heute war ihr Haar schwarz-golden gestreift. Ihr Gesicht war weiß gepudert, mit schwarz umrandeten Augen. Sie hatte starke Ähnlichkeit mit einem exotischen Waschbären, aber Charlie verkniff sich diese Bemerkung.

Fidelio hingegen nicht. „Hallo, Olivia! Spielst du dieses Halbjahr einen Waschbären?", fragte er im Näherkommen.

„Wer weiß?", sagte Olivia mit einem Grinsen. „Manfred schreibt diesmal das Abschlussstück, mit Zeldas Hilfe natürlich." Sie deutete mit dem Kinn zu einer Gruppe von Oberstufenschülern hinüber, die am anderen Ende des Pausengeländes standen. Manfred, der Oberaufsichtsschüler, unterhielt sich ernsthaft mit Zelda Dobinsky, einem großen, dürren Mädchen mit einer mächtigen Nase.

Charlie bemerkte, dass Manfreds rechte Hand, Asa Pike, Belle mit großen Augen anstarrte, als sie jetzt Arm in Arm mit Dorcas Loom vorbeiging. Asa löste sich aus der Gruppe und ging zu den beiden

Mädchen hinüber. Er hatte ein schiefes Grinsen im bleiche Wieselgesicht und als er sich den Mädchen näherte, fuhr er sich mit den Fingern durchs rote Haar. Offensichtlich wollte er gut aussehen.

Charlie packte Fidelio am Arm. „Guck mal!", sagte er. „Asa spricht mit einer Unterstufenschülerin. Ich wette, das war noch nie da."

„Außer, um sie richtig zur Schnecke zu machen", ergänzte Fidelio.

„Das Mädchen neben Dorcas ist wirklich hübsch", murmelte Olivia.

„Sie heißt Belle", erklärte Charlie. „Sie wohnt bei meinen Großtanten."

Olivia pfiff leise durch die Zähne. „Ich kann mir überhaupt nicht vorstellen, wie irgendein Kind bei denen wohnen kann. Ach, übrigens, habt ihr Emma gesehen?"

Die Jungen schüttelten den Kopf und Olivia schlenderte davon, um ihre Freundin zu suchen. Sie fand sie schließlich bei den Mauern der Ruine.

Emma saß ganz allein auf einem Baumstamm und hielt etwas in der Hand, was aussah wie ein handgeschriebener Brief.

„Ist was, Emma?", fragte Olivia und setzte sich neben sie.

„Ich hab den Zettel hier neben Mr Boldovas Pult gefunden." Emma hielt den Brief hoch. „Er muss ihm aus der Tasche gefallen sein. Ich wollte ihn nicht lesen. Ich wollte ihn Mr Boldova geben, aber dann ist mir was ins Auge gesprungen und ... ach, lies selbst."

Olivia nahm den Brief und las:

Mein lieber Samuel,
wir wissen aus sicherer Quelle, dass diese
Gestaltwandler-Person auf dem Weg zu dir ist.
Welche Form sie diesmal annehmen wird,
weiß nur Gott. Aber sie wird dich erkennen,
also verschwinde, so schnell du kannst.
Ich habe mich ja damit abgefunden, Ollie
verloren zu haben, wenn deine Mutter auch
immer noch trauert. Sie kann es nicht lassen,
seine geliebte Marmelade zu kaufen. Wir
haben schon eine ganze Kammer voll und der
Anblick bricht mir das Herz. Ich weiß, der
Verlust deines Bruders schmerzt dich ebenso
sehr wie uns, aber du musst die Suche
aufgeben. Wir könnten es nicht ertragen, dich
auch noch zu verlieren. Komm so bald wie
möglich nach Hause.
Dad

„Was hältst du davon?", fragte Emma.

„Interessant", sagte Olivia. „Aber ich finde, du solltest das Mr Boldova wieder aufs Pult legen. Es geht uns nichts an, wer er ist und was er vorhat."

„Es geht uns *wohl* was an." Emma strich sich das

lange blonde Haar aus dem Gesicht. Sie war ganz aufgeregt.

Olivia wusste, dass ihre Freundin Mr Boldova mochte. Er war sehr jung für einen Lehrer, aber er verstand eine Menge von Kunst und vor allem schien er immer aufseiten der Kinder zu stehen, wenn es irgendwelche Probleme gab.

„Als Manfred mich damals auf dem Speicher eingeschlossen hatte, da hat mich doch jemand rausgelassen und dieser Jemand mochte auf jeden Fall schrecklich gern Marmelade. Ich hab gehört, wie Manfred ihn damit erpresst hat. Ich weiß, es klingt komisch, aber dieser Jemand schien unsichtbar zu sein. Und dann ist da dieser Junge, Ollie Sparks, der sich letztes Schuljahr im Speichergeschoss verirrt hat. Er kam schließlich wieder zum Vorschein und alle dachten, er sei anschließend von der Schule abgegangen, aber vielleicht stimmt das ja gar nicht. Vielleicht wurde er bestraft. Vielleicht ist er immer noch dort oben." Sie guckte zum Ziegeldach des Bloor hinauf.

„Hmm. Und was willst du jetzt machen?", fragte Olivia.

Emma schüttelte den Kopf. „Ich weiß nicht."

Ein Jagdhorn schallte plötzlich durch den Garten und die beiden Freundinnen vereinbarten in der Nachmittagspause weiterzureden.

Emma hatte als Nächstes Französisch, aber zuerst lief sie noch zum Zeichensaal. Der war leer und sie wollte gerade den Zettel auf Mr Boldovas Pult schmuggeln, als der Kunstlehrer plötzlich hereinkam.

„Emma?" Er guckte überrascht. „Solltest du jetzt nicht in einer anderen Stunde sein?"

„Doch, Sir, Französisch. Aber ich wollte nur ... na ja, tut mir wirklich leid, aber ich habe diesen Brief hier gelesen und ..."

Und plötzlich erzählte Emma Mr Boldova alles von der unsichtbaren Person auf dem Speicher, die so gern Marmelade mochte.

Mr Boldova hörte aufmerksam zu, setzte sich dann an sein Pult und sagte: „Danke, Emma. Vielen Dank. Versprichst du mir, das sonst keiner Menschenseele zu erzählen?"

„Aber ich hab's schon Olivia Vertigo erzählt und die hat's vielleicht ein paar Freunden von uns weitererzählt."

„Kannst du denen trauen, Emma?"

„Ganz und gar", sagte Emma.

Mr Boldova lächelte. Für einen Künstler war er ein ziemlich sportlicher Typ. Sein Gesicht war sonnengebräunt und das dunkelbraune Haar trug er zu einem Pferdeschwanz zurückgebunden, ein bisschen wie Manfred Bloor, nur dass Manfreds Haar schwarz und drahtartig war.

42   Emma sagte: „Was ist mit Ollie passiert, Sir? Wir dachten, er wäre nach Hause zurückgegangen, nachdem er wieder aufgetaucht war."

„Leider nicht", sagte der Lehrer seufzend. „Unsere Eltern wohnen weit weg von hier. Dr. Bloor erklärte sich bereit, Ollie mit dem Zug nach Hause zu schicken, in Begleitung einer der Hausmütter, einer Miss Darkwood. Sie erzählte uns, Ollie sei sich noch einen Saft am Bahnhofsimbiss holen gegangen und nicht mehr aufgetaucht."

„Ich wette, er ist gar nicht bis in den Zug gekommen", sagte Emma aufgebracht. „Diese Darkwoods sind fies. Das sind nämlich Charlie Bones Großtanten und sie machen ihm das Leben zur Hölle."

„Charlie Bone, soso", sagte Mr Boldova jetzt nachdenklich.

„Ich würde Ollie gern helfen", fuhr Emma fort. „Er hat mir ja auch geholfen und ich könnte wahrscheinlich den Teil des Speichers wieder finden, wo er gefangen gehalten wird."

„Überlass das lieber mir, Emma. Es könnte gefährlich sein."

„Für Sie auch, Sir."

„Ich kann auf mich aufpassen", sagte Mr Boldova fröhlich. „Und jetzt geh und beeil dich, dass du in deine Französischstunde kommst."

Emma ging, aber sie ließ sich Zeit. Ihr schwirrte viel zu viel im Kopf herum. Sie kam zehn Minuten zu spät in den Französischunterricht und Madame Tessier war stinkwütend. Sie war eine reizbare Person und den ersten Tag des Halbjahrs hatte sie immer schon gehasst. Sie hatte Heimweh nach ihrer sonnigen französischen Heimatstadt und beklagte sich ständig über die düstere, graue Bloor-Akademie mit ihren knarzenden Dielen, ihrer unzuverlässigen Heizung und schlechten Beleuchtung. Sie war nur hier, weil Dr. Bloor ihr ein enormes Gehalt zahlte.

„Geh! Geh!", schrie sie Emma an. „Du nicht willst meine Unterrischt, du nicht kommst zur Zeit. Zu spät jetzt. Also *allez – allez*!" Sie fuchtelte nervös mit ihrer langfingrigen Hand in Emmas Richtung. „Raus!"

Emma machte, dass sie hinauskam – schleunigst.

„Du auch", hörte sie ein heiseres Flüstern. Emma drehte sich um und sah Charlie Bone vor der Tür des Geschichtsraums stehen. Er hatte gerade behauptet, Napoleon sei Kaiser von Russland gewesen. Mr Pope, der Geschichtslehrer, hatte Charlie angeschrien, er sei ein Ignorant und er wolle ihn keine Sekunde länger in seinem Unterricht sehen.

„Ich hab die Frage gar nicht mitgekriegt." Charlies lautes Flüstern hallte zu Emma herüber. „Ich war in Gedanken gerade bei einem Hundeproblem."

Emma guckte den Flur rauf und runter. Niemand in Sicht. „Was für ein Hundeproblem?", wisperte sie.

So leise er konnte, erzählte ihr Charlie von Belle und Runnerbean. „Warum bist *du* rausgeflogen?"

44 „Ich bin einfach nur zu spät gekommen", sagte Emma. Sie erzählte von dem Brief und ihrem Gespräch mit Mr Boldova.

Charlies Augen leuchteten interessiert auf. Noch so eine Warnung, dass eine gefährliche Person im Anzug war. Konnte es sein, dass es um ein und dieselbe Person ging?

„Du glaubst also, Ollie Sparks ist auf dem Speicher?" Er sah nachdenklich an die Decke. „Komm, wir schauen nach, okay?"

Emma war schockiert. „*Jetzt*?"

„Eine bessere Gelegenheit gibt's doch gar nicht. Wir haben noch eine halbe Stunde bis zur nächsten Pause. Alle sind im Unterricht, wer soll uns da erwischen? Ich finde es todlangweilig, die ganze Zeit hier rumzustehen."

Ehe Emma eine Ausrede einfiel, spurtete Charlie schon auf eine Treppe am Ende des Flurs zu. Emma bereute, dass sie Charlie das mit dem Speicher erzählt hatte. Er neigte dazu, sich unüberlegt in irgendwelche Abenteuer zu stürzen. Aber ihr blieb wohl keine andere Wahl, als ihm zu folgen.

Sie schlichen Treppe um Treppe hinauf. Einmal liefen sie Dr. Saltweather über den Weg, der sein Gesumme einen Moment unterbrach, um zu fragen, wo sie hinwollten.

„Wir sollen Bücher aus der Bibliothek holen", sagte Charlie. Und Dr. Saltweather winkte sie durch, obwohl die Bibliothek ganz woanders war. Aber Dr. Saltweather interessierte ja sowieso nichts außer seiner heißgeliebten Musik.

Sie liefen durch dunkle Gänge und leere Räume mit knarzenden Dielen und als sie sich dem Westflügel des Gebäudes näherten, wurde Emma immer nervöser. Sie hatte immer noch Albträume von damals, als ihre einzige Fluchtmöglichkeit darin bestanden hatte, sich in einen Vogel zu verwandeln und zu fliegen.

Erinnerung oder Instinkt führten sie zu dem zellenartigen Raum, in den Manfred Bloor sie damals eingesperrt hatte. In dem bisschen Licht, das durch ein winziges Fenster fiel, erkannte man dunkle Wände mit grünen Moderflecken, ein schmales Bett, auf dem schmuddlige Wolldecken lagen, und schwarze, kaputte Dielen.

„Grässlich hier", murmelte Charlie.

„Manfred hatte mich damals eingeschlossen", sagte Emma. „Aber dann hat jemand von außen den Schlüssel im Schloss gedreht und die Tür ist aufgegangen. Ich bin rausgerannt, um zu gucken, wer es war, aber da war niemand. Manfred hat mich erwischt und wieder eingesperrt, aber – und das war das Seltsame – er sagte draußen zu jemandem ‚Mach mir nicht noch mal irgendwelchen Ärger, oder du kriegst eine Woche keine Marmelade.' Deshalb bin ich ja darauf gekommen, es könnte Mr Boldovas Bruder Ollie gewesen sein. Weil der so gern Marmelade mag."

„Vielleicht ist dieser Ollie ja auch irgendwo in so

einem grässlichen Raum eingesperrt." Als Charlie sich zum Gehen wandte, knallte die Tür plötzlich zu. Charlie drückte die große Eisenklinke und zog. Nichts passierte. Die Tür schien sich verklemmt zu haben. „Muss wohl der Durchzug gewesen sein", murmelte Charlie.

„Hier hat's aber gar nicht gezogen", sagte Emma.

„Aber was soll es sonst gewesen sein? Hier war doch niemand. Das hätten wir doch gesehen."

„Vielleicht war es ja jemand Unsichtbares."

„Hey!", rief Charlie. „Ist da jemand?"

Keine Antwort.

„Was sollen wir jetzt bloß machen?", jammerte Emma. Sie guckte auf die Uhr. „Wir haben nur noch zwanzig Minuten."

„So was Blödes." Charlie stemmte sich gegen die Tür, während Emma die Klinke gedrückt hielt.

„Das muss Ollie gewesen sein", sagte Emma. „Ollie! Ollie Sparks, bist du da?"

Stille.

„Ollie, wir wollen dir helfen", erklärte Charlie. „Wenn du da bist, mach *bitte* die Tür auf!"

Emma und Charlie warteten. Von draußen kam ein leises Knarzen. Ein Schlüssel drehte sich plötzlich im Schloss. Charlie zog an der Tür und sie schwang auf. Draußen auf dem Gang war niemand.

47

Die beiden Kinder traten hinaus. Sie spähten angestrengt den dunklen Gang entlang, nach einer Tür oder Nische, irgendeinem Versteck. Emma stieß mit dem Fuß an ein leeres Marmeladenglas und das laute Kullergeräusch hallte durch den Gang. Als das Glas schließlich zur Ruhe kam, hörten sie schnelle Schritte, die sich entfernten.

„Er läuft weg", flüsterte Emma.

Sie rannten hinter dem Schrittgeräusch her, den Gang entlang, eine wacklige Holztreppe hinauf und in einen lang gestreckten Raum mit einer schmalen Dachluke. Der Fußboden war mit leeren Marmeladengläsern und Comic-Heftchen übersät. Am anderen Ende des Raums stand ein Bett mit einem sauber wirkenden Kopfkissen und einer Flickendecke. Sie sahen eine kleine Petroleumlampe auf einem Nachttischchen und gleich bei der Tür stand ein großer Schrank. Sonst war der Raum leer, bis auf einen spillerigen Stuhl und einen schartigen Schreibtisch direkt unter der Dachluke.

„Ollie", sagte Emma sanft. „Ollie Sparks, bist du da?"

„Und wenn ich's wäre?", antwortete eine traurige Stimme.

„Warum können wir dich nicht sehen?", fragte Charlie.

Es war einen Moment still, ehe die Stimme antwortete: „Weil ich unsichtbar bin, darum."

„Wie ist das passiert?", fragte Emma.

„Das war die blaue Boa."

„Boa?", fragten Charlie und Emma wie aus einem Mund.

„Schlange", sagte die traurige Stimme. „Grässliches Ding. Ich hab sie gesehen, das war mein Fehler. Die darf nämlich keiner sehen. Sie ist ein Geheimnis. Eine Geheimwaffe." Ein heiseres Lachen. „Nachdem ich sie also dummerweise gesehen hatte, mussten sie dafür sorgen, dass ich es keinem sagen konnte, also haben sie mich wieder hierhergebracht und – na ja, ich kam mir vor wie ein Meerschweinchen – sie haben die Boa auf mich losgelassen, damit sie mich erdrückt, aber sie hat mich nicht getötet, ich war hinterher nur unsichtbar."

„Du grüne Neune!", entfuhr es Charlie.

„Sie hat nicht alles von mir erwischt." Ein nervöses Kichern vibrierte in der Luft. „Mein großer Zeh ist ihr entgangen."

Eine Mischung aus Grusel und Faszination zwang Charlies Blick auf die Bodendielen. Emma schrie auf. Sie hatte es bereits gesehen: ein hautfarbenes Klümpchen, nur wenige Schritte entfernt.

„Entschuldigung", sagte die Stimme. „Eigentlich war da noch ein bisschen Socke und Schuh drüber, aber der Schuh ist mir zu klein geworden und die Socke war irgendwann durchgewetzt. Ist ein bisschen eklig, was, so ein Zeh ganz allein?"

49

„Überhaupt nicht", behauptete Charlie munter.

„Sie haben versucht, mich wieder sichtbar zu

machen", sagte die Stimme. „Ich musste scheußliche Gebräue trinken und sie haben mich mit stinkendem Zeug bespritzt und einmal haben sie sogar Spinnweben über mein Bett gebreitet, während ich schlief."

„Wie furchtbar", sagte Emma.

Charlie fragte: „Warum fliehst du nicht einfach, Ollie? Die Tür ist nie abgeschlossen. Du könntest doch problemlos abhauen. Dich würde doch keiner sehen."

„Versucht das mal." Jetzt klang die Stimme unendlich kummervoll. „Einmal hab ich's getan. Die Schüler sind in mich reingelaufen, haben mich einfach umgerannt – manche haben geschrien. Und zum Hauptportal kam ich nicht raus, da kommt niemand durch. Ich hab mich nirgends sicher gefühlt, also bin ich wieder hierher zurückgegangen."

„Das muss ja grässlich sein, so ganz allein", sagte Emma. „Was isst du denn?" Sie fragte sich eigentlich, *wie* Ollie aß, war aber zu höflich, um diese Fragen zu stellen.

„Das Essen ist meistens schauderhaft, aber Manfred bringt mir immer tolle Marmelade. Ich schätze, er will mich damit ruhig stellen. Und nur für den Fall, dass dich das interessiert, ich esse genau wie andere Leute. Nur ist das Essen nicht mehr zu sehen, sobald es in mir drin ist."

50

Emma hoffte, dass Ollie nicht sehen konnte, wie sie rot wurde.

Charlie kam eine Idee. „Vielleicht solltest du zum Abendessen runter in den Speisesaal kommen. Da sitzen wir alle still auf unseren Plätzen. Da würde dich keiner umrennen und ich könnte dir ein bisschen Platz lassen, zwischen mir und meinem Freund Fidelio. Am ersten Tag des Halbjahrs ist das Essen gar nicht so übel." Stille. Vielleicht überlegte Ollie ja.

Emma fiel das Allerwichtigste ein. „Ollie, dein Bruder ist hier. Er sucht dich."

„Was? Samuel? Das glaub ich nicht! Wow!" Der rosige Zeh hüpfte plötzlich in die Luft und man hörte einen leisen Plumps, als beide Füße wieder auf dem Boden landeten.

„Wenn du also zum Abendessen runterkommst, kannst du ihn sehen", sagte Charlie.

„Oh, ja! Klar …" Kurze Stille. „Aber ich weiß nicht, wann. Ich hab keine Uhr."

Charlie nahm seine Armbanduhr ab und hielt sie in die Luft vor sich. „Ich borg dir diese hier."

Es war ganz schön gruselig: eine Armbanduhr, die sich einfach in Luft auflöste.

„Keine Angst, sie erscheint wieder, wenn ich sie abnehme. Alles, was ich am Körper trage, wird unsichtbar", erklärte Ollie. „Und auch alles, was ich esse oder in die Hand nehme. Außer dem, was über meinem großen Zeh ist, natürlich."

Emma sah auf ihre Uhr und rief: „Wir haben nur noch fünf Minuten. Das schaffen wir nie."

Sie flitzte hinaus und die Holztreppe hinunter. Charlie stürzte hinter ihr her und rief noch: „Tut uns leid, Ollie. Müssen wieder in unsere Klassen. Wir sehen ... äh ... hören uns dann heute Abend!"

Emma und Charlie sausten durch die leeren Gänge, erwischten ein paarmal die falsche Richtung oder die falsche Treppe, landeten dann aber endlich auf dem Treppenabsatz über der Eingangshalle. Doch die Erleichterung war nicht von langer Dauer. Auf dem gegenüberliegenden Flur nahte Dr. Bloor.

Der hünenhafte Mann kam zügig auf sie zumarschiert. „Warum seid ihr nicht im Unterricht?", donnerte er.

Emma und Charlie erstarrten. Ihnen fiel keine Ausrede ein.

Dr. Bloor starrte sie mit kalten, blassen Augen an. Argwohn stand in dem breiten Gesicht mit der stumpfen, grauen Haut und den dicken, bläulichen Lippen. „Nun? Ich warte."

„Wir ... äh ...", stammelte Charlie.

„Ah, da seid ihr ja", sagte eine Stimme und Mr Boldova tauchte hinter dem Direktor auf. „Ich war gerade auf der Suche nach den beiden", erklärte der Kunstlehrer. „Habt ihr sie gefunden?"

Charlie schluckte. „Ähm ..."

„Diese Ratte ist ja so ein kleiner Strolch." Mr Boldova wandte sich mit einem strahlenden Lächeln an den Direktor. „Ich habe sie mitgebracht, damit die

Kinder sie zeichnen, aber sie entwischt immer wieder. Als ich die beiden vorbeigehen sah, habe ich sie gebeten, das Tier zu suchen. Erfolg gehabt, Charlie?"

„Nein, Sir."

„Und jetzt sind wir *zu spät dran* für die nächste Stunde", betonte Emma nachdrücklich.

„Ach, herrje", sagte Mr Boldova. „Ich gehe wohl besser mit und erkläre es euren Lehrern. Alles meine Schuld. Kommt, Kinder. Tut mir leid, Dr. Bloor."

Mr Boldova bugsierte die beiden Kinder schnell an Dr. Bloor vorbei in den Flur, der zu ihren Klassenräumen führte.

Dr. Bloor drehte sich um und sah ihnen nach. „Diese Ratte muss eingefangen werden", brüllte er. „Sorgen Sie dafür, Mr Boldova."

„Selbstverständlich, Herr Direktor."

Sobald sie außer Hörweite waren, flüsterte Charlie: „Danke, Sir. Ich dachte schon, wir kriegen Arrest."

„Weitergehen", sagte der Kunstlehrer gedämpft.

Aber Emma konnte sich nicht länger zurückhalten. „Wir haben Ollie gefunden", flüsterte sie.

Mr Boldova wäre beinah gestolpert. Er umkrallte die Schultern der Kinder und stammelte: „Was? Wie – wo?"

Während sie zu ihren Klassenräumen eilten, erzählten die Kinder Mr Boldova von dem armen Ollie und seiner Unsichtbarkeit.

53

„Ollie versucht, heute Abend zum Essen runterzukommen, Sir", sagte Charlie. „Es kann also sein … na ja, vielleicht wird er mit Ihnen reden."

„Ich kann es nicht fassen", murmelte Mr Boldova. „Unsichtbar hin oder her, Ollie ist hier und am Leben. Ich dachte, sie hätten ihn auf eines ihrer grässlichen Schlösser verschleppt. Ich habe fast ein Jahr darauf verwandt herauszufinden, in welches."

„Haben sie denn so viele, Sir?", fragte Charlie.

„Mindestens fünf", sagte Mr Boldova. „Es ist einfach unfassbar. Ich werde Ollie bei der ersten Gelegenheit, die sich bietet, nach Hause bringen. Wenn wir erst mal dort sind, finden wir schon eine Möglichkeit, ihn zu heilen."

Sie waren jetzt bei Madame Tessier und Mr Pope angelangt, die wutschnaubend vor ihren Klassenzimmern standen. Mr Boldova erklärte rasch, er habe sich Emma und Charlie ausgeborgt, um sie seine Ratte Rembrandt suchen zu lassen, die aus ihrem Käfig ausgebrochen sei. Die beiden Lehrer nahmen seine Entschuldigung brummig an und befahlen den Kindern, schleunigst zum Essen zu gehen.

„Wir sehen uns beim Abendessen, Kinder" sagte Mr Boldova mit einem breiten Grinsen und spazierte dann fröhlich pfeifend davon.

54 Würde der Ollie-Rettungsplan klappen? Charlie hatte das deutliche Gefühl, dass es nicht so leicht sein würde, wie Mr Boldova offenbar glaubte.

Runnerbean fliegt auf

Auf dem Weg zum Speisesaal musste Charlie an den Ahnenbildern vorbei. Sie hingen zu beiden Seiten des langen, gedämpft beleuchteten Korridors: hochmütig aussehende Frauen in Seide und Spitze, Männer in dunklen Roben oder Samtwämsern und weißen Kniehosen. Man könnte meinen, Charlie hätte doch neugierig sein müssen, was sie zu sagen hatten, aber er fand das verächtliche Getuschel, die herrischen Forderungen und faden Witze ziemlich langweilig. Außerdem hatte er Angst, dass ihn jemand aus einem Bild heraus anspringen könnte. Also versuchte er nicht hinzugucken.

Außer heute. Aus irgendeinem Grund hatte sich in seinem Hinterkopf etwas geregt.

„Ah, da ist es ja." Er blieb vor dem Bild einer unerschrocken aussehenden, in roten Samt gekleideten Frau stehen. Sie hatte dunkle Ringellöckchen und an ihrem Hals funkelte ein Collier aus rosa Edelsteinen. SELENA SPARKS stand auf einem Messingschildchen unten am Rahmen.

„Selena Sparks", murmelte Charlie.

„Was ist mit der?", fragte Fidelio über Charlies Schulter hinweg.

„Sch-sch!", zischte Charlie. Er wartete auf eine Stimme, aber Selena hatte ihm nichts zu sagen. Vielleicht war sie ja schüchtern. „Ich wusste doch, dass ich den Namen schon mal gesehen hatte", murmelte Charlie. „Diese Leute sind doch alle Nachfahren des Roten Königs. Dann ist Ollie ja vielleicht auch einer."

„Welcher Ollie?", fragte Fidelio. „Kannst du dich mal verständlich ausdrücken?"

„Emma und ich …", hob Charlie an.

Er wurde dadurch unterbrochen, dass Manfred, der Oberaufsichtsschüler, brüllte: „Weitergehen, ihr zwei. Ihr versperrt den ganzen Gang!"

Die Jungen gingen schleunigst weiter, aber als Charlie sich noch mal kurz umdrehte, sah er, wie Manfred stehen blieb und Selena Sparks musterte. Charlie hoffte nur, dass Manfred nicht erraten würde, warum ihn das Bild so interessiert hatte.

Als sie ihre Plätze in dem riesigen unterirdischen Speisesaal einnahmen, flüsterte Charlie: „Kannst du eine Lücke lassen, Fidelio? Möglich, dass sich jemand zwischen uns setzen will. Jemand Unsichtbares, der hungriger ist als wir."

„Ach?" Fidelio hob die Augenbrauen. „Ging aber schnell, dass du wieder in irgendwas drinsteckst." Er rückte dichter an seinen Nachbarn heran, sodass zwischen ihm und Charlie ein bisschen Platz blieb.

Zufällig war es so ziemlich das beste Essen, das Charlie am Bloor je gekriegt hatte. Hühnerfleisch und Speck schwammen in einer sahnigen Sauce und Charlie war in Versuchung, alles aufzuessen, schob aber dennoch ein paar Stückchen auf seinen Tellerrand, für den Fall, dass Ollie auftauchte.

„Er kann mein ganzes Huhn haben", bot Fidelio an, der Vegetarier war.

„Ich nehm's", sagte sein Nachbar, ein dicker Junge namens Morris, der Fagott spielte.

„Nein", entgegnete Fidelio. „Es ist für den Hund der Köchin. Dem geht's in letzter Zeit nicht gut."

Morris sah ihn komisch an, wischte dann mit dem Daumen den letzten Rest Soße von seinem Teller und leckte den Daumen ab. Das war natürlich verboten.

Charlie fragte sich, ob Ollie sich verlaufen hatte. Er überflog die drei langen Tische nach Anzeichen für etwas Ungewöhnliches. Emma, die am Kunst-Tisch saß, konnte er nicht sehen. Der Schauspiel-Tisch stand in der Mitte und war mit Abstand der lauteste, obwohl Manfred am oberen Ende thronte. Außer Asa und Zelda, die rechts und links von Manfred saßen, vermieden es alle Schüler vom Schauspielzweig, zum oberen Tischende zu gucken. Sie saßen seltsam krumm auf ihren Bänken, die Schulter, die zu Manfred hinzeigte, leicht hochgezogen. Niemand wollte mitten im Essen vom hypnotischen Blick des Oberaufsichtsschülers getroffen werden.

Außer diesen seltsamen Sitzposen konnte Charlie bei den lila Umhängen nichts Besonderes entdecken, also konzentrierte er sich jetzt aufs andere Ende des Saals, wo die Lehrer auf einem Podest saßen, damit sie die Kinder besser im Auge hatten.

„Wen suchst du denn?" Billy Raven starrte Charlie durch dünne weiße Ponyfransen an. Er saß auf der anderen Tischseite, ein paar Plätze weiter. Durch die Brille wirkten seine roten Augen viel zu groß für seinen Kopf.

„Ich suche gar niemanden. Ich dachte, ich hätte eine Fledermaus gesehen."

Das war gar nicht so unwahrscheinlich. In dem alten Gemäuer wimmelte es von Fledermäusen.

Als Billy wieder wegguckte, spürte Charlie eine Berührung an seiner Seite. Fidelio sah ihn überrascht an und dann verschwand auf einmal ein Stück Huhn von Charlies Tellerrand.

„Dankeschön", flüsterte eine körperlose Stimme. „Lecker."

Niemand schien etwas zu bemerken, bis Gwendolin Howells, die Charlie gegenübersaß, aufgeregt hervorstieß: „Hey! Dein Fleisch ist …" Die Gabel, die gerade auf halbem Weg zu ihrem Mund war, fiel samt einer Ladung Erbsen zu Boden.

58 Gwendolin tauchte unter den Tisch, um ihre Gabel aufzuheben, und stieß einen schrillen Schrei aus. Sie kam nach Luft schnappend wieder hoch und die run-

den, braunen Augen fielen ihr fast aus dem Kopf. „Da … da …", rief sie. „Da unterm Tisch ist ein …"

„Ein was?", fragte ihre Nachbarin Rosie Stubbs.

„Ein ZEH!", kreischte Gwendolin und kippte rückwärts von der Bank.

Mehrere Mädchen und sogar Jungen schrien auf und eine heisere Stimme kiekste ein „Jiiieks!" in Charlies Ohr. Sein Teller flog durch die Luft, sein Trinkbecher fiel um, und Wasser ergoss sich über den Tisch.

„Ich hau lieber ab", flüsterte Ollie, während Rosie Stubbs rief: „Gwendolin ist umgekippt."

Dr. Bloor sprang von seinem Platz am Kopfende des Lehrertischs auf. Hausmutter Darkwood und Miss Chrystal kamen die Stufen des Podests herab und liefen zu Gwendolin. Die Hausmutter rüttelte an Gwendolins Schulter, aber da das arme Mädchen offensichtlich ohnmächtig war, hob sie es hoch und trug es mit Miss Chrystals Hilfe aus dem Speisesaal.

Mr Boldova war an den Rand des Podests getreten und Charlie suchte seinen Blick. Der Kunstlehrer zuckte leise die Achseln und Charlie schüttelte den Kopf.

Ollie war geflüchtet und Charlie war klar, dass es schwer sein würde, ihn noch mal hier herunterzulocken. Vielleicht wurde er jetzt auch eingesperrt. Vom Kopfende des Schauspiel-Tischs äugte Manfred misstrauisch herüber. Er hatte Charlie das Bild von Selena

59

Sparks mustern sehen und er wusste, dass Ollies Zeh immer noch sichtbar war. Vielleicht hatte er ja zwei und zwei zusammengezählt.

Nach dem Essen erklärte Charlie Fidelio genauer, was mit Ollie Sparks passiert war. Er sprach ganz leise, während sie durch den langen Gang vom Speisesaal zum Hauptgebäude gingen. Diesmal riskierte er keinen Blick auf Selena, für den Fall, dass Manfred ihn beobachtete.

„Tja", meinte Fidelio, „dann steckst du ja schon mitten im nächsten Problem, Charlie."

Sie hatten jetzt die blaue Garderobe erreicht und hier trennten sich die beiden Freunde. Fidelio ging, mit Büchern und Schreibzeug bewaffnet, in sein Klassenzimmer, während Charlie für die Hausaufgaben rauf ins Königszimmer musste.

Wie schaffte er es nur, immer zu spät zu kommen, selbst dann, wenn er sich beeilt zu haben glaubte? All die anderen sonderbegabten Kinder waren schon drinnen. Als Charlie durch die hohe schwarze Tür witschte, war Manfred gerade dabei, eine Ankündigung zu machen.

„Zwei Sonderbegabte sind abgegangen." Manfred sah Charlie grimmig an, als der seine Bücher auf den runden Tisch klatschte. „Ruhe, Bone!"

„Wie ich schon sagte, Beth und Bindi haben uns verlassen, aber wir haben eine Neue."

Es war ein so ereignisreicher Tag gewesen, dass

Charlie Belle ganz vergessen hatte. Aber da saß sie, zwischen Asa und Dorcas. Asas Wieselgesicht war zu einem seltsamen Grinsen verzogen und sein dünnes rotes Haar stand in öligen Stacheln ab. Wenn die gelben Augen nicht gewesen wären, hätte man kaum für möglich gehalten, dass er sich in eine Bestie verwandeln konnte.

„Sie heißt Belle", fuhr Manfred fort.

„Belle und wie weiter?", fragte Tancred und sein helles Haar knisterte elektrisch.

„Ist nicht wichtig", sagte Manfred.

„Mir schon", beharrte Tancred. „Ich weiß gern den vollständigen Namen von anderen Leuten."

Charlie hoffte nur, Tancred würde weggucken, ehe Manfred etwas Fieses machte. Die Augen des Oberaufsichtsschülers hatten schon diesen starren Hypnoseblick.

Tancreds Freund Lysander stieß ihn warnend an. „Lass es, Tanc."

Aber Tancred ließ nicht so einfach locker. „Mein Nachname ist Torsson", sagte er und sah dabei Belle an. „Und deiner ...?"

„Donner", sagte Belle plötzlich.

„Belledonner? Das ist Tollkirschengift", entfuhr es Gabriel. „Daran kann man sterben."

„Das heißt *Belladonna*", verbesserte ihn Belle. „In kleinen Mengen erweitert es die Pupillen. Macht die Augen glänzender, leuchtender und schöner." In ihren runden blauen Augen funkelten auf einmal lila Glanzlichter. Der Effekt war so umwerfend, dass es selbst Tancred die Sprache verschlug.

Rings um den Tisch wurden Bücher aufgeschlagen und Füller in die Hand genommen. Die Hausaufgabenzeit begann in tiefem Schweigen.

Von der Wand über der Tür blickte der Rote König herab. Das rissige alte Bild verbesserte Charlies Stimmung immer schlagartig. Aber er schaffte es nie, die Stimme des Königs zu hören. Mal ein leises Murmeln oder ein Knarren und das Rascheln von Seide, aber dann erschien da sofort ein Schatten hinter dem König wie ein dunkler Fleck auf der Leinwand: eine Kapuzengestalt, deren bloßer Anblick schon gruselig genug war. Und Charlie wusste, dass dieser unheimliche Schatten verhinderte, dass er Kontakt mit dem König aufnehmen konnte.

Jetzt sind wir zu elft, dachte Charlie. Letztes Jahr waren sie noch zwölf sonderbegabte Kinder gewesen. Was würde passieren, wenn sie nur zu zehnt wären, wie ursprünglich die zehn Kinder des Roten Königs? Würde sich das Muster wiederholen, fünf auf der einen Seite und fünf auf der anderen? Und wer würde diesmal gewinnen?

„Mach Hausaufgaben, Bone!" Manfreds Stimme ließ Charlie aufschrecken.

62

„Ja, Manfred." Charlie guckte in sein aufgeschlagenes Buch.

Nach der Hausaufgabenzeit holte Emma Charlie auf dem Weg zu den Schlafsälen ein. „Das war doch Ollie, stimmt's?", fragte sie atemlos. „Der Zeh unterm Tisch?"

Charlie nickte. „Ich glaube nicht, dass wir ihn noch mal dort runter kriegen", flüsterte er. „Er hat sich zu Tode erschrocken. Und ich habe das scheußliche Gefühl, dass Manfred Bescheid weiß."

„Ich werd's Mr Boldova sagen", sagte Emma.

Als sie sich Emmas Schlafsaal näherten, standen dort zwei Mädchen vor der Tür. Sie steckten die Köpfe zusammen und ihr verstohlenes Kichern deutete auf irgendwelche fiesen Heimlichkeiten hin.

„Belle und Dorcas", bemerkte Emma. „Irgendwie scheint Belle Dorcas total um den Finger gewickelt zu haben. Sie machen alles gemeinsam."

„Mach's gut, Em", murmelte Charlie, als Emma im Schlafsaal verschwand.

„Du versuchst mich wohl wie Luft zu behandeln, Charlie Bone?", sagte Belle, als Charlie an ihr vorbeiging.

„Gar nicht", rief Charlie, ohne sich umzudrehen. „Ich seh doch, dass du beschäftigt bist."

„Ich würde dir raten, mich nicht zu ignorieren!"

War das Belle gewesen, die da gesprochen hatte? Charlie war sich nicht sicher. Ihre Stimme hatte unglaublich alt geklungen. Nach der Stimme einer Person, der man besser gehorchen sollte.

Charlie machte sich schleunigst aus dem Staub.

Von dem Tag an waren Belle und Dorcas unzertrennlich. Charlie wurde sich immer sicherer, dass Belle nicht die war, für die sie sich ausgab. Und dann war da Ollie Sparks. Das neue Halbjahr entpuppte sich als ganz schön interessant.

„Pass lieber auf, Charlie", sagte Fidelio einige Tage später. „Wenn du noch mal auf den Speicher raufgehst, handelst du dir garantiert Arrest ein."

„Wenn nicht Schlimmeres", murmelte Olivia.

„Vielleicht wirst du ja für immer hypnotisiert", sagte Emma. „So wie es Manfred mit mir machen wollte."

Sie saßen auf einem Holzstoß in der strahlenden Sonne. Es versprach ein toller Sommer zu werden, was nur gut war, denn das Schultheaterstück sollte im Freien aufgeführt werden.

„Wie ist Belle denn so in Kunst, Emma?", wollte Charlie wissen. „Ich meine, kann sie zeichnen?"

Emma zuckte die Achseln. „Keine Ahnung, sie ist die ganze Zeit in der Schneiderwerkstatt. Wir sollen die Kostüme und die Kulissen für das Theaterstück entwerfen."

Das Jagdhorn ertönte und die vier Kinder rutschten von ihrem Holzstoß und marschierten zum Hauptgebäude.

„Ich wollte, wir könnten irgendwas wegen Ollie

unternehmen", sagte Emma, als sie am Gartenportal waren. „Wenn wir vielleicht Arrest kriegten und dann bis Samstag hierbleiben müssten ... Was meinst du, Charlie?"

Charlie fand die Idee verlockend, aber er hatte andere Pflichten. „Runnerbean", sagte er. „Ich muss nach Hause und mich um ihn kümmern."

Sie hatten gerade beschlossen, sich alle am Sonntag zu treffen, um das Ollie-Problem zu bereden, als Fidelio plötzlich erklärte: „Ich kann nicht. Ich hab ein Konzert."

Charlie bedauerte das sehr. Fidelio war so hilfreich in Krisensituationen. Er hatte prima Ideen und gab nie auf. Aber Fidelio war auch ein hervorragender Musiker. Charlie fürchtete, dass er in diesem Halbjahr sehr wenig von seinem Freund zu sehen kriegen würde.

Als Charlie am Freitagabend nach Hause kam, lief so vieles schief, dass er Ollie völlig vergaß. Er hatte damit gerechnet, seinen Großonkel vorzufinden, aber Paton war noch nicht zurück und es gab auch keine Nachricht von ihm.

„Ich bin ein bisschen besorgt", sagte Maisie. „Das ist gar nicht Patons Art. Und ich fürchte, es kommt noch schlimmer, Charlie. Ich muss morgen auch wegfahren."

„Was!" Charlie war völlig schockiert. Seine Mutter musste samstags arbeiten und der Gedanke, den ganzen Tag mit Grandma Bone allein zu sein, war, gelinde gesagt, unangenehm. „Wo willst du hin? Kann ich mit?"

„Geht nicht, Charlie."

Maisies Schwester Doris war krank. Maisie musste hinfahren, um sie zu pflegen. Es gab sonst niemanden. Aber was sollte aus Runnerbean werden? Jetzt konnte ihn niemand mehr füttern und ausführen, wenn Charlie im Bloor war.

„Du solltest jetzt wohl besser mit ihm rausgehen", sagte Maisie. „Ich bin nicht dazu gekommen. Du kannst ihn nicht mehr lange hier verstecken, Charlie. So ein lebhafter Hund fliegt früher oder später auf."

Als Charlie nach oben lief, hörte er Runner winseln und an der Tür kratzen.

„Sch-sch, Runner!" Charlie flitzte in sein Zimmer und knallte die Tür hinter sich zu.

Runnerbean legte Charlie die Pfoten auf die Schultern und leckte ihm das Gesicht.

„Lieb von dir, aber igitt!", flüsterte Charlie.

Draußen hörte man ein Knarren und eine Stimme rief: „Bist du das, Charlie, der da Türen knallt?"

„Ja, Grandma", rief Charlie. „Ich zieh nur meine Schulklamotten aus."

66   Als Charlie nach einer Weile den Kopf aus der Tür steckte, war Grandma Bone schon wieder in ihrem Zimmer verschwunden.

„Komm, Runner", flüsterte Charlie leise.

Er rannte nach unten und der Hund sprang freudig hinter ihm her. Sie schlüpften zum Hinterausgang hinaus, in das Sträßchen, das zum Park führte. Eine Stunde später kamen sie hungrig und erschöpft wieder zurück.

Seine Mutter hatte sich schon Sorgen gemacht und Charlie erklärte, er habe nicht gewusst, wie spät es war, weil seine Uhr verschwunden sei. Mrs Bone seufzte. „Also, wirklich, Charlie. Dann nimmst du wohl besser meine, bis du deine wieder findest." Sie reichte ihm ihre Armbanduhr, die zum Glück nicht allzu damenhaft aussah. „Ich gehe Maisie nur eben packen helfen", sagte sie. „Bin gleich wieder da."

Charlie suchte nach den Hundefutterdosen, die Maisie versteckt hatte. Er hatte gerade eine Dose in der Speisekammer entdeckt, als plötzlich ein lauter Schrei ertönte, gefolgt von einem tiefen Knurren.

Charlie fuhr herum und sah Grandma Bone wie angewurzelt in der Küchentür stehen. „WAS MACHT DIESES BIEST HIER?", schrie sie und zeigte mit ihrem knochigen Finger auf Runnerbean.

„Das ist Benjamins Hund", sagte Charlie nervös. „Du kennst doch Runnerbean."

„Natürlich kenne ich ihn, aber warum ist er nicht in Hongkong?"

Ehe Charlie antworten konnte, stürzte Runnerbean auf Grandma Bone zu, die wieder losschrie.

„Schaff ihn weg!", rief sie.

„Äh …", versuchte Charlie Zeit zu schinden.

Runnerbean fletschte die Zähne und schnappte nach den Knöcheln der alten Dame.

„Jetzt reicht's!", schrie Grandma Bone. Sie schob sich rückwärts hinaus und rief: „Ich rufe den Kammerjäger – den Hundefänger – die Polizei. Sie müssen diesen Hund erschießen. Er ist gefährlich."

„Bitte nicht. Das kannst du nicht tun, Grandma", flehte Charlie.

Aber Grandma Bone war schon am Telefon, gab ihre Adresse durch und berichtete irgendjemandem von dem Killerhund, der erlegt werden müsse.

„Sie sind so um halb sechs hier und ich komme nicht mehr runter, ehe dieses schreckliche Vieh nicht beseitigt ist", sagte sie grimmig.

Charlie war in Panik. Er wusste nicht, was tun. Maisie und Mrs Bone kamen heruntergerannt, um zu gucken, was das für ein Tumult war. Aber sie wussten auch nicht weiter. Maisie sagte, sie sei so in Sorge um ihre Schwester, dass sie gar nicht geradeaus denken könne.

„Wenn doch nur Onkel Paton hier wäre", jammerte Charlie. „Der wüsste Rat."

Charlie wollte Runnerbean am liebsten packen und zu Fidelio oder Emma oder notfalls sogar zu Olivia bringen. Aber konnten die den großen Hund verstecken? Würden sie es wollen, wo Runnerbean jetzt so grimmig aussah? Er hasste es angeschrien zu werden. Er rollte wild mit den Augen und aus seiner Kehle kam immer wieder ein tiefes Grollen.

„Wer auch immer kommt, wir werden ihnen einfach erklären, dass der Hund auf keinen Fall getötet werden darf", erklärte Mrs Bone. „Wir sagen ihnen, dass er noch nie jemanden gebissen hat."

„Vielleicht kommt er ja in ein nettes Tierheim, wo du ihn besuchen kannst", sagte Maisie optimistisch.

„Das fände er grässlich", rief Charlie. Er nahm eine große Platte mit Gänseleberpastete und zehn Scheiben glasiertem Schinken aus dem Kühlschrank und kippte alles in Runnerbeans Hundenapf, den Maisie unter der Spüle versteckt hatte.

„Grandma Bones persönliche Vorräte", sagte Maisie gedämpft.

„Mir egal", entgegnete Charlie. Er kniete sich neben Runnerbean und streichelte ihm den zotteligen Kopf. Es war höchst befriedigend, die Lieblingsspeisen seiner Großmutter in einem gierigen Hunderachen verschwinden zu sehen.

Es war jetzt sechs Uhr fünfundzwanzig.

Charlie erhob sich. „Ich hab mich entschieden. Ich werde Fidelio bitten, Runner zu verstecken, bis Benjamin wieder da ist."

„Bei all diesen lauten Musikern?", sagte Maisie. „Das würde er keine Minute aushalten."

Da klingelte es an der Tür.

Magische Steine

„Sind das die Hundefänger?", rief Grandma Bone.

Charlie rutschte das Herz in die Hose.

„Keine Angst, Charlie. Wir lassen nicht zu, dass sie ihm etwas tun", versuchte ihn seine Mutter zu beruhigen.

Grandma Bone war schon in der Diele. Sie machte die Haustür auf und sagte: „Huch."

Charlie lief in die Diele. Vor der Haustür stand ein kleiner, pelzig aussehender Mann. Charlie erkannte ihn sofort. Es war sein Freund, Mr Onimous. Hinter ihm standen drei grimmig guckende Katzen – die Ursache für Grandma Bones „Huch". Sie hasste Katzen, vor allem orangefarbene. Die hier waren orange, gelb und kupferrot.

„Sind Sie der Hundebeseitiger?", fragte sie misstrauisch. „Ich habe Sie doch schon mal gesehen und diese merkwürdigen Katzen auch." Sie wich einen Schritt zurück.

70   Der Mann hielt ihr eine Karte hin. „Orvil Onimous, gnädige Frau. Schädlingsbekämpfung."

„Kommen Sie rein und holen Sie den Hund", sagte

Grandma Bone. „Charlie, wenn er eine Leine hat, bring sie her."

Charlie rannte wieder in die Küche und Mr Onimous und die Katzen folgten ihm.

„Alles in Ordnung", flüsterte Charlie seiner Mutter und Maisie zu. „Es ist Mr Onimous."

Maisie zog die Hundeleine aus ihrer Schürzentasche und überreichte sie Mr Onimous. „Dass Sie mir ja gut zu dem Hund sind", sagte sie.

Mr Onimous zwinkerte.

Es gab etwas Geschnupper und Gegrolle zwischen den Tieren, als Mr Onimous die Leine an Runnerbeans Halsband klipste, aber das war alles freundschaftlich gemeint und der große Hund schien sehr froh, die vier wiederzusehen.

„Woher wussten Sie das mit Runnerbean?", flüsterte Charlie.

„Die Katzen", sagte Mr Onimous. „Sie wollten unbedingt hierher. Ich wusste gar nichts, bis ich hier war. Komm uns im Café besuchen, Charlie."

Grandma Bone rief: „Los, machen Sie schon! Schaffen Sie den Hund weg."

Mr Onimous führte den fröhlichen Hund davon und Runnerbean sah sich nur ein einziges Mal um, um Charlie aufmunternd zuzubellen.

„Auf Wiedersehen", säuselte Mr Onimous.   71

Grandma Bone knallte die Tür zu.

Zum Glück ging Charlie aufmachen, als der echte

Kammerjäger kam. „Hat sich erledigt", erklärte Charlie dem Mann. „Wir haben ein Zuhause für den Hund gefunden."

Nachdem nun schon mal ein Problem gelöst war, schlief Charlie wie ein Murmeltier. Er schlief sogar ungewöhnlich lange und kam erst wieder zu sich, als Maisie ihn wachrüttelte.

„Ich muss jetzt los, Charlie. Das Taxi wartet. Deine Mum ist schon zur Arbeit und Grandma Bone ist irgendwo hingegangen." Sie legte einen Zettel auf Charlies Kopfkissen. „Das ist die Adresse der Dark-woods. Für den Fall, dass du sie brauchst. Sie sind schließlich deine Tanten. Ich lasse dich wirklich sehr ungern allein, Charlie, aber mir bleibt keine andere Wahl."

„Ich komm schon zurecht", gähnte Charlie. Er konnte sich nicht vorstellen, warum er zu den Dark-wood-Schwestern gehen wollen sollte.

Maisie drückte ihm noch einen Kuss aufs Haar, dann war sie weg.

Es war unnatürlich still. Charlie konnte sich nicht erinnern, jemals ganz allein im Haus gewesen zu sein. Onkel Paton war sonst immer da. Wo war er nur?

Nach dem Frühstück ging Charlie beim Gemüsela-den vorbei, um seine Mutter zu besuchen. Sie wog ge-rade einem ungeduldig wirkenden Mann Äpfel ab und da war noch eine lange Schlange von Kunden.

72

„Ich kann jetzt keine Pause machen, Charlie", murmelte sie. „Wir sehen uns zum Tee. Du kommst doch zurecht, oder?"

„Klar. Ich gehe zu Emma."

Emma wohnte mit ihrer Tante, Julia Ingledew, in einer Buchhandlung hinter der Kathedrale, aber als Charlie in die steile Straße zur Buchhandlung Ingledew einbog, zog er unwillkürlich Maisies Zettel aus der Hosentasche. Seine Tanten hatten wirklich eine ausgesprochen seltsame Adresse: Darkly Wynd, Nummer dreizehn.

„Darkly Wynd", murmelte Charlie nachdenklich. War das eine Straße, ein Weg oder eine eigene Ortschaft? Hörte sich jedenfalls ziemlich finster an.

Charlie ging in einen Zeitungsladen. Er kaufte eine Rolle Pfefferminzdrops und zeigte der Frau hinterm Ladentisch seinen Zettel.

„Darkly Wynd? Da willst du doch nicht etwa hin?"

„Eigentlich schon", sagte Charlie.

„Lass das lieber bleiben. Das ist eine üble Gegend. Nichts für junge Burschen wie dich."

Charlie war verdutzt. „Warum?"

„Finster dort. Keine Straßenlaternen."

„Aber es ist doch helllichter Tag", wandte Charlie ein.

„Dort ist schon einiges passiert, Kleiner. Geh lieber nicht hin."

„Ich hab dort Verwandte", sagte Charlie.

Die Frau beugte sich über den Ladentisch und starrte Charlie an. „Was für Verwandte?", fragte sie.

„Tanten. Großtanten. Mir passiert schon nichts. Bitte, sagen Sie mir, wo es ist."

Die Frau sagte seufzend: „Na, meinetwegen, aber sag nicht, ich hätte dich nicht gewarnt. Geh am oberen Ende dieser Straße nach rechts und dann immer geradeaus, bis du zum Grauen Hügel kommst. Dort geht es irgendwo ab."

„Danke." Charlie verließ den Laden, ehe die Frau noch mehr düstere Warnungen von sich geben konnte.

Der Graue Hügel war das, wonach es klang: ein Haufen hoher, grauer Häuser, die im Halbkreis um ein staubiges, verwildertes Rasenstück angeordnet waren. Mitten auf dem Gras stand eine riesige Tanne, was dem Ganzen etwas Finster-Bedrohliches gab.

Genau in der Mitte des halbrunden Platzes war eine Lücke zwischen den terrassenförmig gestaffelten Häusern und an der einen Seite hing ein verblasstes Schild mit der Aufschrift DARKLY WYND. Charlie folgte der schummrigen Gasse. Rechts und links ragten schmutzige, fensterlose Hauswände in den Himmel. Ein feuchtkalter Wind schlug ihm ins Gesicht und es war kaum zu glauben, dass er eben noch in der Sonne gestanden hatte.

Die Gasse mündete in einen Innenhof, umgeben von uralt und unheimlich aussehenden Häusern. Sie schienen sich wie turmhohe Wände nach innen zu neigen und das Licht auszusperren. Über dem Ganzen hing die dunkelste Wolke, die Charlie je gesehen hatte. Ihn fröstelte.

Er ging die Häuserfronten entlang, verfolgte die Hausnummern an den Türen. Fast alle Häuser schienen leer zu stehen. Die Fenster und Türen mit halb abgeblätterter Farbe waren verrammelt. Jemand oder etwas musste die Bewohner vertrieben haben. Bei Nummer fünf stürmte plötzlich eine Horde Jugendlicher streitend und schreiend aus der Haustür. Charlie machte, dass er weiterkam. In Nummer neun tauchte ein bulliger Mann aus dem Kellergeschoss auf. Er brüllte Charlie hinterher. Bei Nummer elf krachte ein Mülltonnendeckel auf den Gehweg und eine Ratte flitzte zwischen Charlies Beinen hindurch.

Darkly Wynd führte nirgendwohin. Am anderen Ende des Innenhofs stand eine Zeile von drei Häusern, die alle übrigen um einiges überragten. Sie hatten seltsame Türmchen, schmiedeeiserne Balkongitter und hohe Bogenfenster, die mit unheimlichen steinernen Gnomengesichtern und Fabelungeheuern verziert waren. Das erste Haus war Nummer dreizehn.

Charlie stieg die steinerne Eingangstreppe hinauf. An der schwarzen Haustür hing über der Dreizehn ein Messingklopfer in Form einer Hand. Charlie klopfte nicht an. Natürlich nicht. Er beugte sich vielmehr übers Geländer und spähte durch ein hohes

Fenster. Der Raum dahinter war voller mächtiger, dunkler Möbel. Er guckte durchs Fenster auf der anderen Seite des Eingangs und sah an allen Wänden Porträts von grimmig-ernsten Leuten, drei Reihen übereinander. Im Haus herrschte Stille. Es schien unbewohnt.

Als Charlie die Eingangstreppe wieder hinuntergegangen war, merkte er, dass das nächste Haus ebenfalls die Nummer dreizehn hatte und das übernächste auch.

„Armer Briefträger", murmelte Charlie.

Im zweiten Haus war auch alles düster und still, aber aus dem dritten drang ein Schnurren und Klackern.

Um besser sehen zu können, huschte Charlie die Treppe zum Souterrain hinab und stieg auf einen schmalen Vorsprung unterhalb des hohen Fensters. Wenn er sich reckte, konnte er gerade in den Raum gucken.

Was er sah, war hochinteressant. Ein langer, ovaler Tisch füllte fast den ganzen Raum. Er war übersät mit Stofffetzen, glitzernden Pailletten, Federn, Knöpfen, winzigen Spiegelglasquadraten, Samt, Leder und Garnspulen. Über dem Tisch hing eine Reihe Lampen mit glockenförmigen Messingschirmen. Sie beleuchteten drei Gestalten. Belle saß an einer Nähmaschine, während Tante Venetia und Dorcas daneben standen und ihr zusahen. In der Hand hielt Tante Venetia eine lange Hutnadel mit einem schwarzen Käfer darauf. Belle hob den Kopf und sagte etwas und Tante Venetia stach die Hutnadel in ein Stück roten Samt. Sofort verwandelte sich der Samt in ein Gewimmel von glänzenden schwarzen Käfern, die über den Tisch und den Fußboden wuselten.

Dorcas schrie leise auf – und Charlie ebenfalls.

Belle sah zum Fenster und als Charlie sich vor ihren knallblauen Augen wegducken wollte, fiel er rückwärts und zielgenau in eine Reihe Mülltonnen.

Von der Eingangstreppe sah jemand auf ihn herab: Asa Pike.

„W... was in aller Welt machst du denn hier?", fragte Charlie, während er sich aufrappelte.

„Das könnte ich dich auch fragen."

Asa, der sonst meistens in seiner schäbigen Verkleidung herumlief, war extrem schick: in schwarzer Lederjacke, weißem Hemd, blau karierter Krawatte und steingrauer Hose. Und als sei das noch nicht merkwürdig genug, hielt er auch noch einen Strauß Tulpen in der Hand.

„Meine Tanten wohnen hier", sagte Charlie.

„Warum spionierst du dann hier herum, statt einfach reinzugehen?", fragte Asa.

„Das geht dich gar nichts an."

Asa zuckte die Achseln und klingelte, während Charlie die Souterraintreppe hinaufhastete. Auf dem Gehweg angekommen, hörte er über sich ein Geräusch und sah hoch. Aus einem vergitterten Fenster ganz oben blickte ein Mann; er hatte dunkles Haar und ein ernstes Gesicht. Charlie kam er irgendwie bekannt vor. Er hatte das Gefühl, dass der Mann ein Gefangener war.

Charlie rannte weiter, Darkly Wynd entlang, und versuchte, das grässliche Bild des Käfergewimmels aus seinem Kopf zu verscheuchen.

„Warst du gerade in einem Horrorfilm?", fragte Emma, als Charlie in die Buchhandlung Ingledew kam. „Du siehst ja schrecklich aus."

„Ich war auch an einem schrecklichen Ort." Charlie erzählte Emma von den Käfern und von Darkly Wynd.

Emma machte große Augen: „Das wundert mich, ehrlich gesagt, nicht. Deine Großtanten sind ja so grässlich. *Meine* Tante macht gerade belegte Brote. Willst du auch was?"

Und ob Charlie wollte. Julia Ingledew machte köstliche Brote mit sehr exotischen Sachen drauf. So auch heute. Aber leider herrschte samstags in der Buchhandlung Hochbetrieb, deshalb mussten sie alle hinterm Ladentisch sitzend essen und Miss Ingledew sprang andauernd auf, um Kundschaft zu bedienen.

78 Ein Mann mit einem sehr teuren Geschmack in Sachen Bücher – und offenbar auch in Sachen Anzüge – war gerade mit einem seltenen Werk über Fische

hinausspaziert. Aber Miss Ingledew wirkte nicht so glücklich, wie man hätte annehmen können, nachdem sie gerade einen Haufen Geld für das Buch kassiert hatte. Sie knabberte an einem Brot, räusperte sich und sagte: „Was ist mit deinem Onkel, Charlie?"

„Ich weiß nicht. Er ist irgendwo hingefahren."

Miss Ingledew schien beunruhigt. „Ich frage nur, weil er sonst immer mindestens zweimal die Woche herkommt und ich nichts von ihm gehört habe."

Charlie bemerkte erfreut, dass sie ein bisschen rot geworden war. Das hieß ja wohl, dass sein Onkel doch nicht ganz hoffnungslos in Miss Ingledew verknallt war.

„Er hat einen Brief hinterlassen, in dem stand, dass die Tanten irgendwas im Schilde führen", erklärte Charlie. „Und dass er wegmusste, um zu verhindern, dass jemand Gefährliches hier auftaucht."

„Wow!", rief Emma. „Ich wüsste gern, ob er's geschafft hat."

„Ich auch", seufzte Charlie.

„Ich hoffe nur, es geht ihm gut", sagte Miss Ingledew besorgt. „Ich weiß nicht, was ich ohne … Ich meine, er ist doch sonst so verlässlich, nicht wahr, Charlie?"

Charlie war rechtzeitig zum Tee wieder zu Hause, bereute es aber sofort. Grandma Bone hatte beschlossen einen kleinen Gastauftritt einzulegen, was hieß, dass er scheußliche Gemüsepastete essen musste statt seiner üblichen Backofenpommes.

Von Onkel Paton gab es immer noch keine Nachricht, aber Grandma Bone schien nicht mehr beunruhigt. „Er macht sicher einen netten, kleinen Urlaub", sagte sie gutgelaunt.

Das überzeugte Charlie erst recht vom Gegenteil. Außerdem hatte er den Verdacht, dass seine Großmutter inzwischen wusste, wo Paton abgeblieben war. Ihre selbstzufriedene Miene konnte nur eines bedeuten: Sein Onkel war in Gefahr.

Nach einer quälenden halben Stunde ließ Grandma Bone Charlie und seine Mutter mit dem Abwasch allein.

Charlie atmete erleichtert auf. „Mum, ich mache mir Sorgen um Onkel Paton. Wie können wir rausfinden, wo er hingefahren ist?"

„Gar nicht, Charlie. Dein Onkel weiß schon, was er tut." Sie warf einen Blick in den Spiegel und zupfte sich Haare von den Jackenschultern.

„Du hast doch keinen Freund, oder?"

Die Antwort von Charlies Mutter war nicht allzu beruhigend. „Wie kommst du darauf?"

„Bitte vergiss Dad nicht", sagte Charlie.

Sie lächelte versonnen. „Natürlich nicht, Charlie."

80

Am Sonntagnachmittag ging Charlie wie immer ins Café *Zum glücklichen Haustier*. Das war ein prima

Ort, um sich mit Freunden zu treffen, solange keiner vergaß, ein Haustier mitzubringen. Heute ließ der Rausschmeißer, Norton Cross, Charlie ausnahmsweise ohne Tier ein.

„Mr Onimous hat mir das mit Runnerbean erzählt", sagte der Hüne. „Dein Tier wartet schon auf dich, Charlie." Er zeigte auf einen Tisch, wo Gabriel saß und Runnerbean mit Keksen fütterte.

Der gelbe Hund bellte freudig, als er Charlie sah, und warf ihn vor lauter Begeisterung fast um. Nachdem Charlie Runner seinerseits ausgiebig begrüßt hatte, setzte er sich neben Gabriel, der den ganzen Schoß voller Springmäuse hatte.

„Wundert mich, dass Runner die nicht gefressen hat", sagte Charlie.

„Ich glaube nicht, dass er was frisst, was sich bewegt", entgegnete Gabriel.

Die Tür des Cafés öffnete sich klimpernd und drei weitere Gäste kamen herein: Olivia mit einem weißen Kaninchen, Emma mit einem exotisch aussehenden Vogel im Käfig und als Überraschungsgast Mr Boldova. Er zeigte seine schwarze Ratte Rembrandt vor und Norton Cross winkte ihn herein.

Während die beiden Mädchen an Charlies Tisch kamen, ging Mr Boldova an die Theke.

„Mr B. kam gestern zu uns in die Buchhandlung", erklärte Emma. „Er will über Ollie und diese Boa-Sache reden. Also hab ich ihn mit hierhergebracht."

Mr Boldova kam mit einem Tablett voller Kuchen und Orangensaft an den Tisch. „Mein Beitrag", sagte er. „Gebt das mal rum."

Der Kunstlehrer setzte sich zwischen die Mädchen und der Kuchen wurden möglichst gerecht aufgeteilt.

„Emma sagt, Sie wollen mit mir reden, Sir", sagte Charlie und biss in einen Riesenkrapfen.

Mr Boldovas fröhliche Miene verschwand. „Ja, Charlie. Ich will direkt zur Sache kommen. Da ist so ein neues Mädchen im Kunstzweig. Belle Donner. Offenbar wohnt sie bei deinen Tanten. Heißt das, dass ihr verwandt seid, Charlie?"

Charlie verschluckte sich an einem Krümel. „Hoffentlich nicht", krächzte er.

„Hey, was geht denn da vor?", fragte Olivia. „Gibt es irgendwas, was wir wissen sollten?"

„Ja, was weißt du über Belle?", fragte Mr Boldova.

„Nichts", sagte Charlie. „Nur, dass ihre Augen dauernd die Farbe wechseln und … und … ich hab gesehen …"

„Was?", fragte Olivia ungeduldig.

Charlie erzählte ihnen von Darkly Wynd und den Käfern. „Das mit den Käfern hat eine von meinen Tanten gemacht, aber ich bin sicher, Belle hatte etwas damit zu tun. Sie hat irgendeine Macht über meine Tanten."

„Das muss sie sein."

„Wer – sie?", fragte Olivia.

Mr Boldova sagte mit einem grimmigen Lächeln: „Emma hat euch ja wohl schon erzählt, dass mein kleiner Bruder Ollie Schüler am Bloor war. Vor einem guten Jahr verschwand er plötzlich. Als ich ans Bloor kam, um herauszufinden, was mit ihm passiert ist, musste ich mir eine neue Identität zulegen. Es gibt Leute am Bloor, die mich garantiert aus dem Weg schaffen wollen würden, wenn sie wüssten, wer ich bin."

„Aus dem Weg schaffen!", echote Emma.

„Ich fürchte, ja." Mr Boldova nahm nachdenklich einen Happen von seinem Obstkuchen. „Auf die eine oder andere Art."

„Belle ...", half ihm Charlie auf die Sprünge.

„Ah ja, Belle." Mr Boldova wischte sich den Mund mit einer braunen *Zum-glücklichen-Haustier*-Papierserviette und sagte: „Hinter den Bergen im Nordosten liegt ein Schloss. Es wurde vor über 900 Jahren gebaut und hieß früher anders. Heute ist es unter dem Namen ‚Schloss Darkwood' bekannt." Er sah Charlie an.

Charlie murmelte: „Darkwood", unterbrach ihn aber nicht.

Mr Boldova fuhr fort: „Auf Schloss Darkwood leben schon seit Jahrhunderten die Nachfahren des Roten Königs. Die meisten Besitzer waren sonderbegabt. Im Jahr 1900 wurde in dem Schloss ein Mädchen geboren, das den Namen Yolanda bekam. Ihr Vater war ein Gestaltwandler, ihre Mutter Hypnotiseurin. An ihrem einundzwanzigsten Geburtstag erbte Yolanda das Schloss, obwohl ...“ Mr Boldova sah in die gespannten Gesichter, „... obwohl nicht feststeht, ob ihr Vater bereits ganz und gar tot war.“

„*Ganz und gar* tot?“, fragte Olivia dazwischen. „Was soll das heißen?“

„Das heißt, dass man bei einem Gestaltwandler nie sicher sein kann, ob er wirklich nicht mehr lebt. Yolanda ist jetzt weit über hundert und kann immer noch die Gestalt eines zwölfjährigen Mädchens annehmen.“

„Meinen Sie etwa“, sagte Charlie atemlos, „Yolanda ist – Belle?“

„Ich bin mir ziemlich sicher“, sagte Mr Boldova. „Und ich fürchte, sie hat mich erkannt. Mein Zuhause liegt nicht weit von ihrem entfernt und sie konnte die Leute auf Schloss Funkenstein noch nie leiden. Dort ging es immer so lustig zu, so hell und lebhaft, aber seit Ollie verschwunden ist, haben wir keinen Spaß mehr dran, Dinge zum Funkensprühen zu bringen, mein Vater und ich. Ja, wir haben beide diese Gabe. Ollie leider nicht. Er ist musikalisch, das ist seine Begabung. Außerdem hat er auch eine grenzenlose Neugier mitbekommen und ich hatte immer schon Angst, dass ihn das irgendwann in Schwierigkeiten bringen würde.“

„Es gibt da ein Porträt von Selena Sparks, Sir. War sie auch eine Funkenmagierin?", fragte Charlie.

„Selena – ah ja, eine wunderbare Frau, nach allem, was von ihr überliefert ist. Wir stammen von ihrem Bruder ab, der die Gabe nicht hatte. Selena hat nie geheiratet. Hatte sicher anderweitig zu viel Spaß."

Charlie wollte so gern wissen, wie denn das mit der Funkenmagie vor sich ging, aber es schien ihm doch nicht der richtige Augenblick nachzufragen.

Olivia hingegen hatte da überhaupt keine Skrupel. „Wie machen Sie das, Sir? Wie bringen Sie Sachen zum Funkensprühen?"

„Nicht so wichtig", sagte der Lehrer. Aber als er die enttäuschten Gesichter sah, sagte er: „Na, gut", und griff in die Tasche. Er zog eine Handvoll Steinchen hervor, hielt sie über den Tisch und ließ sie sachte in der hohlen Hand herumkullern.

Vier Köpfe beugten sich dicht heran und plötzlich begannen die Steine hell zu leuchten und Funken zu sprühen. Die Kinder spürten die Hitze, die von den Steinen ausging, und Runnerbean, das Kaninchen, der Vogel und die Springmäuse begannen wie auf Kommando zu kreischen, zu fiepen und zu bellen.

Rembrandt, die Ratte, war solche Darbietungen gewohnt und sah gleichmütig zu.

Mr Boldova schloss die Hand zur Faust und das Gleißen erlosch. Emmas Vogel kreischte prompt: „Verflixt und zugenäht!"

„Es kann gefährlich werden", sagte Mr Boldova und steckte die Steine wieder in die Tasche.

„Wie können Sie die Steine halten, wenn sie so heiß sind, Sir?", fragte Gabriel.

„Um ehrlich zu sein, ich habe keine Ahnung", antwortete der Funkenmagier.

Mr Onimous erschien am Tisch und wollte wissen, was da eben los gewesen sei. „Wer hat meine Gäste erschreckt?", fragte er und meinte damit die Tiere.

Mr Boldova wollte sich gerade schuldig bekennen, als Mr Onimous plötzlich den Zeigefinger auf die Lippen legte. „Nein. Sagen Sie nichts, Sie sind einer von *denen*, stimmt's, Sir?" Er zwinkerte Charlie zu und fragte ihn: „Was sagst du zu Runnerbean? Sieht doch ganz zufrieden aus, oder?"

„Er sieht prima aus, Mr Onimous. Wie kommt er denn mit den Katzen aus?"

„Kein Problem, Charlie. Sie sind gute Freunde. Wo wir gerade von den Flammen reden, die interessieren sich in letzter Zeit auffällig für deine Schule. Ist dort alles in Ordnung?"

Charlie zögerte kurz, sah dann Mr Boldova an und sagte leise: „Nein, ist es nicht." Und noch leiser erzählte er Mr Onimous von Belle und dem unsichtbaren Ollie.

„Donnerwetter!", murmelte Mr Onimous. „Kein Wunder, dass die Katzen da neugierig sind."

In dem Moment kam eine Gruppe lärmender Gäste

herein: vier schwarze Hunde mit gedrungenen Schnauzen und gefährlich wirkenden Augen. Die beiden Jugendlichen, die sie begleiteten, sahen zwar ziemlich harmlos aus, aber irgendwie war Charlie nicht recht wohl. Sie waren beide stämmig, mit rotblondem Haar und rosigen, sommersprossigen Gesichtern. Man sah ihnen an, dass sie nicht viel Zeit darauf verwandt hatten, ihre Hunde zu erziehen.

„Rottweiler", murmelte Gabriel. „Pass lieber auf Runner auf. Die können ganz schön unangenehm werden."

Mr Onimous hüpfte davon, um sich um das Gebell zu kümmern, das im Café ausgebrochen war, und Runnerbean begann leise zu grollen. Er hätte sich der Rottweiler-Gang gern genähert, traute sich aber nicht.

Die Kinder tranken aus und aßen auf und nachdem Charlie Runnerbean noch ein paarmal gekrault und fest gedrückt hatte, brachte er ihn hinter der Theke in Sicherheit.

„Bis nächste Woche", sagte er zu dem gelben Hund.

Als er zum Ausgang wollte, versperrten ihm die Rottweiler den Weg. Ihr Knurren hatte etwas Bedrohliches und Charlie traute sich nicht vorbei.

„'tschuldigung, Kumpel." Der eine Bursche grinste schwach und zog die Rottweiler beiseite.

Gabriel hatte die Tür bereits geöffnet und Charlie spurtete so schnell hinaus, dass er beinahe das Mädchen umrannte, das draußen stand: Dorcas Loom.

„Hallo!", sagte Charlie. „Was machst du denn hier?"

„Ich warte auf meine Brüder."

„Hast du kein Tier?", fragte Gabriel.

„Mag keine Tiere", brummte Dorcas.

In dem Moment kam Mr Boldova heraus, gefolgt von Emma und Olivia.

„Oh!" Dorcas Augen wurden kreisrund. „Sie hier, Sir."

Der Kunstlehrer lächelte. „Hallo, Dorcas."

Und dann sah Dorcas Emmas Vogel. „Wie süß", sagte sie. „Was ist das für einer?"

„Ein Beo. Ich würde nicht ..." Aber sie konnte nicht mehr verhindern, dass Dorcas den Zeigefinger durchs Käfiggitter steckte.

„Komm, puttputtputt!", sagte Dorcas.

Der Beo pickte sie in den Finger und Dorcas ließ einen markerschütternden Schrei los.

Einer von den Rottweiler-Jungs steckte den Kopf zur Tür heraus und fragte: „Was hast du, Dorcas? Was ist los?"

„Dieses miese, gemeine Vogelvieh hat mich gebissen!", jammerte Dorcas.

„Du solltest keine bösartigen Tiere halten", sagte der Bursche und funkelte Emma grimmig an.

88   Mr Boldova fuhr ihn an: „Red kein dummes Zeug. Ich würde doch sagen, vier Rottweiler stellen eine größere Gefahr dar als ein kleiner Beo."

Der Bursche hob die Faust, besann sich dann aber eines Besseren, zog sich wieder hinter die Tür zurück und sagte noch: „Wir kommen gleich, Dorcas."

Dorcas hatte sich inzwischen ein bisschen beruhigt, aber als Emma sich für das Benehmen des Beos entschuldigte, sah Dorcas sie nicht mal an.

„Tschüss, Dorcas", riefen die anderen im Davongehen.

Dorcas drehte ihnen den Rücken zu und nuckelte an ihrem Finger.

An der Hauptstraße sagte Mr Boldova: „Also, hört zu, ich will nicht, dass irgendjemand von euch noch mal versucht, Ollie zu befreien."

„Aber ...", setzte Charlie an.

„*Nein*. Es ist zu gefährlich", sagte Mr Boldova energisch. „Glaubt mir. Ich bin euch sehr dankbar dafür, dass ihr mir geholfen habt, aber jetzt ist es meine Sache, okay?"

Die Kinder willigten widerstrebend ein und der Kunstlehrer entfernte sich in Richtung Bloor. Emma und Olivia nahmen eine Straße, die zur Buchhandlung Ingledew führte, und Gabriel und Charlie gingen weiter bis zur großen Kreuzung.

Ehe sie sich trennten, sagte Charlie: „Meinst du, Dorcas hat uns hinterherspioniert? Sie ist in letzter Zeit so anders. Seit ich sie in dem Haus in Darkly Wynd gesehen habe, werde ich das Gefühl nicht los, dass mit ihr irgendwas nicht stimmt."

Gabriel grinste: „Sie hat auf jeden Fall abgenommen."

„Es ist nicht nur das", entgegnete Charlie.

„Na ja, sie ist sonderbegabt. Aber wir wissen nicht, worin – bis jetzt jedenfalls. Und was das Herumspionieren angeht – ich dachte, der Spitzel ist Billy. Wir wissen doch alle, dass er mit Manfred und diesem grässlichen alten Mr Ezekiel im Bund ist."

„Für einen zweiten Spitzel ist immer noch Platz", sagte Charlie nachdenklich. „Und vielleicht nützt ihnen ja Billy nichts mehr, jetzt, wo wir alle Bescheid wissen. Außerdem tut mir Billy irgendwie leid, weil er ein Waisenkind ist und immer in diesem schrecklichen düsteren alten Bau leben muss. Nie, nie nach Hause zu können – stell dir das mal vor!"

„Kann ich nicht", gab Gabriel schaudernd zu. „Also dann, bis morgen, Charlie!"

Gabriel marschierte davon, und an einer Strähne seines langen, dünnen Haars wippte eine Springmaus. Das sah so komisch aus, dass Charlie lachen musste, aber dann dachte er an Belle und das Lachen verging ihm.

Die Gestaltwandlerin

Am Wochenende, wenn es die meisten Kinder zu Hause richtig gemütlich hatten, streifte Billy durch die dunklen Gänge und über das verlassene Gelände des Bloor. Der einzige andere Schüler im Gebäude war Manfred Bloor, aber der war jetzt schon achtzehn und pflegte sich am Wochenende mit seinem Vater und seinem Großvater, dem alten Ezekiel, im Westflügel einzuigeln.

Manchmal, wenn Billy interessante Informationen für Manfred hatte, zum Beispiel über Charlie Bone, belohnte ihn Manfred mit einer Tafel Schokolade. Und wenn Billy machte, was der alte Ezekiel Bloor wollte, bekam er von dem hundertjährigen Greis spätabends einen Becher heißen Kakao.

Heute war Billys achter Geburtstag, aber bisher hatte niemand dran gedacht. Letztes Jahr hatte ihm die Köchin eine Torte gebacken, aber die Bloors hatten noch nicht mal ein „Herzlichen Glückwunsch zum Geburtstag, Billy!" für ihn übrig gehabt.

Eigentlich war es sehr verwunderlich, woher Billy überhaupt wusste, dass er an diesem Tag Geburtstag hatte. Schließlich hatte niemand mehr davon gesprochen, seit er ein Jahr alt war. Billy wusste es, weil sich das Datum in seinem Gedächtnis eingebrannt hatte. Er wusste es, weil die Tiere es wussten und weil sie es ihm gesagt hatten.

Billy war noch ein Baby gewesen, als seine Eltern starben. Er wuchs bei einer Tante auf, die gutherzig, aber streng war. Als Billy zwei wurde, kam ein toller Kuchen mit der Post. Der Hund der Tante fraß ihn auf, samt Kerzen und allem. Dafür bekam der Hund Prügel und die Katze vorsichtshalber gleich ebenfalls.

An dem Tag im Mai, als Billy drei wurde, sagten der Hund und die Katze: „Kuchentag, Billy!" Aber es kam kein Kuchen. Genauso war es auch, als Billy vier und dann fünf wurde. Inzwischen führte Billy bereits außer Hörweite seiner Tante lange Gespräche mit den Tieren. Als Billy sechs wurde, sagte er zu der Tante: „Kriege ich heute einen Kuchen?"

Die Tante staunte: „Wer hat dir gesagt, dass du heute Geburtstag hast?"

„Der Hund und die Katze", antwortete Billy.

Die Tante starrte ihn ziemlich lange mit offenem Mund an. Schließlich sagte sie: „Dann kannst du also mit Tieren sprechen?"

„Na klar", sagte Billy, der glaubte, dass das jeder konnte. „Ich rede viel mit ihnen."

Die Tante schwieg, aber schon in der darauffolgenden Woche wurde Billy aufs Bloor verfrachtet.

Er fühlte sich in dem dunklen, grauen Gebäude sehr einsam. Er verlief sich dauernd und hatte das Gefühl, dass die Leute etwas vor ihm verheimlichten. Sie wollten nicht, dass er erfuhr, wer er wirklich war. Nur die Köchin war nett und er sprach oft mit ihrem Hund Benedikt, einem fetten alten Tier mit haarlosem Schwanz. Benedikt mochte ja hässlich sein, aber Billy liebte ihn trotzdem. Der alte Hund hatte immer Zeit ihm zuzuhören.

Im letzten Halbjahr hatte Billy Benedikt getreten. Er hatte es nicht gewollt. Es war einfach passiert und Billy bereute es bitter. Benedikt hatte ihm etwas, was er unbedingt wissen wollte, einfach nicht gesagt und da war ihm der Kragen geplatzt. Jetzt sprach Benedikt gar nicht mehr mit ihm und ihm blieben nur noch die Mäuse und ab und zu mal eine Ratte als Gesprächspartner. Mäuse waren langweilig. Sie interessierten sich nur fürs Fressen und für ihre Babys. Ratten waren schon besser. Mr Boldova hatte eine Ratte, die Witze erzählte. Sie hieß Rembrandt.

Heute hatte Mr Boldova Rembrandt auf einen Spaziergang mitgenommen. Billy fragte sich, wo sie wohl hingegangen waren. In der Hoffnung auf irgendetwas Gutes machte er sich auf den Weg in den alleralterobersten Stock des Westflügels, wo Mr Ezekiel wohnte. Der alte Mann hatte ein riesiges, stickiges Zimmer voll mit alten Sachen: Tiegeln und Töpfen, Knochen und Schwertern und Einmachgläsern mit totem Zeug. Ezekiel war ein Zauberer, aber kein besonders erfolgreicher.

Als Billy gerade das obere Ende einer wackligen Holztreppe erreicht hatte, hörte er plötzlich einen Schrei. Er spähte den langen, von Gaslampen erhellten Gang entlang, der zu Mr Ezekiels Zimmer führte. Etwas kam auf ihn zu, ein kurzbeiniger, fetter Hund, der wie am Spieß jaulte.

„Benedikt", grunzte Billy in der Hundesprache. „Was ist denn?"

„Schwanz! Schwanz!", jaulte Benedikt. „Schwanz verletzt!" Der alte Hund kam zu Billy gerannt. „Billy soll gucken!", bettelte er.

Benedikt hatte immer schon einen hässlichen kahlen Schwanz gehabt. Aber was er jetzt hatte, war noch schlimmer. Ein winziger rosa Stummel ragte aus seinem Hinterteil hervor.

„Nicht mehr viel Schwanz da, fürchte ich", sagte Billy. „Was ist denn passiert?"

„Schlange", sagte Benedikt. „Blaue Schlange. Benedikt hat Schlange gebissen. Mr Zeki böse. Blaue Schlange hat Benedikts Schwanz gedrückt. Benedikt weggerannt."

„Sieht ganz so aus, als hätte sie ihn abgebissen", sagte Billy.

„Nein, nein, nein! Schwanz noch da", jaulte Benedikt. „Zerquetscht. Zermalmt. Verletzt."

„Er ist ehrlich nicht mehr da", sagte Billy.

„Billy lügt!", jaulte Benedikt. „Billy soll Köchin Bescheid sagen."

Das mit der blauen Schlange gefiel Billy gar nicht. Er beschloss, doch nicht zu Mr Ezekiel zu gehen. Er würde sich stattdessen lieber auf die Suche nach der Köchin machen.

Seinen achten Geburtstag sollte Billy nie vergessen. Er bekam kein Geschenk und auch keine Karte. Er kam nicht mal bis in die Küche. Auf dem Weg dorthin widerfuhr ihm etwas. Als er gerade auf dem Treppenabsatz über der Eingangshalle war, tauchte drunten in der Halle plötzlich diese Neue, Belle, auf. Sie kam aus der kleinen Tür, die zum Musikturm führte. Fast gleichzeitig trat Mr Boldova aus der grünen Garderobe am anderen Ende der Halle.

Das Mädchen und der Kunstlehrer starrten sich eine Weile wortlos an. Plötzlich sagte Belle: „Guten Abend, Samuel Sparks."

Der Kunstlehrer sagte: „Und du bist …?"

„Ach wie gut, dass niemand weiß, dass ich in Wahrheit anders heiß", säuselte Belle mit einem heiseren Lachen. Ihre Stimme klang tief und alt.

„Yolanda", flüsterte der Lehrer, als ob ihm der Name Angst machte.

„Exxxakt!", zischte das Mädchen. Sie breitete die Arme aus und sofort umwirbelte ein grauer rauchähnlicher Schleier ihren Körper. „Du siehst mich, du siehst mich nicht!", sagte sie höhnisch.

„Ich *sehe* dich, leider", murmelte der Kunstlehrer.

„Armer, trauriger Samuel! Du bist hier, um deinen kleinen Bruder zu suchen, was? Tja, den wirst du nie finden." Belle veränderte ihre Gestalt. Weißes Haar sickerte zwischen den blonden Locken hindurch, die hübschen Gesichtszüge erschlafften zusehends und der Körper wurde länger und dürrer. Jetzt war sie eine uralte Frau mit gelber Haut, die unter dem Kinn in Falten herabhing, und einer riesigen, spitzen Nase.

Billy wollte nicht weiter zugucken, aber er konnte einfach nicht anders. Er kniete sich hin und spähte zwischen den Sprossen des Eichengeländers hindurch.

Mr Boldova ging auf die Alte zu. Er zog etwas aus der Tasche und öffnete die Hand. Ein paar kleine Steine lagen auf seinem Handteller. Nach und nach begannen sie zu glühen und dann stoben glutrote Funken aus der Hand des Lehrers.

Billy schnappte nach Luft. Die Brille rutschte ihm von der Nase und er konnte sie gerade noch auffangen. Aber die beiden dort unten waren viel zu sehr aufeinander konzentriert, um ihn zu bemerken.

„Die helfen Ihnen auch nichts, Mr Samuel Sparks", höhnte Yolanda. „Ollie war ein sehr böser Junge, er musste bestraft werden. Und jetzt muss ich dich auch bestrafen, Samuel."

96

„Das werden wir ja sehen!" Mr Boldova holte aus und schmiss die brennenden Steine nach der alten

Frau. Sie kreischte, als ihr Haar und Stellen ihrer grauen Kleidung zu schwelen begannen. Dann sagte sie mit tiefer, unheimlicher Stimme: „Jetzt reicht es endgültig!"

Sie starrte den Lehrer an. Starrte und starrte. Er trat einen Schritt auf sie zu, blieb dann unsicher stehen. Machte noch einen Schritt, blieb wieder stehen. Er war ganz weiß im Gesicht und sein Blick war stier vor Entsetzen. Verzweifelt tastete er in seiner Tasche nach weiteren magischen Steinen, konnte aber die Hand nicht wieder herausziehen. Er konnte sich gar nicht mehr rühren. Er schien sogar kaum noch zu atmen.

„Das wird dir eine Lehre sein", sagte Yolanda. Sie patschte sich mit der Hand aufs Haar und auf die versengten Stellen ihrer Kleidung, machte dann auf dem Absatz kehrt und verschwand durch die Tür zum Musikturm. Mr Boldova stand so still und stumm da wie eine Statue.

Plötzlich sprang eine schwarze Ratte laut piepsend aus Mr Boldovas Brusttasche und flitzte durch die Halle. Sie wieselte die Treppenstufen hinauf und als sie oben war, kam sie auf Billy zugerannt.

„Hilfe!", fiepte die Ratte. „Hilfe! Hilfe!" Sie sah Billy flehend an. „Hilf Rembrandt", jammerte die Ratte. „Hilf Herrchen."

„Ich versuch's", sagte Billy. Er nahm die Ratte hoch und ging langsam zur Treppe. Der Kunstlehrer hatte sich nicht gerührt. Billy ging die breite Treppe hinunter. Die brennenden Steine lagen in der Halle verstreut und Billy musste sie vorsichtig umgehen. Die Kiesel verglommen ganz langsam. Manche waren schon aschgrau wie erloschene Kohlen.

Mr Boldova schien Billy gar nicht zu sehen. Der weißhaarige Junge ging dichter an ihn heran und sagte: „Ihre Ratte, Sir." Er streckte ihm Rembrandt hin.

„Was?" Mr Boldova starrte Rembrandt an. „Was ist das?"

„Ihre Ratte, Sir", sagte Billy.

„Ich habe keine Ratte."

Rembrandt fiepte verzweifelt.

„Ehrlich, die Ratte gehört Ihnen, Sir. Sie heißt Rembrandt."

Mr Boldova bewegte sich jetzt, aber er war eindeutig nicht er selbst. Er drehte sich um und ging in die entgegengesetzte Richtung davon. „Schaff sie weg!", rief er. „Wirf sie in die Mülltonne!"

Wenn Ratten in Ohnmacht fallen könnten, hätte Rembrandt in diesem Augenblick genau das getan. So aber wurde er einfach nur ganz schlaff. Billy steckte ihn unter seinen Pullover und lief hinauf in seinen Schlafsaal.

98 „Weg", murmelte die Ratte, als Billy auf sein Bett sank.

„Was ist weg?", fragte Billy. „Meinst du Mr B.?"

„Tot", sagte Rembrandt. „Licht aus."

Billy begriff, was die Ratte meinte. „Du meinst sein wahres Selbst, stimmt's? Seine Seele?"

Rembrandt seufzte.

Billy war von dem, was er gesehen hatte, so erschüttert, dass er nicht aufhören konnte zu zittern. Belle war gar kein Mädchen, sondern eine uralte Frau. Sie hatte sich verwandelt und sie hatte etwas Schreckliches mit Mr Boldova gemacht. Belle konnte hypnotisieren, genau wie Manfred Bloor.

„Zwei Gaben", murmelte Billy. Er legte sich aufs Bett und machte die Augen zu. Er wünschte, er könnte nach Hause gehen und mit jemandem reden. Aber er hatte ja kein Zuhause. Mr Ezekiel hatte ihm versprochen, er würde adoptiert werden, aber die netten Eltern, von denen der alte Mann geredet hatte, waren nie aufgetaucht.

„Köchin Bescheid sagen", sagte eine Stimme.

Billy machte die Augen auf. Die Ratte saß auf seiner Brust und starrte ihn an.

„Köchin Bescheid sagen", wiederholte die Ratte. „Köchin weiß viele Dinge."

Bei dem Wort „Köchin" merkte Billy, dass er ganz schrecklichen Hunger hatte. Er stand auf, steckte sich Rembrandt unter den Pullover, ging aus dem Schlafsaal und machte sich auf den Weg nach unten.

99

In der Halle stellte er fest, dass die Lampen an und die glühenden Kiesel verschwunden waren. Es war kaum zu glauben, dass hier erst vor einer Stunde ein Kampf mit Verwandlungstricks und fliegenden Funken stattgefunden hatte. Billy lief rasch weiter in Richtung Speisesaal. Doch als er am Raum der Aufsichtsschüler vorbeikam, vertrat ihm Manfred Bloor den Weg.

„Ah, da bist du ja, Billy", sagte der Oberaufsichtsschüler. „Du guckst so erschrocken. Ist was passiert?"

Billy zögerte. Er spürte, dass Belles Verwandlung etwas war, was er nicht hätte sehen dürfen. „N... nein, Manfred."

„Dann hast du mir also nichts zu erzählen?"

Billy wollte ja über die Sache mit Belle und Mr Boldova reden, aber dann hätte er auch von der Ratte sprechen müssen. Und die wollte er unbedingt behalten. Er schüttelte den Kopf. „Nein."

„Gar nichts? Nicht das kleinste bisschen über Charlie Bone?" Manfreds kohlschwarze Augen glitzerten.

Billy war nicht hypnotisierbar. Das hatte er am Bloor ziemlich schnell herausgefunden. Manfred hatte mehrfach versucht, seine schreckliche Gabe an ihm auszuprobieren, aber es hatte nie funktioniert. Vielleicht lag es ja an seinen dunkelroten Augen. Gibt nichts zu berichten."

Manfred schien enttäuscht. „Was hast du da unterm Pullover?"

„Meine Handschuhe. Mir war kalt."

„Ach, Gottchen!", spöttelte Manfred.

„Heute ist mein Geburtstag", sagte Billy.

„So ein Pech, ich hab leider gar nichts für dich. Aber wenn du doch irgendwelche Neuigkeiten für mich hättest, könnte ich vielleicht irgendwo ein bisschen Schokolade auftreiben."

Billy liebte Schokolade. Und heute war sein Geburtstag. Er brauchte Manfred nur zu erzählen, was er gesehen hatte, und ihm die Ratte auszuhändigen. Aber was würde Manfred mit Rembrandt machen? Schaudernd sagte Billy: „Es war sogar ein ziemlich langweiliger Tag."

„Du bist ein hoffnungsloser Fall, weißt du das, Billy?", schnaubte Manfred verächtlich.

„Tut mir leid, Manfred." Billy verdrückte sich den Gang entlang.

„Ich fürchte übrigens, ich kann nicht zu deiner Geburtstagsfeier kommen", rief ihm Manfred nach.

„Welche Geburtstagsfeier?", murmelte Billy leise vor sich hin, während er an den Porträts und den drei Cafeterien vorbeirannte und dann dem langen Gang immer weiter abwärts folgte, bis zum Speisesaal.

Und dort stellte er fest, dass *jemand* doch an seinen Geburtstag gedacht hatte. Eine große, mit rosa Zuckerguss überzogene Torte stand am einen Ende des Musiktischs. Darauf prangte Billys Name, umgeben von acht brennenden Kerzen.

101

Billy staunte und setzte sich direkt vor die Torte. Rembrandt steckte den Kopf aus Billys Halsausschnitt und sagte: „Oh! Kuchen und Kerzen!" Und dann kam die Köchin und sang mit hoher, brüchiger Stimme: „Zum Geburtstag viel Glück!"

„Danke." Billy blies die Kerzen aus, wünschte sich heimlich etwas und schnitt sich ein großes Stück Torte ab.

„Du hast einen Gast mitgebracht, wie ich sehe." Die Köchin deutete mit dem Kinn auf Rembrandt. „Wo hast du ihn gefunden?"

Billy sah in das freundliche, rosige Gesicht der Köchin und plötzlich kam alles aus ihm herausgesprudelt: Benedikts Schwanz, die fliegenden Funken, Belles Verwandlung und der schreckliche Kampf, den er eben mit angesehen hatte.

Die Köchin wischte sich die Stirn mit ihrem Schürzensaum und setzte sich neben Billy. Sie wirkte besorgt, aber nicht erstaunt.

„*Sie* ist es also", murmelte sie. „Ich wusste doch, mit dem Mädchen stimmt irgendwas nicht. Aber was hat Samuel Sparks hierhergetrieben?"

„Er wollte seinen kleinen Bruder suchen", erklärte Billy der Köchin.

„Ollie Sparks? Ist der denn noch hier?" Jetzt schien die Köchin höchst überrascht.

102

„Ja. Das hat die alte Frau gesagt. Und sie hat auch gesagt, dass ihn niemals jemand finden wird."

„Ach, du liebe Güte. Wo haben sie den armen Jungen versteckt? Ich habe mir schon die ganze Zeit Sorgen gemacht, wo er abgeblieben ist. Was kriegt er denn jetzt bloß zu essen? Wenn ich das doch nur gewusst hätte."

„Glauben Sie, sie lassen ihn verhungern?", sagte Billy.

„Oh, hoffentlich nicht, Billy. Ach, herrje. Was kann man da tun?" Die Köchin stand auf und strich sich die Schürze glatt. „Ich rate dir, die Torte nicht auf einmal aufzuessen, Billy. Wenn ihr genug habt, die Ratte und du, dann komme ich und stelle den Rest fürs nächste Wochenende weg."

Als die Köchin schon wieder auf dem Weg in die Küche war, rief Billy: „Ich weiß, alle halten mich für einen Spitzel, aber ich werde Manfred und Mr Ezekiel nicht sagen, was ich gesehen habe. Ich versprech's."

Die Köchin drehte sich um und sah Billy an. „Die wissen es bestimmt schon. Und dass du zum Spitzel geworden bist, kann ich dir nicht verübeln, Billy. Eines Tages kriegst du die Eltern, die du dir wünschst. Wenn die Bloors sich nicht darum kümmern, tu ich's. Aber jetzt gehe ich besser mal den armen Hund suchen, der seinen Schwanz verloren hat."

Als die Köchin den Gang mit den Porträts entlangeilte, strich ein kühler Luftzug um ihre Knöchel. Das hieß, dass das Hauptportal geöffnet worden war. Sie kam gerade noch rechtzeitig in die Halle, um eine

Gestalt durch das Portal hinausgehen zu sehen, ehe Mr Weedon die schwere Tür wieder zuknallte.

„Wer war das?", fragte die Köchin.

„Was geht Sie das an?", knurrte Mr Weedon.

Die Köchin straffte die Schultern und sagte: „Ich habe Ihnen eine höfliche Frage gestellt Mr Weedon. Das Mindeste, was ich darauf erwarten kann, ist eine höfliche Antwort."

„Oh-hoo!", blaffte Mr Weedon spöttisch. „Gnädigste sind aber heute etepetete!"

„Sagen Sie's mir?", fragte die Köchin.

„Nein, niemals." Weedon verriegelte die Tür und marschierte davon.

Die Köchin, die einen sehr ausgeprägten Spürsinn hatte, wusste sofort, dass ein weiteres Opfer in eine Falle geraten war. Und nach dem, was ihr Billy erzählt hatte, konnte sie sich zusammenreimen, wer dieses Opfer war.

Sie hatte Recht.

Mr Boldova schlurfte mit einem Koffer über den Hof und durch den Torbogen zwischen den beiden Türmen der Bloor-Akademie. Als er die Stufen zu dem gepflasterten Vorplatz hinunterstieg, blieb sein Blick an dem Schwanenbrunnen in der Mitte des Platzes hängen. Das herabströmende Wasser glänzte golden in den letzten Sonnenstrahlen.

Mr Boldova runzelte die Stirn. Warum war er hier? Wo wollte er hin? Wer war er überhaupt?

Ein schwarzer Wagen hielt am anderen Ende des Platzes. Die Fahrerin, eine grauhaarige Frau, winkte Mr Boldova zu sich. Er ging hin.

„Kann ich Sie mitnehmen?", fragte die Frau.

„Äh …" Mr Boldova kratzte sich am Kopf. „Ich weiß nicht, wo ich hinwill."

„Ich schon", sagte die Frau. „Ich bin Hellseherin. Hüpf rein, Samuel."

„Ich weiß nicht …"

„Nun mach schon. Wir haben schließlich nicht den ganzen Tag Zeit, oder?" Das Lachen der Frau war schrill und kalt. „Ich heiße übrigens Eustacia."

Mr Boldova wischte sich die Augen. Wo sollte er sonst hin? Er ging um den Wagen herum und setzte sich auf den Beifahrersitz. Irgendwas musste er jetzt tun, aber was?

„Vergiss den Sicherheitsgurt!" Eustacia lachte wieder schrill auf und der Wagen schoss mit beängstigender Geschwindigkeit davon.

Am Montagmorgen, in der ersten Pause, als Charlie und Fidelio gerade ihre Umhänge in der blauen Garderobe aufhängten, kam Billy Raven herein. Sein Pullover beulte sich sichtlich. Die Beule bewegte sich und Charlie fragte Billy, was er da versteckt habe.

„Nichts", behauptete Billy und wurde rot.

„Red kein Blech, Billy. Es kann nicht nichts sein", entgegnete Fidelio. „Es hat sich bewegt."

Billy wollte das gerade abstreiten, als plötzlich der Kopf einer schwarzen Ratte aus seinem Ausschnitt guckte.

„Aber das ist ja Rembrandt", sagte Charlie. „Wie kommst du denn an den?"

Billy zog eine Schnute und murmelte dann leise: „Mr Boldova hat ihn mir gegeben."

„Wetten, dass nicht", sagte Charlie.

Billy rannte raus und immer weiter bis zum Gartenausgang, und Charlie und Fidelio verfolgten ihn.

„Ist ja okay, Billy", rief Charlie. „Wir werfen dir ja gar nichts vor. Diese Ratte haut doch dauernd ab."

Billy blieb nicht stehen. Er rannte weiter, bis er in einem Meer von Schülern verschwand. Aus eben diesem Meer kamen jetzt zwei Mädchen auf die Jungen zugestürzt.

„Es ist was Schreckliches passiert", keuchte Emma.

„Was?", fragten Charlie und Fidelio wie aus einem Munde.

Während Emma noch nach Luft rang, sagte Olivia: „Mr Boldova hat das Bloor verlassen."

„Das kann nicht sein", sagte Charlie. „Das hätte er uns doch gesagt."

Emma hatte sich wieder erholt. „Genau. Ihm ist was Schlimmes passiert. Das weiß ich einfach. Und ich habe das grässliche Gefühl, dass die beiden dort daran schuld sind." Sie guckte zu Dorcas und Belle, die auf dem Rasen saßen und tuschelten.

Da Fidelio bei dem Treffen im Café *Zum glücklichen Haustier* nicht dabei gewesen war, hatte er keinen Schimmer, wovon sie sprachen. Also spazierten sie zu viert übers Pausengelände und Charlie brachte Fidelio auf den neuesten Stand der Ereignisse. Kurz darauf stieß auch Gabriel zu ihnen. Er erklärte, er habe gerade gesehen, wie Billy Raven einer schwarzen Ratte Toaststückchen fütterte. Ob das Rembrandt sein könne?

„Ja, ganz sicher", sagte Charlie. „Es *ist* Rembrandt. Und jetzt behaupten sie, Mr Boldova sei gegangen, aber ich glaube, ihm ist irgendwas Schlimmes passiert."

„Hat das was mit *ihr* zu tun?", fragte Gabriel und beäugte die hübsche, blonde Belle, die sich gerade die Locken kämmte.

Olivia blieb abrupt stehen. „Wenn dieses Mädchen eine Gestaltwandlerin ist, kann man doch nie genau wissen, wo sie gerade ist. Sie kann doch wie irgendwer aussehen."

„Oder wie irgendwas", sagte Fidelio düster.

Dieser Gedanke war so schrecklich, dass sie alle verstummten.

Abends, auf dem Weg ins Königszimmer, erwischte Charlie endlich Billy Raven, der beide Arme voller Bücher hatte.

„Hast du Rembrandt dabei?", fragte Charlie.

„Nein. Ich hab ihn in den Schrank im Schlafsaal gesperrt", flüsterte Billy.

„Wir sollten einen besseren Platz für ihn finden", sagte Charlie. „Dort hört ihn die Hausmutter garantiert herumscharren und wer weiß, was sie macht, wenn sie eine Ratte im Schlafsaal findet."

Billy schauderte. „Rembrandt wird mein bester Freund. Er hat mir jetzt schon so viele Sachen erzählt, die ich nicht wusste."

„Hat er dir auch gesagt, warum Mr Boldova gegangen ist?", fragte Charlie.

Billys rote Augen starrten über die Brille hinweg. Er zuckte die Achseln.

Plötzlich kam Charlie die Idee, dass Billy vielleicht sogar gesehen hatte, was mit dem Kunstlehrer passiert war. „Du weißt was, stimmt's, Billy?"

Sie standen jetzt vor der hohen schwarzen Tür des Königszimmers. Billy stieß die Tür auf und witschte hinein, ohne auf Charlies Frage zu antworten. Die Bücher rutschten ihm aus den Armen und polterten zu Boden.

„Ruhe, Billy Raven!", brüllte Manfred. „Warum denn so eilig?"

Von ihrem Platz zwischen Asa und Dorcas aus lächelte Belle den Albino an. „Sei nicht so ruppig, Manfred. Er ist doch noch klein", sagte sie.

108   Manfred sah sie verblüfft an.

Als Charlie sich bückte, um Billy zu helfen, die Bücher aufsammeln, bemerkte er, dass die Hände des kleinen Jungen heftig zitterten. Billy hatte fürchterliche Angst.

Früher hatten zwölf sonderbegabte Kinder gleichmäßig verteilt am runden Tisch gesessen. Aber nach und nach hatten sich die Plätze verschoben. Jetzt waren da zwei deutlich voneinander getrennte Gruppen. Manfred, Asa, Zelda, Belle und Dorcas waren auf der einen Tischseite zusammengerückt, während Lysander, Tancred, Gabriel, Emma und Charlie auf der anderen saßen. Billy gehörte nirgends hin.

„Setz dich neben mich, Billy", sagte Charlie sanft.

Billy lächelte ihn dankbar an und stapelte seine Bücher neben Charlies Sachen auf.

Nach der Hausaufgabenzeit blieb Charlie dicht bei Billy, während sie zum Schlafsaal gingen. Gabriel holte sie ein und da er sich nun mal sehr für Tiere interessierte, wollte er wissen, was aus Rembrandt geworden war. Als er hörte, dass die Ratte in einem Schrank eingesperrt war, schlug er vor, sie doch in den Zeichensaal zu bringen. Dort habe Mr Boldova Rembrandt in einem großen, luftigen Käfig gehalten.

„Aber kann ich ihn dann noch besuchen?", fragte Billy. „Ich bin doch nicht in Kunst."

„Klar kannst du", versicherte Gabriel. „Emma ist ständig im Zeichensaal. Frag sie einfach."

„Okay." Billy rannte voraus und als die anderen

beim Schlafsaal ankamen, wartete er schon, Rembrandt unterm Pullover.

Der Zeichensaal lag im selben Stockwerk wie die Jungenschlafsäle. Es war ein riesiger, hoher Raum mit großen Fenstern, die nach Norden zur Ruine hinausgingen. Überall standen Staffeleien und an den Wänden lehnten jede Menge Bilder und Leinwände. Rembrandts Käfig stand in einer Ecke dicht neben dem Farbenschrank.

Im Zeichensaal war niemand außer Emma. Sie malte an einem großen weißen Vogel, der durch einen Wald flog. Sie unterbrach die Arbeit an dem Bild, um den Jungen zu zeigen, wo Mr Boldova Rembrandts Futter aufbewahrt hatte: ganz unten im Farbenschrank.

Als sie es der schwarzen Ratte mit frischem Wasser und Futter gemütlich gemacht hatten, schloss Emma sorgfältig die Käfigtür.

„Ich muss immer an Mr B. denken", sagte sie. „Alle in Kunst vermissen ihn schrecklich. Er war so – na ja, irgendwie immer auf unserer Seite."

Plötzlich, ganz ohne Vorwarnung liefen Billy Tränen über die Wangen. „Ich weiß es, ich weiß es", schluchzte er. „Ich hab's gesehen."

„Was hast du gesehen?", fragte Charlie.

110   Billy wischte sich mit dem Ärmel übers Gesicht und erzählte dann mit verängstigter, halb erstickter Stimme von den schrecklichen Geschehnissen an sei-

nem achten Geburtstag: von Benedikts Schwanz, der uralten Frau, die sich plötzlich aus Belles Körper geschält hatte, von den fliegenden Glutstücken und der unheimlichen Starre, die plötzlich über den Kunstlehrer gekommen war.

„Mr Boldova wollte Rembrandt einfach nicht mehr", schluchzte Billy. „Es war, als ob er einfach alles vergessen hätte – sogar, wer er ist."

„Hypnotisiert", murmelte Charlie.

Die anderen starrten ihn entsetzt an und Emma sagte: „Belle kann so ziemlich alles, was? Wie sollen wir jetzt Ollie helfen?"

„Wisst ihr, wo er ist?", fragte Billy.

Charlie konnte sich nicht entscheiden, ob er ihn einweihen sollte. Der Kleine tat ihm leid, aber schließlich war er Manfreds Spitzel gewesen. Besser, ihm nicht zu viel zu verraten, bis sie ganz sicher waren, dass sie ihm vertrauen konnten. Die anderen waren offenbar zu demselben Schluss gekommen.

„Nein, das wissen wir nicht", sagte Gabriel. „Wir sollten jetzt machen, dass wir in unsere Schlafsäle kommen, sonst gräbt die Hausmutter das Kriegsbeil aus."

Billy bettelte, noch ein paar Minuten bei Rembrandt bleiben zu dürfen. Die drei gingen und er kauerte noch neben dem Käfig und sprach leise mit der schwarzen Ratte.

Billy hatte gar nicht vorgehabt, so lange bei Rembrandt zu bleiben. Als er schließlich leise aus dem Zeichensaal schlüpfte, hatte die Hausmutter schon „Licht aus!" gerufen.

Er rannte so schnell den Gang entlang, dass er sich die Brille auf der Nase festhalten musste und über seine eigenen Füße stolperte.

„Wo kommst du denn her, Billy Raven?" Manfred trat aus einer Tür und versperrte ihm den Weg.

Billy hatte zu viel Angst zum Lügen, beschloss aber, nur die halbe Wahrheit zu sagen. „Ich ... ich hab Mr Boldovas Ratte gefüttert", stammelte er. „Ich hab sie auf dem Gang gefunden."

„Ich glaube nicht, dass das stimmt, Billy", sagte Manfred eisig.

„Doch, doch", beteuerte Billy verzweifelt.

„Ich glaube, du hast was gesehen, Billy. Ich glaube, du hast diese schwarze Ratte gerettet, als unser geschätzter Ex-Kunstlehrer seinen kleinen Unfall hatte."

„Nein, nein!"

Manfred funkelte Billy finster an. „Was hast du gesehen?"

„Ich hab gar nichts gesehen", murmelte Billy und wich Manfreds schrecklichen schwarzen Augen aus.

„Lügner. Du hast gesehen, was mit Mr Boldova passiert ist und du hast es haarklein Charlie Bone erzählt, stimmt's?"

112

Billy hatte das scheußliche Gefühl, dass er Charlie in große Schwierigkeiten bringen würde, wenn er

Manfred die Wahrheit sagte. „Nein", erklärte er deshalb trotzig. „Ich hab nichts gesehen und ich hab Charlie auch nichts erzählt."

Manfred schnaubte gereizt. „Du denkst wohl, ich gehe am Ende des Schuljahrs weg?"

Der Gedanke war Billy noch gar nicht gekommen. Er schüttelte den Kopf.

„Alle aus meiner Klasse gehen ab. Wir haben diesen Sommer Abschlussprüfungen. Deshalb habe ich im Moment viel zu tun. Aber *ich* gehe nicht weg. Ich bleibe hier und werde jede Menge Zeit haben, dich weiter im Auge zu behalten."

„Verstehe", piepste Billy kleinlaut.

„Also vergiss lieber nicht, für wen du arbeitest, Billy. Sonst kriegst du nie die netten Eltern, die du dir so sehnlich wünschst."

Emma fliegt

Billy saß am Fußende seines Betts. Alle anderen schienen zu schlafen, aber Billy hatte sich nie wacher gefühlt. Vor der schrecklichen Begegnung mit Manfred hatte er von Rembrandt unglaubliche Dinge erfahren.

Die Ratte hatte von einem Haus erzählt, das erfüllt von Licht und Funkenfeuerwerk und Lachen war. Einem Haus voller Bücher, Musik und Bilder, wo eine glückliche Familie lebte. Zu dieser Familie hatte ein Junge namens Oliver gehört, der sehr gut Flöte spielen konnte. Man hatte damit gerechnet, dass er eine noch bedeutendere Gabe entwickeln würde, so wie sein Vater und sein Bruder, die Steine in Feuer verwandeln konnten. Aber dann war er aufs Internat geschickt worden und nicht mehr zurückgekommen.

Billy erinnerte sich an Ollie Sparks. Er war im Musikzweig gewesen und am Wochenende immer zu einem Freund nach Hause gefahren. Ollie war unheimlich neugierig gewesen und darüber hatten sich die Leute aufgeregt. Ollie hatte oft Ärger gekriegt, weil er irgendwo erwischt worden war, wo er nichts zu suchen hatte.

Rembrandt hatte Billy erzählt, dass Ollie immer noch im Bloor war. Die Ratte hatte seinen Geruch gewittert und ihn in einem der alten Speicherräume aufgestöbert.

Aber Ollie war unsichtbar, außer seinem Zeh. Außerdem war da noch eine Schlange, dort oben in dem alten Teil des Gebäudes. Ein grässliches blaues Etwas. Es war so alt, dass Rembrandts Gehirn es gar nicht fassen konnte.

„Irre", murmelte Billy.

„Alles klar, Billy?"

Billy fiel vor Schreck fast vom Bett. Er hatte Charlie Bone gar nicht heranschleichen hören.

„Ich hab nur gerade an Rembrandt gedacht", flüsterte Billy. „Er hat mir so viel erzählt. Ich krieg das gar nicht alles auf die Reihe."

„Hast du Lust, nächstes Wochenende mit zu mir zu kommen?", fragte Charlie. „Die Ratte kannst du mitbringen."

„Echt?", sagte Billy. „Klar, gern."

Charlie schlich sich wieder in sein Bett, während Billy unter seine Decke schlüpfte und so gut schlief wie schon ewig nicht mehr.

In den nächsten paar Tagen wurde Charlie klar, wie ernst das Bloor die Abschlussaufführung nahm. In jeder großen Pause sah man Olivia ihre Runden drehen und ihre Rolle lernen. Manchmal ging Emma neben ihr her, mit einem dicken Ordner, der die von Manfred ausgedruckten Texte enthielt.

Fidelio verbrachte immer mehr Zeit im Musiksaal, um die Begleitmusik für das Stück zu üben, und Charlie verbrachte die Pausen meist in Begleitung von Gabriel Silk und Billy Raven. Es stellte sich bald heraus, dass Billy von Rembrandt alles über den unsichtbaren Jungen erfahren hatte. Aber anscheinend hatte er diese Information nicht an Manfred weitergegeben. Hieß das, dass man Billy jetzt trauen konnte?

Eines Tages schlug Billy sogar vor, er könnte doch nach Ollie gucken gehen.

„Ich darf doch nachts zu Mr Ezekiel", sagte Billy. „Wenn ich erwischt werde, wundert es die Hausmutter nicht weiter."

„Das gefällt mir nicht, Billy", bekannte Charlie. „Die Hausmutter bringt es fertig, dir trotzdem eine gemeine Strafe aufzubrummen."

„Außerdem lauert dort irgendwo diese komische Boa", warf Gabriel ein. „Wir wollen doch nicht, dass demnächst zwei unsichtbare Jungen auf dem Speicher festsitzen."

„Die Boa muss Benedikts Schwanz erwischt haben", sagte Billy nachdenklich. „Rembrandt sagt, sie sei so alt, dass er's gar nicht fassen könne."

116 „Ratten haben kein Verständnis von Zeit", erklärte Gabriel expertenhaft.

Charlie murmelte: „Weiß nicht, ob ich eins habe."

Am Ende der Pause wollte er gerade wieder hineingehen, als ihn plötzlich Olivia am Ärmel packte. „Warte mal, Charlie", flüsterte sie. „Wir müssen dir etwas wichtiges erzählen."

Charlie blieb stehen, während Billy und Gabriel mit der Flut der anderen Schüler in die große Halle geschwemmt wurden.

„Was denn? Ich komme zu spät in meine Trompetenstunde."

„Ich werde heute Nacht von draußen den Raum suchen, wo wir Ollie getroffen haben", sagte Emma leise. „Und ich muss es allein tun."

„Du willst *fliegen*?"

Emma nickte. „Ich kann doch von draußen reingucken. Vielleicht sogar reinfliegen, wenn da ein Fenster offen ist. Befreien kann ich ihn wohl nicht gleich. Aber er soll wissen, dass wir's weiter versuchen."

„Aber dann ist es doch dunkel", sagte Charlie. „Wie willst du da was sehen?"

„Es wird ganz früh hell, lange bevor wir aufstehen", flüsterte Olivia. „Ich finde die Idee genial. Aber wir müssen dafür sorgen, dass auf unserem Stock ein Fenster offen ist, damit Emma wieder reinkann. Kannst du das übernehmen, Charlie? Neben mir schläft Belle. Die macht das Schlafsaalfenster garantiert sofort wieder zu, wenn ich es aufmache. Sie beobachtet mich wie ein Adler." Olivia sah ganz kurz zu Emma hinüber. „Na ja, Adler ist wohl nicht richtig, eher wie eine Giftschlange – nichts gegen Schlangen."

Charlie grinste. Aber das Grinsen verging ihm, als Asa zum Gartenportal herausspähte und brüllte: „Was macht ihr da noch, ihr drei? Und wie seht ihr überhaupt aus? Ihr kommt zu spät in den Unterricht, wenn ihr euch nicht beeilt."

Die drei stürzten in die Halle und rannten dann auseinander, jeder in eine andere Garderobe. Charlie konnte gerade noch in Mr Paltrys Unterrichtsraum witschen, ehe der alte Mann erschien und sich darüber beschwerte, dass er wegen der Schulaufführung so viel zusätzliche Arbeit hatte.

„Du brauchst dir da keine Sorgen zu machen, Charlie Bone", erklärte Mr Paltry. „Du wirst noch Jahre brauchen, um das nötige Niveau fürs Schulorchester zu erreichen." Und dann setzte er leise hinzu: „Aber wahrscheinlich schaffst du's sowieso nie."

Charlie grinste nur. Trompete spielen gehörte nicht zu seinen erklärten Lebenszielen.

Vor dem Abendessen begegnete er Gabriel und Fidelio, die gerade aus dem Musiksaal kamen. Als er erzählte, was Emma vorhatte, wollten sie unbedingt helfen. Fidelio meinte, am besten sollten sie so viele Fenster wie möglich offen lassen, aber Charlie fürchtete, dass Hausmutter Darkwood und ihre Gehilfinnen garantiert durchs ganze Gebäude gehen und die Fenster kontrollieren würden.

„Ich möchte nur, dass ihr mich deckt, wenn ich mich aus dem Schlafsaal geschlichen habe", erklärte er ihnen. „Sagt einfach, ich bin auf dem Klo oder so."

„Mir glaubt die Hausmutter sowieso kein Wort", brummelte Gabriel, „aber wir werden unser Bestes tun."

Charlie wartete, bis er die Turmuhr der Kathedrale zwölfmal schlagen hörte. Der dumpfe Klang dieser zwölf Glockenschläge jagte ihm jedes Mal einen seltsamen Schauer über den Rücken.

Schlag Mitternacht, vor acht Jahren, war sein Vater Lyell in eine Art Hypnose gefallen, als er versucht hatte, Emma Tollys „Verkauf" an die Bloors zu verhindern. Schuld daran war Manfred Bloor. Schon als kleiner Junge hatte er ungeheure hypnotische Kräfte besessen. Lyells Auto war später in einem tiefen Steinbruch gefunden worden. Alle hielten ihn für tot, aber Charlie war sich ganz sicher, dass das nicht stimmte. Grandma Bone hatte zwar sämtliche Fotos von seinem Vater vernichtet und Charlie wusste nicht mal, wie er aussah, aber er war fest entschlossen, eines Tages seine eigene Gabe dafür zu nutzen, Lyell zu finden.

Bis dahin würde er sein Möglichstes tun, um zu verhindern, dass die Bloors mit ihren fiesen Machenschaften anderer Leute Leben zerstörten.

119

Charlie stieg aus dem Bett und schlich zur Tür. Draußen auf dem Gang war es stockdunkel und er tastete sich an der Wand entlang, bis er auf die Treppe zu den Mädchenschlafsälen stieß.

Die alten Holzstufen knarrten unter seinen Füßen, obwohl er auf Zehenspitzen ging. Oben angekommen, atmete Charlie erleichtert auf und huschte rasch zu dem schwachen Lichtflecken unter einem kleinen Fenster. Er öffnete es so weit, dass ein kleiner Vogel genau durchpasste, und wollte gerade wieder die Treppe hinunterflitzen, als plötzlich eine schemenhafte Gestalt aus dem Dunkel des Gangs auftauchte. Vor Schreck konnte er sich nicht rühren.

„Was machst du hier?"

Die Stimme gehörte so ziemlich der letzten Person, der er hätte begegnen wollen.

„Belle!", sagte er. „Konnte nicht schlafen. Dachte, ich spaziere noch ein bisschen herum."

„Im Mädchenstockwerk?" Sie trat näher und Charlie sah das Glitzern ihrer schrecklichen Chamäleonaugen.

„Gar nicht dran gedacht", murmelte Charlie.

„Tss! Tss! Das Fenster ist ja offen. Kein Wunder, dass es so kalt ist."

Belle knallte das Fenster zu und verriegelte es. „Sieh lieber zu, dass du wieder ins Bett kommst, bevor dich die Hausmutter erwischt."

„Äh, klar." Charlie ging wieder zur Treppe. Als er sich umsah, stand Belle immer noch dort. Er musste wohl ein weniger auffälliges Fenster finden.

Im Zeichensaal, dachte Charlie. Es war schon schwer genug gewesen, im Stockdunkeln die Treppe hinaufzukommen, aber abwärts war es noch viel schlimmer. Charlie wünschte, er hätte die Taschenlampe dabei, die ihm die Köchin im letzten Halbjahr geschenkt hatte. Aber die hatte die Hausmutter beschlagnahmt. Wahrscheinlich lag sie jetzt irgendwo in dem Haus in Darkly Wynd. Er würde sie wohl nie wiederbekommen.

Schließlich fand er die richtige Tür und schlüpfte leise in den Zeichensaal. Ohne das fahle Sternenlicht, das durch die hohen Fenster hereinfiel, wäre Charlie direkt in ein Grüppchen Staffeleien gekracht. So konnte er gerade noch ausweichen und zu den Fenstern gelangen. Aber hier merkte er, dass sich jeweils nur eine kleine Scheibe ganz oben öffnen ließ. So weit kam Charlie nicht hinauf.

In der entgegengesetzten Ecke führte eine kleine Wendeltreppe in den Bildhauereisaal hinab. In der Hoffnung, dort ein leichter zu öffnendes Fenster zu finden, arbeitete sich Charlie zwischen den zahllosen Staffeleien und Farbkästen hindurch und wollte gerade die Treppe hinuntersteigen, als er plötzlich ein mahlendes Geräusch und dann ein Fiepen hörte. Er erkannte vage Rembrandts dunkle Silhouette, am Käfiggitter aufgerichtet.

121

„Ist schon gut, Rembrandt. Ich bin's bloß." Charlie wünschte, er könnte die Rattensprache so wie

Billy. Aber Charlies Stimme schien Rembrandt beruhigt zu haben, denn er knabberte jetzt eifrig weiter.

Charlie schlich auf Zehenspitzen die kalte Eisenwendeltreppe hinunter. Als er unten war, hörte er ein Klopfen und in einer entfernten Ecke glomm ein winziges Licht. Da war noch jemand im Bildhauereisaal. Charlie erstarrte. Mr Mason, der Lehrer für Bildhauerei, war ein komischer Kauz. Es hätte Charlie nicht erstaunt, ihn um Mitternacht noch bei der Arbeit zu finden.

Eine gedämpfte Stimme fragte: „Wer da?", und ein Lichtstrahl schwenkte auf Charlie.

„Charlie? Was machst du denn hier?"

„W-wer ist da?", stammelte Charlie.

„Ich bin's, Tancred. Und Lysander ist auch hier."

„Puh!" Charlie ging auf die Lichtquelle zu. Er sah Lysander vor einem Holzklotz sitzen, während Tancred mit einer Taschenlampe hinter ihm stand. Beide trugen grüne Umhänge über ihren Schlafanzügen.

„Was macht ihr denn hier?", fragte Charlie.

Lysander erklärte ihm, dass er ein Experiment durchführe. „Gabriel hat uns das mit Ollie Sparks erzählt", sagte er. „Ich hab mir gedacht, wenn ich's schaffe, so was wie ein Abbild von Ollie zu schnitzen, bekomme ich vielleicht meine Ahnen dazu, dem unsichtbaren Jungen ein bisschen Fleisch zu verleihen – verstehst du?"

Charlie verstand gar nichts. Er hatte keine Ahnung, wovon Lysander redete. „Weißt du denn, wie Ollie ausgesehen hat?"

„Klar weiß ich das", sagte Lysander. „Ich erinnere mich gut an ihn. Netter Junge, aber zu neugierig. Ich seh ihn vor mir, als wär's gestern gewesen."

„Sander kann so was", erklärte Tancred bewundernd. „Er behält Menschen ganz genau im Gedächtnis. Er wird dem Ding da so viel Leben einhauchen, dass man's regelrecht atmen sieht."

„Echt?" Der Holzklotz hatte bereits die Form eines Jungen angenommen, aber Charlie konnte sich trotzdem nicht vorstellen, wie das Ollie helfen sollte. Lysander hatte wirklich eine tolle Gabe, wenn er einen Holzblock in einen lebendigen, atmenden Menschen verwandeln konnte. Aber der echte Ollie saß auf dem Speicher gefangen. Wie sollte ihm da ein zweiter Ollie aus Holz helfen können?

Lysander erklärte, wenn seine Ahnengeister ein perfektes Abbild von Ollie gesehen hätten, könnten sie dem unsichtbaren Jungen Form und Substanz verleihen, ihn wieder sichtbar machen.

„Ach!", staunte Charlie. „Das ist ja irre."

„Und dürfen wir jetzt fragen, was du hier mitten in der Nacht so spät noch machst?", fragte Tancred.

„Emma geht heute Nacht raus. Als – na ja, ihr wisst schon – sie fliegt. Sie will den Raum suchen, wo Ollie ist, damit er weiß, dass wir immer noch versuchen ihn zu befreien."

„Sagt ihm das mit Mr B. aber lieber noch nicht", warnte Tancred.

„Nein. Jetzt noch nicht", stimmte ihm Charlie zu. „Aber das Problem ist, Emma kann nicht durch diesen ganzen Riesenspeicher zurückkommen. Sie würde sich im Dunkeln verirren. Deshalb versuche ich gerade, ein Fenster für sie offen zu lassen." Er erzählte ihnen die Sache mit Belle.

„Hmm." Tancred musterte die Fenster. Es waren die gleichen wie oben im Zeichensaal. Nur die kleine Scheibe ganz oben ließ sich öffnen und im Moment waren diese Fensterchen überall fest zu. „Mr Mason macht sie manchmal mit einer Stange auf", sagte er. „Aber die ist nicht da."

Der große, blonde Junge begann im Raum umherzugehen und Charlie spürte einen Luftzug um die Füße. Holzstückchen und Papierfetzchen, Tonklümpchen und kleine Meißel flutschten und kullerten über die Dielen.

„Vorsicht, Tanc!", stöhnte Lysander.

„Okay, schon gut. Bin jetzt konzentriert", sagte Tancred. „Kann losgehen!"

Er suchte sich ein freies Fleckchen mitten im Raum und drehte sich um sich selbst, so schnell, dass sein Umhang abstand wie ein grünes Rad. Charlie beobachtete fasziniert die aufsteigenden Staubkörnchen, die im Sternenlicht hell glitzerten, bis urplötzlich Tancreds wirbelnde Gestalt wieder zum Stehen kam.

Tancred hob den Arm und zeigte auf den oberen Teil des Fensters und ein Strahl scharfen, eisigen Winds schoss aus seinem Finger. Es knackte und eine Glasscheibe fiel heraus. Sie landete genau in Tancreds ausgebreitetem Umhang.

„Na, wie war das?", fragte er stolz.

„Perfekt", sagte Lysander.

„Nicht zu fassen", staunte Charlie.

Tancred versteckte die Scheibe zwischen Brettern, die an der hinteren Wand lehnten. „Mr Mason merkt garantiert nichts."

Charlie sah zu dem leeren Fensterrahmen hinauf. „Ich wollte, wir könnten ihr zugucken", murmelte er. „Ich hab noch nie gesehen, wie Emma fliegt. Noch nicht mal, wie sie sich in einen Vogel verwandelt."

„Manche Sachen macht man besser unbeobachtet", sagte Lysander geheimnisvoll. „Ich finde, wir sollten jetzt zusammenpacken und schlafen gehen, sonst kommen wir morgen Früh nie raus."

Tancred ging mit seiner Taschenlampe voran, die eiserne Wendeltreppe hinauf und durch den Zeichensaal. Charlies Schlafsaal lag bereits auf der Hälfte des Flurs, die beiden älteren Jungen schlichen nach einem geflüsterten „Gute Nacht" weiter zu ihrem Schlafsaal ganz am Ende des Ganges.

125

In diesem Augenblick öffnete Emma gerade ein Fenster auf dem Flur vor ihrem Schlafsaal. Vor dem Fliegen war sie immer schrecklich nervös. Sie war sich nie sicher, ob ihre Arme wirklich zu Flügeln werden und ob die Flügel sie auch tragen würden. Sie musste die Augen fest zukneifen, an einen Vogel denken und dann ganz fest an sich selbst und an ihren Ahnen glauben, der ihr diese seltsame Gabe weitergegeben hatte.

Für heute Nacht hatte sich Emma die Gestalt eines Staren ausgesucht. Im Schutz eines hohen Schranks begann sie zu schrumpfen. Sie wurde immer kleiner und kleiner und an ihrem Körper wuchsen hell getüpfelte Federn. Sie nahm den Zettel, den sie dabeihatte, in den Schnabel und als die Verwandlung abgeschlossen war, schlug sie mit den Flügeln. Doch als sie gerade zum Fenster hinausschlüpfte, tauchte plötzlich jemand in einem hellen Nachthemd auf. Emma schwang sich in den sternenfunkelnden Himmel und hinter ihr knallte das Fenster zu.

Sie versuchte nicht daran zu denken, wie sie wieder hineinkommen sollte, sondern ganz konzentriert den Speicherraum zu suchen, wo Ollie Sparks gefangen gehalten wurde. Sie flog zweimal um das riesige, unheimliche Gebäude und ließ sich da und dort auf einem Fenstersims, einem Ziergiebel oder einer Regenrinne nieder. Doch das Schwarz hinter den winzigen Speicherfensterchen verriet gar nichts. Nichts war zu sehen, kein Licht, kein Schatten, kein benutztes Bett, keine Marmeladengläser oder rosa Zehen.

Also flog Emma zu dem Stockwerk unterm Speichergeschoss hinab und hier entdeckte sie tatsächlich etwas: ein kerzenerleuchtetes Zimmer, wo ein alter Mann, an einen Berg von Kissen gelehnt, in einem verschnörkelten Messingbett saß. Dieses grässliche, verschrumpelte Gesicht hatte Emma schon einmal gesehen: als auch sie auf dem Speicher gefangen gehalten worden war. Der alte Mr Ezekiel trug jetzt eine rote Schlafmütze und eine schwarzsamtene Bettjacke, die mit glänzenden Jettperlen bestickt war. Er lachte vor sich hin, während sein knochiger Zeigefinger über die Seiten eines riesigen schwarzen Buches glitt, und Emma flog schnell weiter.

Im Stockwerk darunter sah sie Lucretia Darkwood in einem lila Morgenrock damit beschäftigt, ihr langes, grauweißes Haar zu bürsten. Und ein Stück weiter entdeckte Emma Manfred Bloor.

Er trug einen schwarzen Bademantel und das dunkle Haar, das er sonst zu einem Pferdeschwanz zurückband, hing ihm jetzt in dünnen, schnurartigen Strähnen ums Gesicht. Er stand mit dem Rücken zum Fenster, aber Emma konnte ihn in dem hohen Spiegel, in den er gerade schaute, gut in Augenschein nehmen. Und da bemerkte er sie.

Manfred sah nur einen Star draußen auf dem Fenstersims sitzen. Aber er starrte das Spiegelbild des Vogels an und fuhr dann jäh herum. Mit wild pochendem Herzen flog Emma davon. Sie öffnete den

Schnabel und stieß einen schrillen Alarmruf aus. Und ihr Zettel flatterte davon.

Er weiß, dass ich es bin, dachte Emma. Er hat den Zettel gesehen. Was wird er jetzt machen?

Onkel Patons Rückkehr

Am nächsten Morgen dachte Charlie, er wäre der Letzte auf dem Weg zum Frühstück, aber als er an den Ahnenbildern vorbeihastete, hörte er hinter sich ein Schlurfen.

Er drehte sich um und sah Emma, bleich und verschlafen. Während Charlie noch auf Emma wartete, tauchte eine weitere Gestalt auf. Olivia, natürlich. Wer sonst würde knallgelbe Schuhe und schwarze Socken tragen? Schon verblüffend, was für verrückte Klamotten sie den Schülern vom Schauspielzweig durchgehen ließen.

Olivia kam seltsam schief dahergewackelt. „Absatz abgebrochen", erklärte sie und streckte den einen gelb beschuhten Fuß vor. „Die sind von Mum. Hoffentlich kriegt sie keinen Tobsuchtsanfall."

Emma begutachtete den Schuh und gähnte.

„Wie ist es denn heute Nacht gelaufen?", fragte Charlie.

Emma machte ein verdrossenes Gesicht. „Ich hab Ollies Fenster nicht gefunden. Die sehen alle gleich aus. Und dann ist mir der Zettel runtergefallen."

„Welcher Zettel?", fragte Olivia. „Von einem Zettel hast du gar nichts gesagt."

„Ich hatte einen dabei. Mit einer Botschaft für Ollie. Aber die Speicherfenster waren alle zu."

„Du hattest ihn im ...?" Schnabel, wollte Charlie sagen, aber er bekam es nicht heraus.

„Mund", ergänzte Emma und sah ihn komisch an.

Charlie sagte leise: „Hast du das Fenster vom Bildhauereisaal gefunden?"

Emma gähnte wieder ausgiebig. „Irgendwann schon. Danke."

„Das war Tancred."

Sie waren jetzt im Speisesaal und gingen an ihre Tische. Charlie bemerkte, dass Emma neben Belle sitzen musste. Er machte sich Sorgen um sie. Wenn nun jemand den heruntergefallenen Zettel mit ihrer Handschrift gefunden hatte? Wenn die Bloors wussten, dass sie Ollie befreien wollte, dann war ihnen alles zuzutrauen. Nur gut, dass sie fliegen kann, dachte Charlie.

Neben ihm verputzte Fidelio gerade seinen letzten Klecks Haferbrei und sagte: „Ganz offensichtlich passieren hier Dinge, die ich erfahren sollte, Charlie. Die Musik frisst mich im Moment zwar ziemlich auf, aber ich will trotzdem wissen, was ihr treibt."

130   „Komm am Sonntag ins Café *Zum glücklichen Haustier*", sagte Charlie. „Wir werden alle dort sein. Vielleicht sogar Lysander und Tancred." Er be-

merkte, dass ihn Billy von der anderen Tischseite aus anstarrte. „Und Billy", setzte er hinzu.

„Billy?" Fidelio zögerte. „Ob das so gut ist?"

Charlie zuckte die Achseln. „Ich glaube, bei ihm tut sich was, wenn du verstehst, was ich meine."

„Mm-hm", sagte Fidelio.

In der großen Pause, während die anderen für das Stück probten, half Charlie Emma den heruntergefallenen Zettel zu suchen. Er spähte gerade in die Büsche neben dem Gartenausgang, als Belle und Dorcas auf ihn zukamen.

Belle sagte: „Ich wusste gar nicht, dass du dich für die einheimische Flora interessierst, Charlie."

„Für wen?"

„Vergiss es. Was suchst du?"

„Nichts." Charlie vergrub die Hände tief in den Hosentaschen und stapfte davon. Er suchte Tancred und Lysander, aber die waren nirgends zu entdecken. Vielleicht schnitzte Lysander ja an seiner Holzfigur. Billy war auch nicht da, aber der hatte schließlich eine Ratte zu füttern und zu trösten.

Kurz vor Pausenschluss traf er Emma. Sie hatte den Zettel auch nicht gefunden.

„Er muss wohl in den Innenhof geweht worden sein", sagte sie.

Das war schlecht. Dorthin kam keines der Kinder, wenn das Hauptportal am Montagmorgen erst mal wieder geschlossen worden war.

„Was stand denn auf dem Zettel?", fragte Charlie.

Emma biss sich auf die Lippe. „Gib nicht auf, Ollie. Wir haben dich nicht vergessen. E."

„E.? Einfach nur E.? Das geht ja noch."

„E. steht für Emma", entgegnete Emma düster. „*Die* wissen das sofort."

„Na ja, dann können wir nur hoffen, dass *die* ihn nicht finden."

Als Nächstes hatte er Geschichte und wie üblich fiel es ihm sehr schwer, sich zu konzentrieren. Zum Glück rief ihn Mr Pope nicht auf. Er schien es aufgegeben zu haben, Charlie irgendetwas zu fragen, was ganz gut war, da Charlie mit mehreren Problemen gleichzeitig rang und keins davon mit Napoleon zu hatte.

Erstens mal, wer waren *die*? Die Bloors natürlich und Belle, klar. Auch Weedon, der Gärtner, war ein äußerst unangenehmer Zeitgenosse. Und die Hausmutter, Charlies Großtante Lucretia Darkwood, war eindeutig eine Feindin. Aber was war mit den übrigen Lehrern und Schulangestellten? Schwer zu sagen. Wenn er doch nur mit Onkel Paton reden könnte, aber von dem hatten sie immer noch nichts gehört.

Ehe Charlie sich's versah, war die Stunde auch schon um und Mr Pope brüllte: „Wieder eine Geschichtsstunde, die spurlos an dir vorbeigegangen ist, Charlie Bone. Gleich am Montagmorgen lasse ich einen Test über Napoleons Feldzüge schreiben. Wenn du nicht mehr als siebzig Prozent schaffst, gibt es Arrest."

Charlie fiel die Kinnlade herab. Das bedeutete, dass er das ganze Wochenende darauf verschwenden musste, endlose Geschichtsdaten auswendig zu lernen. Er packte seine Bücher zusammen und stapfte verdrossen aus dem Klassenzimmer.

Andere Kinder standen vor demselben Problem. Überall wurden Prüfungen angekündigt. Die Lehrer hatte anscheinend das Prüfungsfieber gepackt. Beim Abendessen gab es kaum fröhliche Gesichter.

„Ich glaube nicht, dass ich am Sonntag ins Café kommen kann", brummte Gabriel und starrte finster in seine Suppe.

„Ich auch nicht", seufzte Charlie.

Billy beugte sich über den Tisch. „Ich kann doch trotzdem mit zu dir, oder?"

Charlie brachte es nicht übers Herz, Nein zu sagen. „Klar. Du kannst mich die blöden Jahreszahlen abhören."

Billy strahlte. „Mach ich."

Am Freitag erfuhr Charlie von Lysanders Fortschritten mit der Holzfigur. Er und Emma steckten in dem üblichen Gewimmel von Kindern, die in die Schlafsäle stürmten, um ihr Gepäck zu holen. Trotz der drohenden Prüfungen herrschte eine sehr aufgekratzte Stimmung. Niemand konnte weiter Trübsal blasen, wenn zwei Tage und drei Nächte Freiheit warteten. Treppen wurden mit Riesenschritten erklommen und dunkle Gänge hallten von lebhaftem Trappeln und Lachen wider.

„Gestern Abend hab ich die Holzskulptur gesehen", flüsterte Emma Charlie zu. „Sie ist toll, sieht aus wie ein richtiger Junge. Lysander ist gerade dabei, sie zu bemalen. Noch ein paar Tage und dann ist sie fertig."

„Wie hat er das heimlich hingekriegt?", staunte Charlie.

„Er deckt sie tagsüber einfach mit einem Bettlaken zu. Mr Mason interessiert sich überhaupt nicht dafür. Er ist viel zu sehr mit seiner eigenen Bildhauerei beschäftigt."

„Belle ist in Kunst", sagte Charlie beunruhigt.

„Das brauchst du mir nicht zu sagen. Aber soweit ich weiß, hat sie die Figur nicht gesehen."

Am Fuß der nächsten Treppe trennten sie sich und Charlie ging Billy suchen.

Es stimmte zwar, dass Belle Lysanders Holzskulptur nicht gesehen hatte, aber sie hatte mitbekommen, dass da etwas im Gange war. Sie hatte nur abgewartet. Sobald alle anderen Schüler in die Schulbusse gestiegen waren, ging Belle in den Bildhauereisaal. Mr Mason meißelte auf der Fensterseite an einem Steinblock herum. Er nahm Belle gar nicht wahr. Sie ging zu einem weißen Laken, unter dem etwas steckte,

134

was etwa so groß war wie sie selbst. Belle zog das Laken weg. Vor ihr stand ein Junge. Nein, kein richtiger Junge, aber etwas, das so sehr wie ein Junge aussah, dass man auf den ersten Blick dachte, es wäre einer.

Der Junge hatte braunes Haar und leuchtend blaue Augen. Sein Mund war ziemlich klein, die Nase schmal und unternehmungslustig – eine Nase, die gern herumschnüffelte. Er trug einen blauen Umhang, aber soweit Belle sehen konnte, waren die Kleider unter dem Umhang noch nicht bemalt. Schuhe und Hose waren noch holzfarben.

„Aha", murmelte Belle. „Dieses Spielchen spielen sie also."

Charlie und Billy stiegen am oberen Ende der Filbert Street aus. Rembrandt war unter Billys Pullover eingeschlafen, hatte aber offensichtlich Albträume. Er zuckte wild und fiepte im Schlaf. Billy vermutete, dass Mr Boldovas Ablehnung ein schwerer Schock für ihn gewesen war.

„Dann musst du's eben wieder gutmachen", sagte Charlie. „Jetzt bist du sein bester Freund."

Billy sah ihn überrascht und erfreut an. „Ja, das bin ich wohl."

„Mum weiß nicht, dass du kommst", erklärte ihm Charlie. „Sie ist den ganzen Samstag weg und kommt erst nach vier zurück."

„Macht nichts", entgegnete Billy fröhlich.

„Sie lässt uns jede Menge Essen da."

„Super. Kann ich Rembrandt was davon geben?"

„Klar. Aber pass auf, dass meine Großmutter ihn nicht sieht. Sie kann Tiere nicht ausstehen. Sie würde ihn wahrscheinlich abmurksen."

„Oh", hauchte Billy erschrocken.

Als sie noch etwa zwanzig Schritte vom Haus entfernt waren, bemerkte Charlie plötzlich einen Wagen, der vor Nummer neun am Bordstein stand. Man hätte ihn vielleicht schwarz nennen können. Aber irgendwie war es doch kein richtiges Schwarz. Vielleicht eher so etwas wie Mitternachtsblau, aber total verkrustet mit Dreck und Asche und – war das Rost? Oder war die ganze Kiste von Flammen verschlungen worden? Die Stoßstange war verbogen, die Windschutzscheibe geborsten. Das Dach und die Motorhaube waren völlig verbeult.

„Das Auto da sieht ja ganz schön gemein aus", sagte Billy.

„Oder als hätte es was ganz schön Gemeines hinter sich", entgegnete Charlie. „Es gehört meinem Onkel Paton."

Die beiden Jungen rannten los. Charlie stürmte die Eingangstreppe von Nummer neun hinauf und schloss auf. Billy folgte ihm vorsichtig.

136   „Keiner da!", rief Charlie aus der Küche.

Billy sah Charlie die Diele durchqueren und die Treppe zum Obergeschoss hinaufsteigen.

„Soll ich hier unten bleiben?", fragte er schüchtern.

„Nein. Alles klar. Komm rauf." Charlie wollte nicht allein ins Zimmer seines Onkels gehen. Das Schild BITTE NICHT STÖREN lag auf dem Boden und der Haken an der Tür war fast ganz aufgebogen, als hätte sich jemand daran festgehalten. Das waren so beängstigende Zeichen, dass Charlie nicht wusste, was tun. Sollte er klopfen oder einfach reingehen?

„Ich würde klopfen", riet ihm Billy.

Charlie klopfte energisch. Einmal. Ein zweites Mal. Ein drittes.

Von drinnen kam kein Mucks.

Charlie hielt die Luft an, öffnete die Tür und trat ins Zimmer. Billy tat nur einen Schritt über die Schwelle und blieb dann wie angewurzelt stehen, die Hände schützend über der Ratte.

Das Erste, was Charlie sah, war der Zauberstab auf dem Schreibtisch. Der einst schlanke, weiße Stab war kaum wieder zu erkennen, aber Charlie identifizierte ihn an der Länge und der zerdellten Silberspitze. Der Rest war einfach nur ein verkohlter Stock.

„Was ist bloß passiert?", murmelte er. Langsam wandte er den Blick zum Bett und da lag sein Onkel, eine ganz in Schwarz gekleidete Gestalt, ausgestreckt auf dem Bettüberwurf, so lang, dass die Füße in den aschebedeckten Schuhen über die Kante hingen.

Patons Gesicht unter den Rußstriemen war toten-

137

bleich. Aber das Schlimmste war sein Haar: Einst glänzend schwarz, war es jetzt aschgrau.

„Ist er tot?", fragte Billy.

„Nein", sagte Charlie heftig, aber in Wirklichkeit war er sich nicht sicher. Er berührte seinen Onkel an der Schulter. Keine Reaktion. „Onkel Paton", sagte er sanft und dann, drängender: „Bitte, Onkel Paton, wach auf. Wenn du kannst."

Besuch bei Skarpo

Patons Augen blieben geschlossen. Sein Gesicht sah aus wie aus Eis gemeißelt. Kein Muskel zuckte. Charlie legte seinem Onkel das Ohr auf die Brust und hörte einen leisen Herzschlag.

„Er lebt. Aber er schläft ganz tief. Wir können nur warten, bis er aufwacht."

Es war kein normaler Schlaf, aber nach Hypnose sah es auch nicht aus. Paton musste auf Schloss Darkwood gewesen sein. Aber was war ihm dort Schreckliches widerfahren?

Onkel Paton war der Einzige, der Grandma Bone die Stirn bieten konnte, und Charlie schauderte bei dem Gedanken, wie das Leben wohl wäre, wenn Onkel Paton gar nicht mehr aufwachte.

„Komm, wir gehen", sagte er.

Billy stand ganz still an der Tür und Charlie bemerkte, dass Rembrandts Kopf oben aus seinem Pullover lugte. Die Nase der Ratte zuckte heftig. Plötzlich quiekte sie laut und sprang auf den Boden.

„Fang ihn!", schrie Charlie.

Billy stürzte hinaus und Charlie folgte ihm und zog

die Zimmertür hinter sich zu. Er sah Rembrandt dicht an der Wand davonwieseln. Billy hatte ihn schon fast eingeholt, als plötzlich zwischen ihm und der Ratte eine Tür aufging.

Grandma Bone trat aus ihrem Zimmer und versperrte Billy den Weg.

„Oh?" Sie zog eine lange schwarze Augenbraue hoch. „Hat Charlie einen Freund mitgebracht?"

Billy sah blinzelnd zu ihr hinauf.

Charlie sagte: „Das ist Billy Raven, Grandma. Er bleibt übers Wochenende hier."

„Ich bin ja nicht blind. Ich sehe doch, dass es Billy Raven ist", schnappte seine Großmutter. „Ich bin froh, dass du zur Vernunft gekommen bist, Charlie. Billy ist ein netter Junge. Eine große Verbesserung gegenüber diesem nach Hund stinkenden Benjamin, ganz zu schweigen von diesem fiedelnden Fidelio und diesem schlaffen Gabriel."

Charlie ärgerte es schrecklich, dass sie so gemein über seine Freunde sprach, aber aus Angst um die Ratte sagte er nichts. Aus irgendeinem Grund war Rembrandt direkt hinter Grandma Bone stehen geblieben. Er saß jetzt aufrecht da und guckte.

Billy wusste nicht, was tun. Er starrte mit offenem Mund auf Rembrandt.

140   „Was schaust du auf meine Schuhe, Kleiner?", sagte Grandma Bone. „Guck mir ruhig ins Gesicht. Ich beiße nicht."

Was du nicht sagst, dachte Charlie.

Als Billy den Blick von der Ratte losriss, flitzte diese zu Charlies Erleichterung die Treppe hinunter.

„Grandma …", setzte Charlie an.

„Was war das?" Grandma Bone beugte sich übers Geländer, aber die Ratte war schon verschwunden. „Nun gut, Billy. Die Person, die in diesem Haus normalerweise kocht, ist gerade im Urlaub."

„Wie bitte?", sagte Charlie. „Grandma, ist dir …?"

„Ruhe", blaffte sie. „Wie ich schon sagte, haben wir hier momentan keine Köchin, aber ich werde mein Bestes tun, ein paar leckere Kleinigkeiten für dich aufzutreiben. Charlie verdient allerdings nur Wasser und Brot, weil er *meine Gänseleberpastete gestohlen hat*!"

Charlie zeigte auf die Zimmertür seines Onkels und rief: „Grandma, ist dir klar, dass Onkel Paton halb tot da drinnen liegt?"

„Ich bin mir des Zustands meines Bruders sehr wohl bewusst", sagte sie kalt. „Das geschieht ihm recht. Was muss er sich in Dinge einmischen, die ihn nichts angehen. Aber diesmal hat er sich übernommen, was? Seinen Meister gefunden. Ha! Ha!" Mit einem gehässigen Lachen kam sie die Treppe hinunter. „Ich gehe Dörrpflaumen kaufen", rief sie, warf sich in Hut und Mantel und verließ das Haus.

„Ich mag keine Dörrpflaumen", sagte Billy beunruhigt.

„Du brauchst sie nicht zu essen. Komm, wir suchen uns was Besseres."

Billy meinte, sie sollten zuerst Rembrandt wieder einfangen, doch obwohl sie sämtliche Räume im Erdgeschoss durchsuchten, blieb die schwarze Ratte unauffindbar.

„Er hat sich sicher irgendwo zusammengerollt und schläft", sagte Charlie. „Ich schieb uns Pommes in den Ofen."

Doch ehe er dazu kam, erschien seine Mutter mit einem ganzen Armvoll Karotten. Sie schien nicht weiter überrascht, einen weißhaarigen kleinen Jungen am Küchentisch vorzufinden.

Sie war es gewohnt Benjamin im Haus zu haben und freute sich, dass Charlie übers Wochenende Gesellschaft hatte. Sie hatte schon vermutet, dass Paton wieder da war, weil sie spät in der Nacht seltsame Geräusche aus seinem Zimmer gehört hatte, aber vor der Arbeit nicht mehr dazu gekommen war, bei ihm reinzuschauen.

„Er ist krank, Mum", sagte Charlie. „Richtig doll krank. Sein Haar ist ganz grau und er kann nicht sprechen."

„Oje, dann sehe ich wohl besser mal nach ihm." Mrs Bone rannte nach oben.

Ein paar Minuten später kam sie wieder und sah sehr besorgt aus. „Ich rufe den Arzt. Weiß deine Großmutter das mit Paton?"

„Sie sagt, er habe sich in Sachen eingemischt, die ihn nichts angingen", erklärte Charlie.

Mrs Bone schüttelte den Kopf. „Diese Familie!", murmelte sie.

Während Charlie Abendessen machte, rief Amy Bone den Arzt an. Sie telefonierte eine ganze Weile und versuchte, Patons Symptome zu schildern. Es war offenbar nicht leicht ihm klarzumachen, dass jemand über Nacht ergraut war.

„Ich glaube nicht, dass der Arzt mir geglaubt hat", sagte Amy, als sie wieder auflegte. „Aber er kommt in einer Stunde vorbei und sieht nach ihm."

In dem Moment kam Grandma Bone mit den Dörrpflaumen zurück. Sobald sie gehört hatte, dass ein Arzt im Anmarsch war, ging sie ans Telefon und bestellte den Hausbesuch wieder ab.

„Wie konntest du?", sagte Amy. „Paton braucht einen Arzt."

„Nein, braucht er nicht", schnappte Grandma Bone. „Ein Arzt kann da gar nichts machen. Er würde nur seine kostbare Zeit vergeuden."

„Also, wirklich! Dein eigener Bruder!", rief Amy. „Und wenn ... und wenn er stirbt? Wie würdest du dich dann fühlen?"

„Wir sterben alle – irgendwann", sagte Grandma Bone und wässerte ihre Dörrpflaumen.

Billy, der die Auseinandersetzung stumm und mit großen Augen verfolgt hatte, befand, dass Familienleben im Allgemeinen offensichtlich überbewertet würde.

Das Abendessen war eine ziemlich ungemütliche Angelegenheit. Grandma Bone, die sich schlichtweg weigerte, Pommes und Schinken zu essen, mümmelte sich durch ein Schälchen Dörrpflaumen und machte dabei grässliche Lutschgeräusche.

Nach dem Essen, während Mrs Bone ein improvisiertes Bett für Billy zurechtmachte, erzählten ihr die Jungen von Rembrandt.

„Oh, Charlie, bitte, nicht noch ein Tier", seufzte Mrs Bone.

„Er ist ganz sauber", versicherte Billy. „Und gar nicht bissig."

„Aber eine Ratte ..."

„Halt einfach nur die Augen nach ihm auf, bitte, Mum", bettelte Charlie. „Wir wollen doch nicht, dass Grandma Bone ihn zuerst findet."

„Nein, das wollen wir wohl nicht", sagte seine Mutter grinsend. „Ich werde mein Bestes tun, aber beschwert euch nicht, wenn ich schreie, falls ich ihn sehe." Sie verließ das Zimmer mit den Worten: „Ratten – und was kommt als Nächstes?"

Billy wollte weiter nach Rembrandt suchen, aber Charlie fürchtete, dass Grandma Bone misstrauisch werden würde. Außerdem lag Onkel Paton, auf den man sich sonst in Krisensituationen immer verlassen konnte, völlig weggetreten dort oben, unfähig, irgendjemandem zu erzählen, was ihm widerfahren war. Vielleicht würde er ja nie wieder der Alte werden.

„Dein Onkel bringt doch Glühbirnen zum Platzen, oder?", fragte Billy.

„Er kann die Stromspannung hochjagen", erklärte Charlie. „Irgendwas passiert, wenn er eine elektrische Lampe anguckt – sie explodiert einfach. Deshalb geht er auch nie vor Mitternacht aus dem Haus. Sonst könnte jemand zufällig einen von diesen ‚Unfällen‘ mitkriegen."

„Aber in seinem Zimmer hat doch Licht gebrannt", sagte Billy.

„Was?" Das war Charlie vor lauter Aufregung gar nicht aufgefallen. Er musste nachsehen, ob es stimmte.

Er guckte ins Zimmer seines Onkels und tatsächlich – da hing eine helle Lampe von der Decke, direkt über Patons Schreibtisch.

„Es ist weg, Charlie", kam eine schwache Stimme vom Bett her.

Patons dunkle Augen waren jetzt offen. Er starrte mit entsetzter Miene auf die Lampe.

„Onkel, du bist wach!", rief Charlie.

„Wenn man's so nennen kann", krächzte Paton. „Er hat mich fertiggemacht, Charlie. Ich bin erledigt, hinüber. Er ist stärker, als es sich irgendjemand vorstellen kann."

145

„Wer?", fragte Charlie.

Paton schloss die Augen wieder. „Deine Großmutter hat das Licht als Test angemacht. Sie wollte sichergehen, dass ich meine Kräfte verloren habe. Du siehst – ich *habe* sie verloren."

„Aber wer hat dir das angetan?", fragte Charlie.

Paton warf das graue Haupt hin und her. „Ich dachte, er wäre tot – endgültig verschwunden. Aber das wird er wohl nie sein."

„*Wer*?", fragte Charlie flehend.

„Ich kann seinen Namen nicht aussprechen. Vielleicht morgen …" Paton drehte das Gesicht zur Wand.

Charlie begriff, dass es keinen Sinn hatte, seinen Onkel noch weiter zu bedrängen. Er wollte gerade hinausgehen, als ihm der Zauberstab ins Auge sprang und eine Idee sich in seinem Kopf formte. Er steckte den ruinierten Stab ein und huschte wieder in sein Zimmer.

Billy saß auf Charlies Bett und sah ganz verzweifelt aus.

„Mach dir keine Sorgen um Rembrandt", sagte Charlie. „Er ist ein schlaues Tierchen und du bist sein Freund. Er taucht garantiert bald wieder auf." Er sah, dass Billy ihm gar nicht richtig zuhörte, sondern staunend auf seine, Charlies, Hände starrte.

Als Charlie ebenfalls hinsah, bemerkte er, dass mit dem verbrannten Zauberstab eine seltsame Verwandlung vor sich ging. Er fühlte, wie sich der Stab sachte in seinen Fingern bewegte, so glatt wie Seide und so warm wie Sonnenschein. Die Silberspitze begann zu funkeln und das schwarze, verkohlte Holz wurde immer heller, bis es wieder schneeweiß war.

„Wie hast du das denn gemacht?", fragte Billy ehrfürchtig.

Charlie schüttelte den Kopf. „Keine Ahnung." Er setzte sich neben Billy und strich mit den Fingern über das glatte, weiße Holz.

„Das ist ein Zauberstab, oder etwa nicht? Er war ganz schwarz und kaputt und jetzt ist er wieder wie neu. Gehört er deinem Onkel?"

„Nein", sagte Charlie langsam. „Ich hab ihn mir von jemandem geborgt, der ihn jemand anderem gestohlen hatte."

„Sieht aus, als ob er wirklich zu dir gehört", bemerkte Billy. „Als ob er für dich bestimmt sei."

Charlie schüttelte den Kopf. „Das kann nicht sein. Unmöglich. Ich bin kein Zauberer oder Magier."

„Aber du bist doch sonderbegabt wie ich."

„Aber nicht so", murmelte Charlie. Er beschloss, Billy die Wahrheit über den Zauberstab zu sagen.

Charlie griff unters Bett und zog ein kleines Gemälde hervor. Es zeigte einen Mann in einem langen, schwarzen Gewand. Er hatte mit silbernen Strähnen durchzogenes schwarzes Haar und einen dazu passenden Bart. Er stand in einem Raum, der von einem hohen Kerzenständer erhellt wurde. Mit einem Stück Kreide malte er einen Stern auf eine Steinwand, die schon mit anderen seltsamen Symbolen bedeckt war.

„Das Bild hast du letztes Halbjahr mal in die Schule mitgebracht, stimmt's?", fragte Billy.

„Ja. Das ist ein Hexenmeister namens Skarpo. Ihm habe ich den Zauberstab gestohlen."

Billy klappte vor Überraschung die Kinnlade herunter. Er starrte Charlie mit seinen dunkelroten Augen entgeistert an. „Du hast …?", sagte er heiser.

„Ich bin in das Bild reingegangen. Ich hatte so was noch nie gemacht, immer nur Stimmen gehört." Er bemerkte plötzlich ein Glitzern in den Augen des Hexenmeisters und drehte das Bild schnell um. „Ich darf ihn nicht zu lange angucken, sonst zieht er mich wieder rein."

Billy schüttelte staunend den Kopf. „Wie bist du wieder rausgekommen?"

„Das war ein bisschen schwierig. Lysander hat mir geholfen." Charlie sah Billy an und fragte sich wieder, ob er ihm wirklich trauen konnte. Er befand, dass er es wohl riskieren musste. „Die Sache ist die, Billy, ich hab mir gedacht, ich gehe vielleicht noch mal rein. Dieser Hexenmeister ist unglaublich mächtig. Er bewahrt jede Menge Zeugs in seinem Zimmer auf, hast du gesehen? Kräuter und Federn und alles Mögliche."

„Er hatte einen Dolch, den hab ich gesehen."

148   Charlie hielt Billy das Bild hin. „Was siehst du noch?"

„Schüsseln und Schalen und Bücher und Deckelgläser mit farbigem Wasser und große Kerzen und Zeichen an den Wänden – oh, und eine Maus, die aus seiner Tasche guckt, und haufenweise olles Zeug auf seinem Tisch."

„Vielleicht hat er ja ein Heilmittel für meinen Onkel", sagte Charlie. „Wenn ich ihm den Zauberstab wiederbringe, vielleicht gibt er mir dann was dafür. Und ich kann ihn wegen Ollie fragen. Vielleicht kennt er ja auch ein Mittel gegen Unsichtbarkeit."

„Aber Lysander ist jetzt nicht hier", entgegnete Billy skeptisch. „Und wenn du nicht wieder rauskommst?"

„Dafür brauche ich ja dich, Billy. Halt einfach meinen Arm ganz fest, okay? Und wenn ich mich komisch benehme, dann zieh. Ich geh ja nicht wirklich rein, nur im Kopf, verstehst du? Aber er kann mein Gesicht sehen und wahrscheinlich sieht er auch den Zauberstab. Ich gehe nicht so weit rein wie letztes Mal. Ich bleibe am Rand und rede nur mit ihm."

Charlie lehnte das Bild an seine Nachttischlampe, stand dann auf und hielt den Zauberstab vor sich hin. „Alles klar?"

Billy schlüpfte vom Bett und umklammerte Charlies Arm. „Klar."

Charlie sah den Hexenmeister an. Es dauerte nicht lange, bis Skarpo ihn bemerkte.

149

„Du bist wieder da", sagte er mit heiserer, singender Stimme.

Charlie fühlte, wie er vorwärtsglitt, durch wallenden weißen Nebel. Alles, was er sehen konnte, war das Gesicht des Hexenmeisters, und er guckte rasch zu Boden, um Skarpos magnetischen gelben Augen auszuweichen. Ein schwerer Geruch von brennenden Kräutern drang in seine Nasenlöcher und er nieste heftig.

„Lass das!", herrschte ihn die Stimme an.

„Haaa-tschi! 'tschuldigung, konnte nichts dagegen machen", sagte Charlie. Er sah an der dunkel gewandeten Gestalt vorbei und überflog die Gegenstände auf dem Tisch.

„Was willst du diesmal, du Dieb?", fragte Skarpo.

„Ich bringe Ihnen Ihren Zauberstab zurück. Und ich dachte …"

„Was?" Skarpo schien den Zauberstab zu mustern. „Schaff ihn weg", sagte er leise.

„Aber ich dachte, Sie wollten ihn. Sie waren so wütend, als ich ihn mitgenommen habe. Ich wollte ihn eintauschen, gegen – na ja, einen kleinen Rat eigentlich, wo Sie doch so viel von Magie und so was verstehen. Ich dachte, Sie könnten mir vielleicht helfen."

„Er gehört nicht mir, Junge, jetzt ist mir das klar." Der Hexenmeister schien den Blick nicht von dem Zauberstab lösen zu können. „War nie meiner. Er hat immer schon dir gehört."

150

„Das versteh ich nicht. Es ist nicht meiner. Aber egal, das Problem ist, mein Onkel ist sehr krank, so krank, dass er seine magischen Kräfte verloren hat. Er war's, der mir überhaupt von Ihnen erzählt hat. Also, ich wollte fragen: Haben Sie vielleicht was für sonderbegabte Leute, die ihre Gabe verloren haben?"

„Ich müsste deinen Onkel persönlich sehen." Skarpo trat einen Schritt auf Charlie zu.

„Das geht nicht." Charlie wich einen Schritt zurück.

Skarpo kam noch näher. „Es muss aber sein, kleiner Wicht. Wie soll ich einem Mann helfen, den ich nicht sehen kann? Außerdem habe ich sowieso Lust, mal einen Blick in euer Jahrhundert zu werfen."

„Das ist unmöglich", sagte Charlie resolut. „Sie gehören in Ihr Bild."

„Ich lasse mich von dir mitnehmen." Die bleiche Hand des Hexenmeisters fuhr auf Charlie zu und Charlie fühlte etwas an seinem Pullover zupfen. Er machte schnell ein paar Schritte rückwärts und sagte: „Nein! Nein! Nein! Ich gehe jetzt. Jetzt! Sofort!" Und er ging noch weiter rückwärts. Aber diesmal stolperte er und fühlte, wie er fiel. Es war, als ob er Hals über Kopf durch die Luft wirbelte, abwärts und immer weiter abwärts.

Charlie wurde so schlimm herumgewirbelt und gebeutelt, dass er die Augen zumachen musste. Und dann krachte sein Hinterkopf gegen etwas.

Nach einer Weile schlug Charlie die Augen auf. Er lag in seinem Zimmer auf dem Fußboden. Nein, nicht direkt auf dem Boden, sondern auf etwas Kleinem, Hubbeligem.

Eine erstickte Stimme unter ihm keuchte: „Du zerquetschst mich, Charlie."

Charlie wälzte sich zur Seite und sah Billy neben sich liegen. Die Brille war ihm von der Nase gefallen und seine Augen waren vor Schreck geweitet.

„Tut mir leid. Was ist passiert?"

„Es war sooo gruselig", sagte Billy und setzte sich auf. Er fand seine Brille wieder und setzte sie auf. „Ich hab dich festgehalten, wie du gesagt hast, aber du bist immer weiter rückwärtsgegangen und hast ganz laut gerufen, ‚Jetzt! Sofort!' Und dann bist du über meinen Fuß gestolpert und wir sind beide hingefallen. Ich konnte nichts sehen, weil du auf mir gelegen hast, aber da war plötzlich ein Wahnsinnswind und jemand ist mir auf die Hand getreten und die Tür ist aufgeflogen."

In dem Moment schlug die Haustür zu. Die Jungen waren still, warteten auf Schritte unten in der Diele. Aber da war nichts. Charlie stand auf und ging ans Fenster.

Auf der Straße waren etliche Leute und ein paar vorbeifahrende Autos. Und dann sah er in der Ferne, im Gegenlicht der Abendsonne, eine schemenhafte Gestalt eiligst entschwinden.

Ihm war ein bisschen komisch. Ob das daher kam, dass er sich den Kopf angeschlagen hatte, oder ob es das Gefühl war, dass alles ein bisschen schiefgelaufen war, wusste er nicht genau.

„Was ist da drin passiert?", fragte Billy und zeigte auf das Bild.

Charlie bemerkte, dass der Hexenmeister immer noch auf dem Bild war. Das war beruhigend. Er legte es mit der Vorderseite nach unten auf den Nachttisch. „Er wollte rauskommen."

„Vielleicht ist er ja rausgekommen", sagte Billy.

„Nein. Das kann nicht sein. Komm, wir gehen jetzt schlafen. Du kannst zuerst ins Bad."

Die beiden Jungen zogen sich die Schlafanzüge an und Billy ging mit seinem Waschzeug ins Badezimmer. Gleich darauf war er wieder da, Zahnpasta um den Mund und in den Händen eine schwarze Ratte. „Guck, was ich gefunden habe!", rief er.

„Rembrandt! Wo war er denn?"

„Im Bad, unter der Badewanne." Billy setzte Rembrandt auf Charlies Bett. „Ich freu mich so, dass du wieder da bist, Rem!"

„Ich glaube, ich bin nicht so scharf drauf, Rem heute Nacht in meinem Bett zu haben", sagte Charlie und ging runter in die Küche, um eine Schachtel zu suchen.

Leider saß Grandma Bone gerade in der Küche, um noch ein Schälchen Dörrpflaumen zu verspeisen.

153

„Was suchst du?", fragte sie, als Charlie in der Speisekammer herumkramte.

„Eine Schachtel."

„Wofür?"

„Um was reinzutun." Charlie tauchte wieder auf, eine Pappschachtel in der Hand und sechs Kekse in der Hosentasche.

„Was denn? Verflixt!" Grandma Bone hatte ihren Mund verfehlt und eine Dörrpflaume platschte aufs Tischtuch.

„Uups!", grinste Charlie.

„Was willst du in diese Schachtel tun?"

„Ein Monster mit vier Schwänzen und stinkendem Atem", erwiderte Charlie und rannte schleunigst aus der Küche.

„Werd nicht unverschämt!", kreischte Grandma Bone. Sie kam in die Diele heraus und wollte noch weiter schreien, überlegte es sich dann aber plötzlich anders und sagte mit süßlicher Stimme: „Sag deinem kleinen Freund, ich wünsche ihm eine gute Nacht."

Charlie war so irritiert von ihrem Ton, dass er fast die Schachtel fallen ließ. Glaubte seine Großmutter, sie könnte Billy gegen ihn benutzen?

„Puh, Grandma steht wirklich auf dich", sagte er und reichte Billy die Schachtel. „Die ist für Rembrandt. Und ich habe ein paar Kekse für ihn zum Abendessen. Billy? Billy!"

154 Billy hatte die weißen Augenbrauen zusammengezogen und wirkte seltsam abwesend.

„Was ist?", fragte Charlie.

„Ich hab mit Rembrandt geredet", sagte Billy. Er klang ziemlich verdattert.

„Wie's aussieht, hat er dir was Unangenehmes erzählt."

„Er sagt, da sei ein übler Geruch im Bad."

„Da ist immer ein furchtbar übler Geruch", entgegnete Charlie. „Das ist Grandma."

„Nein, Charlie, es ist etwas anderes", sagte Billy ernst. „Rembrandt sagt, es riecht nach bösem Zauber und nach irgendwas, das eigentlich schon tot sein sollte."

Charlie verkniff es sich, „Sag ich ja" zu sagen, und marschierte ins Bad, gefolgt von Billy, der Rembrandt immer noch an sich drückte.

„Ich rieche nichts", sagte Charlie, als er die Tür aufmachte.

„Schau mal, da!", wisperte Billy. „Da, unter dem Waschbecken."

Charlie sah hin. Unterm Waschbecken saß eine braune Maus. Sie begann fast schon hysterisch zu piepsen, und Rembrandt fiel ein und fiepte noch lauter als die Maus.

Billy übersetzte Rembrandts Worte, wenn man es denn so nennen konnte: „Er sagt ... die Maus hat Angst ... weil sie nicht weiß ... wo sie ist ... und wie sie hierhergekommen ist. Rembrandt sagt, sie riecht, als käme sie aus weit, weit zurückliegender Zeit, so weit, dass es ihm Knoten ins Hirn macht."

„Aus weit zurückliegender Zeit?" Charlie sah Billy an, der entgeistert zurückstarrte.

„Skarpo hatte eine Maus in der Tasche", sagte Charlie langsam.

„Aber wo ist dann Skarpo?", flüsterte Billy.

Eine Maus aus der Vergangenheit

Als das Gefiepe schließlich verstummte, sagte Billy: „Sollen wir sie laufen lassen oder sollen wir versuchen sie zu fangen?"

Charlie trat einen Schritt auf die Maus zu und das entschied die Frage. Das Tierchen flitzte unter die Badewanne und als Charlie hinterherkrabbeln wollte, entwischte sie durch ein Loch im Fußboden.

„Das war's dann wohl." Charlie stand auf und klopfte sich den Staub ab.

„Was machen wir jetzt wegen Skarpo?", fragte Billy.

„Da können wir gar nichts machen. Wir müssen einfach abwarten."

Charlie lag den größten Teil der Nacht wach. Billy grunzte und plapperte im Schlaf vor sich hin und die Ratte machte komische Zwitschergeräusche. Ab und zu rief Charlie: „Ruhe jetzt, alle beide!", aber seine Gäste machten einfach weiter.

Ganz früh am nächsten Morgen schlich Charlie nach unten, um ein Schälchen Cornflakes zu essen. Im Haus und draußen auf der Straße war es unheimlich still. Und Rembrandt hatte Recht, irgendwie roch es sehr merkwürdig. Roch so böser Zauber? Charlie fragte sich, ob die Maus außer bösem Zauber auch Unglück ins Haus gebracht hatte.

Als er seine Cornflakes aufgegessen hatte, brachte er eine Tasse Tee und einen Teller Zwieback zu seinem Onkel hinauf. Paton saß im Bett, einen Haufen Kissen und Kopfkissen im Rücken. Er war immer noch totenbleich, aber in sein graues Haar schien immerhin wieder etwas Glanz zurückgekehrt zu sein.

„Guten Morgen, mein lieber Junge." Onkel Patons Stimme klang ganz schwach.

„Du siehst schon ein bisschen besser aus", sagte Charlie. „Dein Haar – gestern war es ganz grau."

Charlie bemerkte, dass das Licht im Zimmer immer noch brannte. Es flackerte zwar ab und zu, aber es gab keine von diesen grellen Explosionen, die Paton normalerweise verursachte.

„Vielleicht ist es ja ganz gut, dass du deine …" Charlie zögerte. „Ich meine, jetzt platzen wenigstens nicht alle Glühbirnen um dich herum."

„Der Gedanke ist mir auch schon gekommen", flüsterte Paton. „Aber nur kurz. Inzwischen ist mir klar geworden, dass es nie gut ist, wenn man seine Gabe verliert, weil damit ein Stück von einem selbst verschwindet."

158

„Stimmt wohl", sagte Charlie ernst. „Onkel Paton, was ist passiert?"

Paton schloss die Augen. „Kann jetzt nicht drüber reden, Charlie. Wenn du Miss Ingledew siehst, sag ihr bitte … sag ihr …“

„Ja?“, fragte Charlie eifrig nach. „Was soll ich Miss Ingledew sagen?“

„Sag ihr, ich wollte …“ Paton schüttelte den Kopf. „Nein, ich fürchte, es ist zu spät.“

„Zu spät?“, rief Charlie. Der Gesichtsausdruck seines Onkels machte ihm Angst. „Was heißt ‚zu spät‘?“

„Nicht so wichtig. Ich möchte jetzt gern allein sein, Charlie.“

Was auch immer seinem Onkel widerfahren war, Charlie fürchtete, dass es bleibende oder sogar tödliche Folgen haben könnte. Er machte leise die Tür hinter sich zu und ging wieder in sein Zimmer. Billy saß auf der Kante von Charlies Bett, Rembrandt auf den Knien. „Ich dachte, es wäre alles nur ein Albtraum gewesen“, sagte er und rieb sich die Augen. „Aber es ist wirklich passiert, oder? Das mit der Maus und dem Hexenmeister?“

„Ich fürchte, ja.“

„Was meinst du, was Skarpo machen wird, wenn er hier irgendwo ist?“

„Das müssen wir einfach abwarten. Billy, du erzählst das alles doch niemandem weiter, oder?“

159

Billy schüttelte energisch den Kopf. „Ich sag nichts von Skarpo, aber ich glaube, sie wissen schon, dass du in Bilder reingehen kannst. Ich hab sie mal über das Bild reden hören, den alten Mr Ezekiel und die Hausmutter. Sie haben gesagt: ‚Glaubst du, Charlie wird reingehen?‘ Damals hab ich nicht verstanden, worum es ging."

Charlie setzte sich neben Billy.

„Ich weiß, du kannst nichts dafür, dass du ein Spitzel geworden bist. Aber jetzt musst du dich für eine Seite entscheiden, Billy. Ich muss wissen, ob ich dir trauen kann."

Billy ließ den Kopf hängen. „Mr Ezekiel hat gesagt, er hat richtig nette Leute gefunden, die meine Eltern sein wollen, aber das war gelogen. Ich werde ihm nie wieder vertrauen."

„Die Bloors lügen immer", sagte Charlie. „Aber wenn das alles vorbei ist, wird sicher jemand Eltern für dich finden."

„Die Köchin hat gesagt, sie sucht mir welche – aber was meinst du mit ‚wenn alles vorbei ist‘?"

Charlie wusste es selbst nicht genau. Meinte er, wenn Ollie Sparks befreit und Belle alias Yolanda verschwunden war? Wenn Onkel Paton wieder er selbst war und Lyell, Charlies Vater, gefunden? Oder meinte er vielleicht den Kampf zwischen denjenigen, die anderer Leute Leben zerstörten, wenn sie nicht kriegten, was sie wollten, und denen, die nicht anders konnten, als alles zu tun, um sie daran zu hindern?

„Wir Kinder des Roten Königs", murmelte Char-

160

lie. „Es ist ein Kampf zwischen uns. Ich meinte, wenn der vorbei ist."

Billy guckte skeptisch. „Der geht vielleicht nie vorbei. Oder er dauert ganz, ganz lange. Ich glaube, ich könnte schon ziemlich lange warten. Ein Jahr vielleicht. Aber ich will nicht groß sein, bevor ich Eltern kriege. Wenn ich mich doch nur an meine richtigen Eltern erinnern könnte. Wenn ich doch nur wüsste, wie sie gestorben sind. Aber das wollte mir nie jemand erzählen."

Charlie dachte an seinen eigenen Vater. Alle taten so, als ob er tot sei, aber Charlie wusste, dass das nicht stimmte. Billy hatte wenigstens ein Foto. Charlie hatte nicht mal das. „Du hast mir mal ein Foto von deinen Eltern gezeigt. Sie sahen nett aus."

„Ja", schniefte Billy traurig.

„Los, komm, anziehen", sagte Charlie in muntererem Ton.

In der Küche war Mrs Bone gerade dabei, zwei große Portionen Frühstück zu machen.

„Tut mir leid, ich muss euch beide allein lassen", sagte sie, „aber im Kühlschrank ist jede Menge zu essen und zum Tee bin ich wieder da. Gott sei Dank geht es Paton wieder besser."

Da war Charlie sich nicht so sicher.

„Allein sind wir ja nicht gerade", murmelte Charlie, als oben eine Tür heftig knallte. Grandma Bone war offenbar im Anmarsch.

161

Amy sah an die Decke und sagte: „Ihr wisst schon, was ich meine. Lasst euch das Frühstück schmecken. Tschü-hüs." Und weg war sie.

Bis Grandma Bone schließlich herunterkam, hatten Charlie und Billy schon fertig gefrühstückt und Billy hatte sich schnell noch einen Rest Toast und Speck in die Hosentasche gesteckt.

„Ein bisschen Hungern würde dir gar nichts schaden", sagte sie und funkelte Charlie grimmig an, „nachdem du meine ganzen Lieblingssachen aufgegessen hast."

Charlie hätte ihr beinah gesagt, dass Runnerbean die Pastete gefressen hatte, besann sich aber eines Besseren. Er wollte ein Wochenende in Frieden.

„’tschuldigung", brummte er. „War falsch von mir. Wir gehen jetzt in den Park, Grandma." Er brachte seinen Teller zur Spüle, aber als er sich wieder umdrehte, hatte seine Großmutter dieses fiese Lächeln im Gesicht.

„Nein, geht ihr nicht", sagte sie. „Jemand sehr Wichtiges kommt uns besuchen."

„Wer?", fragte Charlie.

„Es reicht, wenn ich das weiß", entgegnete sie. „Wascht euch die Hände und kämmt euch die Haare, in einer halben Stunde sind sie hier."

162   Billy wieselte nervös mit seinem Teller zur Spüle.

„Abwaschen, Junge", kommandierte Grandma Bone.

Charlie wartete, während Billy gehorsam seinen Teller abwusch und zum Abtropfen hinstellte.

Als sie wieder oben waren, fütterte Billy die hungrige Ratte und begann ihr dann etwas vorzugrunzen. Rembrandt fiepte zurück.

„Er sagt, die Maus sollte wieder nach Hause", erklärte Billy. „Hier ist es nicht gut für sie."

„Für uns auch nicht", sagte Charlie. „Aber selbst wenn wir die Maus finden würden, wüsste ich nicht, wie wir sie wieder in das Bild zurückkriegen sollten. Außer, ich würde sie selbst hinbringen, und ich will nicht noch mal da reingehen. Ich traue Skarpo nicht. Er könnte irgendwas tun, damit ich nicht wieder rauskann."

„Wenn er noch drin ist."

„Er muss", sagte Charlie verzweifelt. „Ich meine, wenn er draußen wäre, wüssten wir's doch inzwischen. Er ist gefährlich. Seine Spezialität ist Zerstörung. Er hat mir mal erzählt, er stehe drauf, Leute zu verstümmeln, zu verbrennen, schrumpfen zu lassen und in den Wahnsinn zu treiben."

Billy sah ihn erschrocken an. Er brachte nur ein leises, entsetztes „Ooooh" heraus.

Die beiden Jungen warteten gespannt auf den wichtigen Besuch. Ab und zu schauten sie auf die Straße hinunter, aber niemand, der wie eine wichtige Person aussah, näherte sich der Hautür. Kein schicker oder teurer Wagen hielt in der Nähe.

Und dann erschauerte Billy plötzlich. „Da. Das ist *er*."

Charlie sah einen schwarzen Wagen mit getönten Scheiben vorfahren. Er erkannte den Wagen sofort. Er war schon mal gekommen, als Billy zu Besuch gewesen war. Den Beifahrer hatte Charlie nicht gesehen. Als er in den Wagen hatte schauen wollen, war ein langer Spazierstock aus der Beifahrertür geschossen und hatte ihm eins auf die Knie verpasst – das würde er so schnell nicht vergessen.

Ein kräftig aussehender Mann im schwarzen Anzug stieg auf der Fahrerseite aus und ging um den Wagen herum. Eine Chauffeurmütze verbarg das kurz geschorene Haar, aber Charlie erkannte die breite Nase, das rote Gesicht und die kleinen Schlitzaugen. Es war Weedon, der Gärtner und Hausmeister.

Weedon öffnete die Beifahrertür sperrangelweit und beugte sich in den Wagen. Nachdem er sich ein Weilchen darin zu schaffen gemacht hatte, hob er ein seltsames Bündel heraus. Es war zum größten Teil in eine karierte Wolldecke gehüllt, aber Charlie konnte ein verschrumpeltes Gesicht unter einem schwarzen Käppchen und zwei dürre Beine in weißen Socken und roten Samtpantoffeln erkennen.

„Ist das etwa der, für den ich ihn halte?", fragte Charlie.

Billy nickte unglücklich. „Mr Ezekiel. Er kommt wegen mir."

„Vielleicht auch nicht. Erst mal abwarten."

Noch während Charlie das sagte, stieg eine dritte Person aus dem Wagen, knallte alle offenen Türen zu und folgte Weedon und seinem Bündel.

„Hätte mir denken können, dass *sie* auch kommt", sagte Charlie, während er zusah, wie seine Großtante Lucretia die Eingangstreppe hinaufstieg.

„Charlie! Billy! Man verlangt nach euch!", rief Grandma Bone herauf.

Billy setzte Rembrandt in die Schachtel und folgte Charlie nach unten. Grandma Bone wartete vor der Wohnzimmertür auf sie. „Kommt, Jungs, kommt rein." Sie lächelte dabei so strahlend, als hätten sie Karten für ein Fußballspiel gewonnen.

Charlie ging als Erster rein und fand sich dem ältesten Mann gegenüber, den er je gesehen hatte. Der Alte saß im bequemsten Sessel, noch immer in seine Wolldecke gewickelt. Sein Gesicht war so verschrumpelt, dass es aussah wie ein Totenkopf, und das dünne, weiße Haar hing ihm in fettigen Strähnen bis auf die Schultern. Der Mund war fast völlig unter der langen, knubbligen Nase verschwunden, aber die schwarzen Augen glitzerten beängstigend wach.

„Charlie Bone – endlich." Der Alte streckte ihm eine magere, altersfleckige Hand entgegen.

Charlie starrte die Hand an und fragte sich, ob sie wohl Fleisch fraß. Er befand, dass er sie besser schütteln sollte, aber eh er sich's versah, schoss sie vor und seine Finger wurden von etwas zermalmt, das sich anfühlte wie ein Nussknacker. Mit einem unterdrückten Schmerzenslaut zog er die Hand zurück und Mr Weedon, der auf einem Stuhl neben dem Alten saß, griente höhnisch.

„Billy kennen wir ja", sagte Mr Ezekiel. „Tatsächlich kennen wir uns sogar sehr gut, nicht wahr, Billy?" Er ergriff einen Spazierstock, der an seinem Sessel lehnte, und klopfte damit vor Billys Füßen auf den Boden.

Billy nickte stumm.

„Setzt euch, Jungs!" Mr Ezekiels Stimme klang ungefähr wie eine rostige Säge.

Charlie und Billy flüchteten zum nächsten Sessel und setzten sich zusammen hinein, ganz vorn auf die Kante. Grandma Bone thronte jetzt neben Tante Lucretia auf dem Sofa.

„Ist es nicht nett, dass wir hier alle beisammen sind?", flötete Lucretia mit einem zuckersüßen Lächeln.

Charlie dachte: ganz bestimmt nicht.

„Tja." Mr Ezekiel rieb sich die Hände. „Zunächst einmal, es freut mich sehr, dass ihr beide euch offenbar angefreundet habt. Wir müssen doch alle zusammenhalten, nicht wahr? Je mehr von uns, desto besser. Meint ihr nicht?"

Charlie sagte: „Kommt drauf an."

Mr Ezekiel runzelte die Stirn und Grandma Bone

und ihre drei Schwestern knurrten: „Unverschämt-heit! Benimm dich."

„Du wirst doch nicht so werden wie dein Vater, oder?", sagte Mr Ezekiel laut und funkelte Charlie grimmig an. „Du dürftest ja schon bemerkt haben, dass ich nicht laufen kann. Und weißt du, wer daran schuld ist? Dein verdammter Vater. Er hat mir das an-getan. Geschieht ihm ganz recht, dass er tot ist."

Charlie knirschte mit den Zähnen. Er war so wü-tend, dass er Angst hatte, etwas Unüberlegtes zu tun. Aber er murmelte nur: „Er ist nicht tot."

„Was?", rief der Alte. „Was hast du gesagt?"

„Ich sagte, mein Vater ist überhaupt nicht tot!", brüllte Charlie.

Die Augen des alten Mannes blitzten bedrohlich. Er starrte Charlie ein paar Sekunden an und lachte dann laut und keckernd. „Beweis es doch", sagte er höhnisch.

Charlie schwieg.

„Nein, das kannst du nicht, was?", sagte Mr Eze-kiel. Dann überfiel ihn plötzlich ein Hustenanfall und Grandma Bone eilte hinaus, um ihm eine Tasse Tee zu holen.

Als sie draußen war, fauchte Tante Lucretia: „Du bist ein sehr dummer Junge, Charlie Bone. Warum kannst du nicht ein einziges Mal Vernunft annehmen? Warum kannst du nicht einfach tun, was man von dir erwartet?"

Charlie presste trotzig die Lippen zusammen und Billy quetschte sich ganz hinten in den Sessel.

Grandma Bone kam mit drei Tassen Tee und einem Teller Plätzchen zurück. Sie reichte den Tee und die Plätzchen Ezekiel, Lucretia und Mr Weedon, aber als Charlie die Hand nach dem Teller ausstreckte, verpasste ihm Lucretia einen festen Klaps.

„Autsch!" Charlie zog seine brennende Hand zurück.

Mr Ezekiel sagte: „Aber, aber, wir dürfen Charlie doch nicht schlagen. Wir wollen ihn doch auf unserer Seite haben, nicht wahr?"

„Manchmal frage ich mich, ob er die Mühe wert ist", schnaubte Grandma Bone.

Charlie konnte sich nicht mehr zurückhalten. „Wenn ihr mich auf eure Seite ziehen wollt, habt ihr aber eine komische Art, es zu versuchen."

Grandma Bone zog die Augenbrauen hoch. Ezekiel schlürfte seinen Tee. Lucretia rührte in ihrer Tasse. Schließlich sagte der alte Mann: „Wir wollten dir nie etwas tun, Charlie. Nichts Ernsthaftes. Wir mussten dir nur hie und da eine Lektion erteilen. Um dich auf den rechten Weg zu bringen."

„Und welcher Weg wäre das?"

Ezekiel schüttelte den Kopf. „Ich will, dass wir alle auf derselben Seite stehen, Charlie. Denk doch mal, wie mächtig wir sein könnten. All ihr gescheiten, begabten Kinder – Kinder des Roten Königs. Überleg doch mal, was ihr alles tun könntet. Dein kleiner Freund Billy hat das bereits längst begriffen, nicht wahr, Billy?"

Billy wand sich auf seinem Platz.

„Billy ist ein braver Junge", mischte sich Grandma Bone ein. „Billy tut, was man ihm sagt. Er hält sich an die Regeln."

„Regeln?", fuhr Charlie wütend auf. „Mein Vater hat nicht getan, was ihr wolltet, und ihr habt ihm etwas Schreckliches angetan. Und mein Onkel Paton ist irgendwo hingegangen, wo ihr ihn nicht haben wolltet, und jetzt ist er nur noch ein Wrack. Das ist nicht fair."

Mr Weedon beugte sich mit zusammengekniffenen Augen vor. „In der Liebe und im Krieg ist alles erlaubt", verkündete er mit herrischer Stimme.

Die drei übrigen Erwachsenen sahen ihn erstaunt an und Charlie hatte das seltsame Gefühl, dass von allen Personen im Zimmer Weedon derjenige war, den er am meisten fürchten musste.

Ezekiel seufzte gequält. „Ich bin es wirklich leid. Ich habe keine Lust mich mit kleinen Jungen zu streiten. Benimm dich, Charlie Bone. Du weißt, was ich mit Leuten machen kann, die nicht spuren."

Charlie war noch auf der Suche nach einer schlagfertigen Antwort, als plötzlich eine Maus auf dem Kaminsims auftauchte. Alle verfolgten mit den Augen, wie sie um die Kerzenleuchter und Porzellanfigürchen herumhuschte. Und dann machte sie neben der Uhr Männchen und begann zu piepsen.

Grandma Bone und Tante Lucretia waren schon am Kreischen, als Ezekiel brüllte: „Was sagt sie, Billy? Los, sag's uns."

„Sie sagt, sie habe sich verirrt", erklärte Billy, obwohl die Maus in Wirklichkeit sagte: „Ich bin außer mir vor Angst. Wo bin ich? Ich habe keine Ahnung, wie ich hierhergekommen bin."

Billy wollte gerade etwas Beruhigendes zu dem Tierchen sagen, als plötzlich Mr Weedon seine Mütze über die Maus klatschte. „Hab das kleine Mistvieh."

Billy und Charlie sahen entsetzt zu, wie der Hüne die Mütze umdrehte und die Hand über die Maus legte. Doch dann jaulte er auf und ließ Mütze und Maus fallen.

„Das Mistvieh hat mich gebissen!"

Charlie flüsterte Billy zu: „Wenn wir Glück haben, kriegt er die Pest – die muss zu ihrer Zeit ja gerade gewütet haben."

Die Maus sprang aus der Mütze und sauste unters Sofa.

„Bringt mich hier raus!", schrie Ezekiel. „Weedon, lassen Sie doch die verdammte Maus. Billy, hol deine Sachen, du kommst mit uns."

170   „Aber ich bin hier bei Charlie", protestierte Billy, „übers Wochenende. Ich will nicht zurück ins Bloor."

„Keine Widerworte", brüllte Ezekiel. „Er hat einen

schlechten Einfluss auf dich. Geh sofort und hol deine Sachen."

Billy rutschte zögernd von seinem Sessel und verließ mit einem verzweifelten Blick das Zimmer.

„Das ist nicht fair", sagte Charlie. „Billy ist jedes Wochenende allein."

„Nicht fair! Nicht fair!", äffte ihn Grandma Bone nach. „Für dich ist auch gar nichts fair, was?"

„Nein." Charlie war so sauer auf sie alle, dass er aus dem Zimmer stapfte und unterwegs leise knurrte: „Und es ist auch nicht fair, unsichtbare Jungen einzusperren."

„Was hast du gesagt, du unverschämter Lümmel?", schrie seine Großmutter.

Billy kam die Treppe herunter, mit seiner Tasche und Rembrandts Schachtel. Charlie wollte ihm gerade raten, die Schachtel zu verstecken, als Mr Weedon aus dem Wohnzimmer kam, den alten Mann auf den Armen.

„Was ist da drin?", fragte Ezekiel und klopfte mit seinem Spazierstock auf die Schachtel.

„Eine – äh, eine Ratte", stammelte Billy, zu verängstigt zum Lügen.

„Was? Weg damit!"

„Aber wir sind Freunde", piepste Billy.

„Die kommt mir trotzdem nicht ins Haus", erklärte Ezekiel.

„Aber sie hat Mr Boldova gehört", machte Billy

alles noch schlimmer. „Und jetzt, wo er weg ist, hat sie keinen mehr, der sich um sie kümmert."

Grandma Bone und Tante Lucretia waren in die Diele herausgetreten und zeterten gleichzeitig los.

„Im Haus?"

„Eine Ratte?"

„Jemand muss sie erschlagen!"

Billy kamen die Tränen. „Nein, nicht", schluchzte er.

„Ich kümmere mich um sie", rief Charlie und schnappte sich die Schachtel. „Keine Angst, Billy."

„Das wirst du *nicht* tun!", brüllte Grandma Bone. „Nicht in meinem Haus! Weedon, schlagen Sie das Vieh tot!"

Aber Weedon hatte alle Hände voll mit Mr Ezekiel zu tun, und ehe sich jemand anders rühren konnte, hatte Charlie schon die Haustür aufgerissen.

„Mach's gut, Billy", rief er, während er die Eingangstreppe hinunterstürmte. „Ich bringe Rembrandt an einen sicheren Ort."

„Kommst du wohl zurück!", rief Grandma Bone.

„Dieser Junge ist völlig außer Kontrolle!", bellte Tante Lucretia.

„Aber nicht mehr lange!", knurrte Ezekiel.

Aber Charlie hörte es nicht mehr . Er rannte die Filbert Street entlang und weiter in Richtung Altstadt und blieb nur einmal kurz stehen, um in die Schachtel zu gucken. Rembrandt starrte ihn ängstlich an und seine Nase zuckte mindestens hundertmal pro Sekunde.

„Entschuldige", keuchte Charlie atemlos. „Tut mir echt leid, aber bei mir zu Hause wärst du echt verratzt gewesen."

Er rannte durch die Frog Street und dann durch das kleine Gässchen, das zum Café *Zum glücklichen Haustier* führte.

„Hallo, Charlie. Du bist ja ganz außer Puste", sagte Norton, der Rausschmeißer, als Charlie zur Tür hereinstürmte.

„Ich muss Mr Onimous sprechen", sagte Charlie. „Ist er hier?" Er hielt die Schachtel hoch. „Ratte", erklärte er. „In ziemlichen Schwierigkeiten."

„Orvil ist in der Küche. Einfach um die Theke herum."

Über einen Vogelkäfig und zwei Dackel hinweg hastete Charlie hinter die Theke und durch die Tür zur Küche. Mr und Mrs Onimous saßen am langen Küchentisch und tranken Tee. Mehrere Töpfe blubberten auf dem Herd vor sich hin und die beiden sahen ziemlich verschwitzt aus.

„Na, wenn das nicht Charlie ist", sagte Mr Onimous und tupfte sich mit einem roten Taschentuch das Gesicht ab. „Setz dich, mein Freund, und trink ein Tässchen mit."

173

Charlie schüttelte den Kopf. „Danke, aber ich hab's ziemlich eilig."

Plötzlich ertönte freudiges Gebell und Runnerbean schoss freudig unterm Tisch hervor. Charlie stellte die Schachtel auf den Tisch und ließ sich das Gesicht ablecken, während er das raue Fell des großen Hundes rubbelte. Als er wieder aufsah, saß Rembrandt neben Mrs Onimous' Teetasse.

„Na, so eine nette Überraschung", sagte sie. „Was für eine hübsche Ratte!"

Runnerbean knurrte und Charlie bat ihn still zu sein, weil die Ratte sowieso schon mit den Nerven am Ende sei.

„Ich hab Rembrandt hergebracht, weil Grandma Bone ihn umgebracht hätte", erklärte Charlie. „Ich dachte, hier ist er in Sicherheit. Könnten Sie sich bitte um ihn kümmern, Mrs Onimous?"

„Am besten erzählst du uns erst mal die ganze Geschichte, junger Freund", schlug Mr Onimous vor.

„Und isst dabei ein bisschen von diesem leckeren Kuchen", ergänzte Mrs Onimous. „Komm, setz dich, Charlie, mach's dir gemütlich."

Charlie hatte nicht lange bleiben wollen. Er hatte Angst, seine Mutter würde von der Arbeit nach Hause kommen und eine wütende Grandma Bone vorfinden. Aber der Duft von frisch gebackenem Kuchen und das einladende Lächeln der Onimouses waren unwiderstehlich. Also setzte er sich an den Tisch, mampfte sich durch ein Riesenstück Schokoladenkuchen und erzählte seinen Freunden alles: von Ollie

Sparks, der geheimnisvollen blauen Boa und der schrecklichen Einsamkeit, die Ollies Unsichtbarkeit bedeutete. Und schließlich von der grässlichen Szene mit Mr Ezekiel und Billy.

„Billy wollte Rembrandt behalten", sagte Charlie und fütterte der Ratte einen Krümel Schokokuchen. „Er ist nämlich sein Freund. Er versteht, was Billy sagt. Aber dieser eklige alte Mann hat gesagt, er dürfe ihn nicht behalten, und Grandma Bone hat Mr Weedon gesagt, er solle Rembrandt totschlagen."

„Das arme, süße Tierchen." Mrs Onimous griff sich ans Herz. „Komm zu mir, Schätzchen."

Rembrandt sprang über einen Teller und landete auf Mrs Onimous' Schoß. Offenbar war Billy nicht der einzige Mensch, den er verstehen konnte.

„Du sagst, dein Onkel hat eine rätselhafte Krankheit", sagte Mr Onimous, der Paton Darkwood sehr schätzte. „Und du hast keine Ahnung, was dieses seltsame Leiden verursacht hat?"

„Ich weiß nur, dass er jemanden getroffen hat, auf Schloss Darkwood", sagte Charlie. „Und dieser Jemand hat ihm irgendwas angetan."

Die Onimouses starrten Charlie entsetzt an.

„Das ist ein schrecklicher Ort", stieß Mr Onimous schließlich hervor.

„Waren Sie schon mal dort?", fragte Charlie.

„Noch nie." Mr Onimous schüttelte den Kopf. „Keine zehn Pferde bringen mich dorthin. Das ist ein

Ort des Bösen, Charlie. Dein Onkel kann von Glück sagen, dass er lebend dort herausgekommen ist."

„Aber vielleicht bleibt er nicht am Leben", sagte Charlie ängstlich.

„Hoffnung und Mut sind allzeit gut, Charlie", sagte Mrs Onimous, die alles andere als hoffnungsfroh aussah.

Der Zauberstab

Auf dem Rückweg ging Charlie bei der Buchhandlung vorbei. Emma hatte vorn im Laden Dienst, während ihre Tante im Hinterzimmer Bücher einband.

„Sag deiner Tante, dass mein Onkel wieder da ist", sagte Charlie. „Aber es geht ihm gar nicht gut."

„Was hat er denn?", fragte Emma.

„Schwer zu erklären. Aber es ist schlimm, Emma. Ich hab Angst um ihn. Vielleicht wird er nicht wieder gesund – nie mehr."

„Wieso?", fragte Emma mit einem besorgten Stirnrunzeln. „Wie ist das passiert? Ein rätselhaftes Virus oder was?"

„Weiß ich nicht. Ich muss jetzt los, Emma. Gab ziemlichen Ärger, bevor ich gegangen bin."

Charlie stürzte wieder hinaus und Emma blieb verdutzt zurück.

In Nummer neun war alles still, wenn auch die Atmosphäre alles andere als friedlich war.

Billy war offenbar ins Bloor zurückverfrachtet worden und von Grandma Bone war nichts zu sehen. Es war Mittagessenzeit. Charlie ging zum Kühlschrank und machte sich ein Sandwich: Käse, Gurke, Salami und Erdnussbutter, alles miteinander zwischen zwei dicke Brotscheiben gequetscht. Als er sich gerade an den Tisch setzen wollte, fiel ihm sein Onkel ein. Er machte noch ein Sandwich mit dem gleichen Belag, legte beide auf ein Tablett und stellte noch ein Glas Wasser dazu.

Als Charlie anklopfte, rief Paton prompt: „Herein! Herein!"

„Gottlob, eine kleine Stärkung", sagte Onkel Paton, als er das Tablett erblickte. Er stemmte sich in seinen Kissen empor und patschte aufs Bett.

Charlie stellte das Tablett vor seinen Onkel hin. Er war froh, dass Paton es offensichtlich geschafft hatte, einen Schlafanzug anzuziehen. Hoffentlich hieß das auch, dass er sich gewaschen hatte, obwohl es im Zimmer immer noch komisch roch.

„Versengte Socken!", erklärte Paton, der Charlies diskretes Schnuppern mitgekriegt hatte.

„Was ist passiert? Kannst du jetzt drüber reden?", fragte Charlie vorsichtig.

Paton leerte das Wasserglas halb und räusperte sich dann lautstark. „Ähem. Es gibt da etwas, was du wissen musst, Charlie, etwas über unsere Familiengeschichte. Es fing alles an, als ich sieben war. Du weißt ja, ich habe meine Gabe an meinem siebten Geburtstag entdeckt."

Charlie nickte. „Die Glühbirnen sind explodiert und alle anderen Kinder sind gegangen und da hast du das ganze Eis allein aufgegessen und dir ist schlecht geworden."

„Gutes Gedächtnis", bemerkte Paton. „Tja, kurz darauf sind wir alle meine Großtante Yolanda besuchen gefahren, auf Schloss Darkwood."

Charlie wartete gespannt, während sein Onkel sich den Hals massierte.

„Meine Mutter war Französin", fuhr Paton fort. „Eine sehr schöne Frau. Sie war Schauspielerin, aber als sie dann meinen Vater heiratete, stellte sie fest, dass sie Kinder liebte. Also bekam sie gleich fünf Stück und gab ihre Bühnenkarriere auf. Sie war sehr stolz auf meine Gabe. In ihrer Familie hatte es auch schon ein paar ‚außergewöhnliche Talente' gegeben. Sie hat es Yolanda gleich am ersten Abend erzählt. Wir saßen beim Abendessen in einem langen, dunklen Raum im Erdgeschoss. Wir waren zu neunt, Lyell, dein Vater, war damals zwei. Sein Vater, der Pilot gewesen war, war schon tot, mit seinem Flugzeug in der Wüste abgestürzt. Jedenfalls, meine Mutter sagte: ‚Stell dir vor, Tante Yolanda, Paton ist sonderbegabt.' Ich sehe Yolandas Gesicht noch vor mir. Dieses komische Blitzen in ihren Augen." Paton biss in sein Sandwich. „Und dann sagte meine Schwester Venetia, die damals zwölf war: ‚Wie ich. Und wie Eustacia, die ist Hellseherin. Nur Lucretia und Grizelda sind nicht sonderbegabt, die Armen.' Die beiden Ältesten waren, wie du dir vorstellen kannst, stinksauer, aber dann sagte Grizelda: ‚Wer weiß? Vielleicht erweist sich ja Klein-Lyell eines Tages als sonderbegabt.' Yolanda sah uns alle an. Sie hatte einen Blick wie ein hungriges Raubtier." Paton hielt inne und biss in sein Sandwich. „Schmeckt großartig, Charlie. Was ist da drauf?"

„Hab ich vergessen. Bitte erzähl weiter, Onkel Paton", bettelte Charlie.

Sein Onkel machte jetzt plötzlich ein sehr ernstes Gesicht. „Schloss Darkwood ist ein schrecklicher Ort. Es ist aus Steinen erbaut, die die Nacht anzuziehen scheinen. Das ganze Schloss ist dunkelgrau, außen und innen. Und es gibt dort immer noch keinen Strom. Die Treppen sind eng, steil und dunkel. Am zweiten Tag fiel meine Mutter eine dieser Treppen hinunter und brach sich das Genick." Paton verzog das Gesicht und fasste sich wieder an den Hals. „Wir waren alle im Garten, wenn man es so nennen kann. Es ist eigentlich nur eine verwilderte Wiese, die bis an die Schlossmauern reicht. Ich hörte meine Mutter schreien, aber mein Vater war zuerst bei ihr – ich war zwei Schritte hinter ihm. Sie lag am Fuß einer steilen, tückischen Treppe, die von der Halle abgeht. Ich hörte sie sagen: ‚Lass nicht zu, dass sie ...', dann war sie tot." Paton zog ein Taschentuch unterm Kopfkissen hervor und schnäuzte sich kräftig.

„Yolanda hat sie runtergestoßen, stimmt's?", sagte Charlie grimmig.

Paton seufzte tief. „Ich bin mir sicher, dass sie's getan hat. Aber wer sollte es beweisen? Außerdem waren ihr meine Schwestern bereits hörig. Man durfte kein Wort gegen Yolanda sagen. Ja, meine Schwestern wollten sogar dort im Schloss bleiben, nachdem meine Mutter gestorben war. Yolanda wollte mich auch unbedingt dort behalten. Sie hat gebettelt und geschmeichelt, geschrien und mit Sachen um sich geworfen. Sie hat sich in einen wilden Hund, eine Fledermaus, eine Schlange verwandelt – sie ist nämlich eine Gestaltwandlerin. Sie hat versucht, meinen Vater zu hypnotisieren, aber er ist mit mir geflüchtet und hat mich nicht aus den Augen gelassen, bis er sicher war, dass ich selbst auf mich aufpassen konnte."

„Du warst auf Schloss Darkwood, um zu verhindern, dass Yolanda *hierher* kommt, stimmt's?", fragte Charlie.

Paton nickte. „Ich hatte meine Schwestern nachts ein Komplott schmieden hören. Also beschloss ich, Yolanda einen Besuch abzustatten. Aber ich kam zu spät. Sie war nicht da ..."

„Onkel Paton", unterbrach ihn Charlie, „sie ist leider schon längst hier."

„Was?" Paton sank in die Kissen. „Das hatte ich schon befürchtet. Ist sie ...? Welche Gestalt hat sie angenommen?"

„Sie ist ein Mädchen, ein ziemlich hübsches sogar. Aber ihre Augen verändern sich dauernd, als ob sie sich nicht merken könnten, welche Farbe sie haben sollen. Ich wusste gleich, dass da was nicht stimmt. Sie wohnt bei den Tanten in Darkly Wynd. Aber warum ist sie hierhergekommen, Onkel? Nach so langer Zeit?"

„Ich habe nur Fetzen von der Unterhaltung meiner Schwestern mitgekriegt. Ich saß gerade in der Küche bei einem kleinen Mitternachtsimbiss, als sie kamen. Ich war nicht erpicht auf ihr Geschnatter, also versteckte ich mich in der Speisekammer. Eine äußerst unwürdige Situation, aber zum Glück wollten sie nur eine Tasse Tee trinken. Sie haben über Yolanda geredet und sind dann ins Wohnzimmer gegangen. Soweit ich es mitgekriegt habe, wurde Yolanda gerufen, um dem alten Bloor – Ezekiel – bei irgendeinem nichtswürdigen Plan zu helfen, sich selbst verschwinden zu lassen."

Charlie sah ihn mit weit aufgerissenen Augen an. „Die Boa!", rief er. „Ezekiel hat eine blaue Boa, die Dinge unsichtbar machen kann. Er hat sie auf einen Jungen namens Ollie Sparks losgelassen."

„Oh, tja, bislang ist das offenbar eine Einbahnstraße. Es geht zwar hin, aber nicht wieder zurück, wenn du verstehst, was ich meine. Ezekiel will natürlich hin *und* zurück. Aber weil er ein miserabler Zauberer ist, schafft er's nicht."

„Deshalb übt er an Ollie", murmelte Charlie. „Er hält ihn auf dem Speicher gefangen."

„Um Himmels Willen, was kommt denn noch alles?", seufzte Paton.

Charlie hungerte immer noch danach, Genaueres über Patons Besuch auf Schloss Darkwood zu erfahren. „Onkel, was ist passiert?", fragte er sanft. „Wie hast du deine Kräfte verloren?"

Paton machte die Augen zu. Sein Gesicht war jetzt verschlossen und ausdruckslos. Offenbar konnte er immer noch nicht darüber sprechen, was er durchgemacht hatte. Es war wohl zu schrecklich gewesen.

Es klingelte an der Haustür.

Grandma Bone musste die ganze Zeit im Haus gewesen sein, denn die Tür wurde geöffnet und Charlie hörte ihre Stimme.

„Sie sind hier nicht erwünscht. Bitte gehen Sie."

Charlie machte das Fenster auf und sah auf die Eingangstreppe hinunter. „Es ist Miss Ingledew", erklärte er seinem Onkel aufgeregt. „... und Emma. Hallo, Emma!", rief er.

„*Julia*?" Paton riss die Augen auf. „Sie will sicher zu mir!"

Emma winkte mit einem dicken Rosenstrauß zu Charlie hinauf.

Miss Ingledew sah nun ebenfalls empor. „Hallo, Charlie. Ich wollte ..."

Sie wurde von Grandma Bone unterbrochen, die

183

jetzt vor die Tür trat und knurrte: „Ich sagte, Sie sollen bitte gehen."

„Aber ich möchte zu Mr Darkwood. Ich habe gehört, es geht ihm nicht gut." Miss Ingledew hielt eine gelbe Papiertüte hoch. „Wir bringen ihm Blumen und Bananen. Die sind so gut für …"

„Wir haben selbst Bananen!", blaffte Grandma Bone und rauschte bedrohlich auf die ungebetenen Besucherinnen zu. „Mr Darkwood ist viel zu krank für Besuch."

„Ist er nicht!", rief Charlie.

„Ruhe!" Grandma Bone funkelte grimmig zu Charlie hinauf, während sie Emma und Miss Ingledew auf den Bürgersteig hinunterdrängte.

„Hören Sie, Mrs Bone", sagte Julia. „Es würde Paton sicher nicht schaden, mich zu sehen. Ich mache mir Sorgen um ihn. Verstehen Sie das denn nicht?"

Patons weißes Gesicht wurde rosa und dann wieder weiß, während er sich aus dem Bett mühte. „Julia!", keuchte er atemlos. „Lass sie nicht wieder gehen, Charlie!"

„Hören Sie gefälligst auf, meinem Bruder nachzustellen." Grandma Bone folgte Miss Ingledew die letzten Stufen hinunter. „Sie sind hier nicht erwünscht."

„Ich stelle ihm nicht nach. Ich habe in meinem ganzen Leben noch niemandem nachgestellt." Sichtlich empört über Grandma Bones Unterstellung warf Miss Ingledew den Kopf mit dem prächtigen kastanienroten Haar in den Nacken und marschierte die Straße hinauf. Emma winkte Charlie traurig zu und rannte dann hinterher.

„Ist sie gegangen?", krächzte Paton.

„Ich fürchte, ja, Onkel. Ich glaube, Grandma Bone hat sie beleidigt."

Paton bedeckte das Gesicht mit den Händen. „Ich bin erledigt und verlassen", stöhnte er. „Besser, ich wäre tot."

„Sag so etwas nicht!" Charlie konnte es nicht ertragen, seinen sonst so energiegeladenen Onkel in so erbärmlicher Verfassung zu sehen. „Ich hol sie sofort zurück", erklärte er.

Grandma Bone fing Charlie in der Diele ab. „Wo willst du hin?", herrschte sie ihn an.

„Raus."

„Oh, nein, du bleibst hier. Du hast Hausaufgaben zu machen. Lehrstoffwiederholung, wenn ich mich nicht irre. Für Montag sind Prüfungen angekündigt. Jede Menge. Geh nach oben und nimm dir deine Bücher vor. Sofort!"

Charlie platzte fast vor Empörung. „Wie konntest du das Onkel Paton antun?", stellte er sie zur Rede. „Er wollte Miss Ingledew wirklich gern sehen."

„Diese Frau ist nicht gut für ihn. Und wenn du jetzt nicht sofort an deine Aufgaben gehst, sage ich, dass sie dir für nächsten Samstag Arrest geben sollen. Aber nach deinem unverschämten Benehmen heute

Morgen würde es mich sowieso wundern, wenn du keinen bekommst."

„Ich … du bist …" Charlie rang um Beherrschung und rannte dann auf sein Zimmer, ehe er etwas so Unhöfliches sagte, dass seine Großmutter ihm für die nächsten paar *Jahre* Arrest verschaffen würde.

Mehrere Stunden kämpfte Charlie mit Geschichtsdaten, Landkarten, englischer Grammatik und französischen Verben. Er bekam bereits Kopfschmerzen und merkte, dass sein Gedächtnis inzwischen das reinste Sieb war. Ab und zu guckte er aus dem Fenster und wünschte sich sehnsüchtig, Benjamin und Runnerbean über die Straße stürmen zu sehen. Aber kein vertrautes Gesicht tauchte auf und nichts Interessantes durchbrach die Monotonie dieses schrecklichen Nachmittags – bis sein Blick auf den Zauberstab fiel.

Er lag halb unter Charlies Bett, in einem kleinen Streifen Sonnenlicht, der durchs Fenster hereinfiel. Charlie hob ihn auf. Der Stab fühlte sich warm und seidig an. Es war sehr tröstlich, ihn in der Hand zu halten, fast so wie etwas besonders Köstliches zu schmecken oder in einem weichen, warmen Bett zu liegen.

Charlie hatte eine Idee. Skarpo hatte den Stab doch einem walisischen Zauberer gestohlen. Also griff Charlie nach dem Walisisch-Wörterbuch, das ihm sein Onkel geschenkt hatte, und suchte die Übersetzung von „hilf mir". Er fand „helpu fi" und erinnerte sich, dass das „u" wie „i" ausgesprochen wurde und das „f" wie „w".

Charlie setzte sich an seinen Tisch, hielt den Zauberstab auf den Knien und starrte auf eine lange Spalte französischer Verben und ihrer englischen Entsprechungen. „Helpi wiii", sagte er. „Helpi wiii! Helpi wiii!"

Zuerst geschah gar nichts, doch dann hatte Charlie ein ganz seltsames Gefühl. Es war, als ob ihm die Worte „schau hin" ins Gehirn geflüstert würden. Er fasste den Zauberstab fester und starrte auf die Wörter vor ihm. Nach ein paar Minuten hörte er sich selbst ab. Wie durch ein Wunder konnte er sämtliche Verben und ihre Bedeutung.

Charlie war so aufgeregt, dass er ohne anzuklopfen ins Zimmer seines Onkels platzte.

Patons Augen waren geschlossen, aber sein Gesicht war ein einziges finsteres Stirnrunzeln. Charlie hatte Miss Ingledews missglückten Besuch ganz vergessen.

„Entschuldige, dass ich dich störe, Onkel Paton", sagte Charlie leise aber drängend. „Aber es ist was total Irres passiert."

„Was?", fragte Paton matt.

„Du weißt doch, der Zauberstab? Du hast ihn nach Schloss Darkwood mitgenommen und danach war er ganz verbrannt. Na ja, irgendwie hat er sich erholt. Er ist wieder wie neu und ich hab gerade versucht, ihn zum Französischlernen zu benutzen, und – es ist wirklich irre – es hat funktioniert!"

Patons Augen klappten auf. Er sah Charlie interessiert an, dann wanderte sein Blick zum Zauberstab. „Merkwürdig", murmelte er. „Sehr merkwürdig."

Charlie sagte: „Ich weiß, das klingt komisch, aber meinst du, der Zauberstab könnte in Wirklichkeit mir gehören?"

„Wie sollte das gehen, mein Junge? Du hast ihn doch aus einem alten Bild."

„Ja, aber ..." Charlie zögerte, seinem Onkel zu sagen, dass Skarpo den Zauberstab nicht hatte zurückhaben wollen. Paton hatte ihn mehrfach davor gewarnt, noch einmal in das Bild reinzugehen.

Paton starrte jetzt auf Charlies Füße und Charlie hatte das scheußliche Gefühl zu wissen, was sein Onkel da anstarrte. Er hatte vergessen, die Tür zuzumachen, und etwas war in den Raum gehuscht. Ja, da war es, direkt neben seinem linken Fuß. Es begann zu piepsen.

„Das ist eine höchst ungewöhnliche Maus", bemerkte Paton. „Mir war ja immer schon klar, dass wir Mäuse im Haus haben, aber die da sieht abartig alt aus. Ich kann gar nicht sagen, warum."

„Sie *ist* abartig alt", gestand Charlie.

188 Paton warf seinem Großneffen einen misstrauischen Blick zu. „Klär mich auf!"

Charlie erklärte, so gut er konnte, wie er einen

Schritt, ein ganz winziges Schrittchen nur, in das Skarpo-Bild reingegangen war. „Ich hab's für dich getan, Onkel Paton. Ich dachte, er hätte vielleicht irgendein Heilmittel für dich. Und da hat er gesagt, der Zauberstab wäre meiner. Er wollte dich sehen, aber ich hab ihn nicht gelassen. Wie du siehst, bin ich heil wieder draußen, aber die Maus, die in seiner Tasche war, ist mit mir rausgekommen."

„Was?" Patons Kopf sank in die Kissen. „Dann ist der Hexenmeister auch draußen!"

„Vielleicht ja nicht", entgegnete Charlie optimistisch. „Ich meine, er hätte doch inzwischen sicher irgendwelches Unheil gestiftet, oder?"

„Wenn die Maus draußen ist, ist *er* auch draußen, du dummer Junge", blaffte Paton.

„Aber er ist immer noch auf dem Bild."

„Das ist nur sein Abbild, Charlie. Der eigentliche Skarpo, das lebende, atmende Wesen mit all seiner Bosheit, seinen magischen Kräften und seiner Zerstörungswut, ist DRAUSSEN!"

Nach kurzem, peinlichem Schweigen sagte Charlie: „Und was soll ich jetzt mit der Maus machen?"

Die Maus flitzte unters Bett.

„Das ist ziemlich egal", knurrte Paton. „Was hast du getan, Charlie? Ich dachte, schlimmer könnte es nicht mehr werden, aber jetzt liege ich hier, völlig am Ende, und diese *Person* läuft frei herum." Er schloss die Augen.

Charlie hätte gern noch einmal die Sache mit dem Zauberstab angesprochen, aber ganz offensichtlich wollte sein Onkel, dass er verschwand.

„'tschuldigung", murmelte Charlie. Er schlich auf Zehenspitzen hinaus, schloss die Tür zwischen sich und seinem Onkel und vermutlich auch der Maus.

Amy Bone war gerade von der Arbeit gekommen und Charlie hörte sie den Tisch für den Nachmittagstee decken. Er rannte runter in die Küche.

„Wo ist Billy?", fragte Mrs Bone.

Charlie erzählte ihr von Mr Ezekiels Besuch.

„Der arme Junge", seufzte seine Mutter. „Er muss ja so schrecklich einsam sein. Man müsste da irgendwas unternehmen. Es würden sich doch bestimmt Leute finden, die ihn adoptieren, wo er doch so ein nettes Kerlchen ist."

„Die Bloors werden ihn nie gehen lassen", sagte Charlie. „Die behandeln andere mit Vorliebe wie ihr Eigentum."

„Ja, allerdings", sagte Amy Bone leise. „Bring deinem Onkel eine Tasse Tee, ja?"

„Ähm ... das wäre, glaube ich, nicht so gut", stotterte Charlie.

„Warum nicht?"

„Er und ich ... na ja, er ist ein bisschen sauer auf mich."

190

Eines der vielen Dinge, die Charlie an seiner Mutter richtig gut fand, war, dass sie nie mit ihm

schimpfte, wenn er Streit mit anderen Familienmit-
gliedern hatte.

„Oh, na ja", seufzte sie, „dann tu ich's eben." Sie
belud ein Tablett mit Tee und Gebäck und brachte es
nach oben. Nach ein paar Minuten kam sie wieder,
sichtlich beunruhigt.

„Ich mache mir wirklich Sorgen um deinen Onkel", erklärte sie Charlie. „Er liegt einfach nur da, so
grau und matt und so schwermütig. Was ist bloß mit
ihm los?"

„Er war auf Schloss Darkwood."

Seine Mutter sah ihn erschrocken an. „Wo diese
grässliche Yolanda wohnt? Hat sie Paton in diesen
Zustand versetzt?"

„Nein, Mum. Das war irgendwas anderes. Was,
will er nicht sagen. Yolanda ist *hier*. Sie wohnt bei
den Tanten, aber sie ist nicht alt. Sie sieht aus, als
wäre sie ungefähr so alt wie ich. Sie war mal hier, als
du nicht da warst. Sie nennt sich Belle."

Mrs Bone schlug sich die Hand vor den Mund.
„Geh ihr bloß aus dem Weg, Charlie. Sie hat versucht, deinen Vater dort auf Schloss Darkwood festzuhalten, als er klein war. Zum Glück hat sich dann
rausgestellt, dass Lyell nicht sonderbegabt war, da
hat sie das Interesse an ihm verloren."

„Vielleicht war das gar nicht so ein Glück", sagte
Charlie. „Wenn Dad sonderbegabt gewesen wäre,
hätte er sich vielleicht retten können."

191

„Wer weiß?" Mrs Bone machte ein nachdenkliches Gesicht. „Ich wünschte manchmal, du wärst nicht Teil dieser schrecklichen Familie."

„Ich gehöre aber dazu", sagte Charlie. „Und mir macht das gar nichts aus. Wenn die sich mit mir anlegen wollen, werden sie's bereuen."

Seine Mutter lächelte ihn ermutigend an.

Am Sonntag beschloss Charlie, doch ins Café *Zum glücklichen Haustier* zu gehen. Mithilfe des Zauberstabs hatte er es geschafft, alles zu lernen, was er für die Tests können musste.

„Runnerbean wartet schon auf dich", sagte Norton, der Rausschmeißer, als Charlie das Café betrat. „Jetzt ist wohl erst mal ein ordentlicher Spaziergang fällig, was?"

Charlie bekam ein schlechtes Gewissen. Runnerbean hatte er völlig vergessen. „Zum Park ist es ein bisschen weit", sagte er.

„Dann geh doch mit ihm raus an den Stadtgraben", schlug Norton vor. „Er hat dich wirklich vermisst, der Gute."

Als Charlie gerade um die Theke herumgehen wollte, bemerkte er plötzlich Lysander und Olivia an einem Tisch in der Ecke. Sobald Olivia Charlie sichtete, sprang sie auf und winkte hektisch. Sie sah erstaunlich normal aus. Ihr Haar war mausbraun, ihr Gesicht ganz ohne Schminke oder Flitter.

Charlie arbeitete sich zu ihrem Tisch vor. Es dauerte eine Weile, da ihm eine Horde Schlappohrkaninchen um die Füße hüpften.

„Heute keine Kriegsbemalung?", fragte er, während er über Olivias weißes Kaninchen hinwegstieg und sich einen Stuhl nahm.

„Ich bereite mich auf die Abschlussaufführung vor", sagte Olivia. „Ich dachte, wenn ich eine Weile normal aussehe, wirkt die Verwandlung nachher umso dramatischer."

„Ich kann's wirklich kaum erwarten. Ich dachte, an einem Tag wie heute könnte bestimmt keiner von euch hierher kommen."

„Mir war die Lernerei langweilig", sagte Olivia, „aber bei Lysander war es, glaube ich, ein anderer Grund."

Da bemerkte Charlie, dass der sonst so fröhliche Junge extrem unruhig wirkte. Er sah sich dauernd nervös um und sein Graupapagei, Homer, flatterte jedes Mal vom Kopf des Jungen auf dessen Schulter und wieder zurück.

„Wo ist Tancred?", fragte Charlie Lysander.

„Sein Dad hat gesagt, er muss zu Hause bleiben und lernen. Ich bin mit der Lernerei fertig. Ich *musste* raus."

„Was ist denn los?"

Lysander schüttelte den Kopf. „Meine Ahnen sind zornig", murmelte er. „Ich konnte nicht schlafen. Ich

193

hab sie die ganze Nacht in meinem Kopf gehört, ihre Trommeln, ihre lauten Stimmen, ihr Wutgeheul."

Urplötzlich kreischte Homer: „Katastrophe! Katastrophe!"

„Er weiß, wenn etwas nicht stimmt", sagte Lysander. „Er spürt ihre Wut durch mich hindurch."

„Warum sagen sie dir nicht einfach, was sie ärgert?", fragte Olivia.

Lysander sah sie stirnrunzelnd an. „Ich muss es selbst rausfinden."

Lysanders afrikanische Ahnengeister waren sehr mächtig. Sie waren mehr als einfach nur körperlose Gestalten.

Charlie hatte ihre starken braunen Hände, ihre Speere und Schilde gesehen. Mehr als einmal hatten sie geholfen, ihn zu retten. Wenn sie zornig waren, dann bestimmt aus gutem Grund.

„Kommt, wir gehen ein Stück spazieren", schlug Charlie vor, in der Hoffnung, dass Lysander von der frischen Luft einen klareren Kopf kriegen würde. Außerdem musste er mit Runnerbean raus.

„Gute Idee", sagte Olivia und nahm ihr Kaninchen hoch.

Charlie wollte gerade Runnerbean holen gehen, als Mr Onimous selbst mit dem Hund erschien. Runnerbean stürmte auf Charlie zu und Katzen und Kaninchen stoben wild auseinander.

„Oh, er hat dich ja so sehr vermisst, Charlie",

sagte Mr Onimous, als der große Hund an Charlie hochsprang und ihm Gesicht und Haare leckte.

„Und wie geht's der Ratte?", fragte Charlie.

„Bestens", antwortete der kleine Mann. „Mrs Onimous hat sie richtig ins Herz geschlossen. Und die Flammen lieben sie auch."

„Das ist sehr ungewöhnlich", bemerkte Olivia. „Ich meine, dass Katzen eine Ratte mögen."

„Das sind auch ungewöhnliche Katzen, Miss", erklärte Mr Onimous feierlich. „Dann geht mal los. Charlie, sieh zu, dass der Hund sich richtig austoben kann. Meine Beine kommen nicht mit ihm mit."

Die drei verließen das Café und marschierten in Richtung Stadtgraben. Olivia trug ihr Kaninchen in einem Korb und der Papagei saß auf Lysanders Schulter. Sein Kopf wippte im Takt der Schritte seines Herrchens.

Am Stadtgraben ließ Charlie Runnerbean von der Leine und der Hund raste fröhlich bellend über die Wiese. Homer, der Papagei, schwang sich von Lysanders Schulter, flog direkt über Runnerbeans Kopf dahin und schrie: „Was'n Lärm! Was'n Lärm! Hund ahoi!"

„Schiff ahoi, wenn's recht ist", rief Olivia.

„Er ist durcheinander", erklärte Lysander.

„Ich würde sagen, er hat seinen Text verpatzt", kicherte Olivia.

„Das ist nicht witzig", blaffte Lysander. „Er wird

konfus, wenn er aufgeregt ist. Genau wie ich. Ich bin auch konfus."

„'tschu-huldigung!", flötete Olivia.

Charlie sah sie von der Seite an. Man hätte fast meinen können, sie mache sich über Lysander lustig. Sie hatte gut lachen, dachte Charlie. Olivia konnte eine tolle Freundin sein, wenn sie wollte, aber sie konnte nicht wirklich verstehen, was es hieß, sonderbegabt zu sein, wie schwer und verwirrend das sein konnte.

„Lass gut sein", sagte er.

Olivia zog die Augenbrauen hoch, schien aber Charlies warnenden Blick doch richtig zu deuten.

„Ich glaube nicht, dass ich morgen in die Schule gehe", murmelte Lysander.

„Warum?", fragte Charlie.

„Weiß nicht genau. Ich hab das Gefühl, da droht mir irgendwas."

Lysanders Stimme war jetzt so leise, dass sie ihn kaum noch verstehen konnten.

„Aber du musst kommen", sagte Charlie verzweifelt. „Und die Figur? Und Ollie Sparks?"

„Warum ist dir das so wichtig?", fragte Lysander, sichtlich erstaunt, dass Charlie so heftig reagierte.

„Ist es eben einfach. Ich kann nicht anders. Ich hab ein schlechtes Gewissen wegen Ollie, weil ich nicht noch mal versucht hab ihn zu befreien. Es sind so viele andere Dinge passiert. Aber stell dir doch mal vor, wie schrecklich es sein muss, dort auf dem dunklen Speicher zu sitzen und nicht zu wissen, ob man da je wieder rauskommt. Wir müssen ihn bald befreien, Sander. Wir *müssen*. Bitte sag, dass du morgen in die Schule kommst. *Bitte*!"

„Ich überleg's mir." Lysander pfiff nach seinem Papagei und der graue Vogel schwenkte sofort ab, kam zurückgeflogen und landete auf Lysanders Schulter.

„Bis dann", sagte Lysander. Er drehte sich um und marschierte davon.

Der Papagei drehte sich zu Charlie und Olivia um und schrie: „Passt auf!"

Fauler Zauber

Auf seinem Nachhauseweg, der steil bergauf führte, ging Lysander die Puste aus. Das war ihm noch nie passiert. Er war ein kräftiger Junge, groß für sein Alter, ein hervorragender Langstrecken- und Hürdenläufer.

Es waren die Trommeln, die ihm die Luft nahmen. Das war's. Das zornige Wummern hallte durch seinen Kopf wie ferner Donner, jagte ihm Schauer über den Rücken.

„Was im Busch!", krächzte Homer auf Lysanders Schulter.

„Ja, da ist was im Busch", bestätigte Lysander.

Er hatte gerade den anstrengendsten Teil der Hügelstraße hinter sich gebracht, eine letzte, besonders steile Kurve, die in ein hochwillkommenes ebenes Stück mündete. Hier blieb Lysander stehen und schaute auf die Stadt hinab. Die Kathedrale mit dem mächtigen Kuppeldach überragte alles. Nur ein düsteres Gebäude weiter nördlich konnte an Höhe einigermaßen mithalten.

„Das Bloor", murmelte Lysander.

Hinter dem grauen Dach der Bloor-Akademie, direkt am Rand des Wäldchens, das die Burgruine umgab, stieg ein dünnes Rauchfähnchen auf.

Als Lysander es sah, begannen seine Augen zu schmerzen. Seine Haut brannte und seine Kehle fühlte sich wund an. Er zerrte an seinem Hemdkragen und rannte die letzten Meter bis zu einem hohen schmiedeeisernen Tor. Er öffnete es und stürmte den Fußweg hinauf, zu einem imposanten weißen Haus inmitten einer Rasenfläche, die so grün und so eben war wie ein Billardtisch.

Mrs Jasmin Sage schaute gerade eine Quiz-Sendung im Fernsehen, als ihr Sohn in sein Zimmer hinaufpolter. Mrs Sage wusste sofort, was mit ihm los war. Sie konnte das Trommeln hören, das seine Schritte begleitete. Von ihr hatte Lysander seine Gabe geerbt. Manchmal hörte sie selbst die Trommeln sprechen und die Ahnen lautstark ihre Aufmerksamkeit fordern.

Mrs Sage stemmte sich aus ihrem bequemen Sessel hoch. Sie war eine athletische, kräftige Frau, aber in letzter Zeit fühlte sie sich schwer und schlapp. Sie brauchte keine Trommelbotschaft, um zu wissen, dass sie ein weiteres Kind erwartete. Dafür gab es andere, unübersehbare Zeichen.

Die schöne, stattliche Frau stieg die Treppe hinauf. 199
Hinter den beiden Türen neben Lysanders Zimmer machten ihre beiden Töchter, zehn und vierzehn Jahre

alt, laut und unmelodisch Musik: Gitarre und Gesang. Man hörte nur schrilles Geschrei und ein dumpfes Schrappen, keinen Trommelschlag dazwischen.

„Hortensia! Alexandra! Leiser!", rief Mrs Sage in so gebieterischem Ton, dass beide Mädchen augenblicklich gehorchten.

Als Mrs Sage die Tür zum Zimmer ihres Sohnes öffnete, schlug ihr eine weitere Trommelsalve entgegen, diesmal so heftig, dass sie beinah wieder auf den Flur hinauskatapultiert wurde.

„Lysander! Ruhig!", rief Mrs Sage durchs Zimmer. Sie benutzte nie zwei oder gar fünf Worte, wo eins reichte.

Lysander lag mit fest zugekniffenen Augen auf dem Bett und hielt sich die Ohren zu. Trotzdem hörte er die kraftvolle Stimme seiner Mutter. Er schlug die Augen auf.

„Denk dir einen Baum", sang Mrs Sage.

„Wurzeln, Laubwerk, Äste,

nach oben gereckt um den …

Himmel zu tragen …

Denk an den König."

Lysander nahm die Hände von den Ohren.

„Na, also", sagte seine Mutter und ließ sich auf der Bettkante nieder. „Besser?"

Es funktionierte immer. Sobald Lysander sich einen Baum dachte, sobald er das rätselhafte Bild im Königszimmer vor sich sah, wurde er ruhiger. Er setzte sich auf und rieb sich die Augen. Das Getrommel war immer noch in seinem Kopf, aber so leise, dass er denken konnte.

„Erzähl", forderte ihn seine Mutter auf.

„Was im Busch!", schrie Homer auf seinem Papageienbaum am Fenster.

„Dich hat sie nicht gefragt", sagte Lysander mit einem traurigen Grinsen. „Aber da ist wirklich was im Busch", erklärte er seiner Mutter. „Ich weiß nicht, was. Aber irgendwas im Bloor. Ich hab Rauch gesehen und meine Haut hat gebrannt. Die Ahnen sind erzürnt, Mum."

„Sie haben immer einen Grund erzürnt zu sein", sagte Mrs Sage.

„Ich will am Montag nicht in die Schule. Ich weiß nicht, was es ist, aber ich hab Angst davor. So ein Gefühl hab ich noch nie gehabt."

„Du musst dich dem stellen." Mrs Sage tätschelte ihrem Sohn die Hand. „Du musst auf jeden Fall in die Schule gehen."

„Das hat Charlie Bone auch gesagt."

„Charlie?"

„Ja. Der Junge mit dem Strubbelhaar. Sein Onkel hat im letzten Halbjahr eine Party gemacht, weißt du noch? Charlie ist kleiner als die meisten von uns, aber er stürzt sich immer in irgendwelche riskanten Sachen und irgendwie läuft es immer drauf raus, dass wir ihm folgen, Tancred, Gabriel und ich. Und jetzt tut er's wieder, weil er unbedingt einen Jungen aus der Unsichtbarkeit befreien will."

„Unsichtbarkeit?" Mrs Sage runzelte die Stirn.

„Ich schnitze gerade an einer Figur", fuhr Lysander fort. „Sie ist richtig gut, Mum. Die beste, die ich je gemacht hab. Ich dachte, die Ahnen könnten es vielleicht schaffen, den Jungen zurückzuholen. Aber die Trommeln sagen, nein, ich habe was Unrechtes getan."

Mrs Sage erhob sich. „Nicht du, Lysander. Jemand anders hat etwas Unrechtes getan. Geh in die Schule und bring es wieder in Ordnung." Sie ging zur Tür. Ihr langer, geblümter Rock rauschte um ihre Knöchel wie das Meer.

„So ein Spaß!", kreischte Homer.

„Für dich vielleicht", sagte Mrs Sage und schloss die Tür hinter sich.

Am Montagmorgen wurde bald klar, was hinter Lysanders düsteren Vorahnungen steckte.

Als Charlie und Fidelio nach der Geschichtsprüfung in den Garten hinausgingen, sahen sie alle ihre Freunde um die Überreste eines Feuers herumstehen. Das war nichts Ungewöhnliches, da Weedon dauernd Abfall auf dem Gelände verbrannte – es war die Art, *wie* sie dort standen, die Charlie alarmierte. Lysander wirkte wie versteinert und aus Tancreds starr abstehendem Blondhaar stoben Funken.

Olivia entdeckte Charlie und gestikulierte wild. Charlie und Fidelio rannten hin.

Aus einem glimmenden Haufen verkohlter Zweige und verbrannten Papiers starrten sie zwei blaue Augen an. Die Augen waren alles, was von Lysanders wunderbarer Holzfigur übrig war.

„Wie konnten sie nur?", flüsterte Emma.

Lysander zitterte. Er hielt die Arme steif an den Körper gepresst und die Hände zu Fäusten geballt. Er schien außerstande zu sprechen.

Charlie bemerkte, dass eine Gruppe Abschluss-klässler zu ihnen herübersah. Asa Pike lächelte befriedigt, während Zelda Dobinskis langes Gesicht zu einem höhnischen Grinsen verzogen war. Manfred aber starrte Lysander an, als wäre er empört über dessen cleveren Versuch, Ollie zu retten.

„Sonst wusste doch keiner …", murmelte Lysander. „Wer …?"

„Logischerweise war es jemand vom Kunstzweig", sagte Olivia.

Schweigen senkte sich auf das Grüppchen herab, dann guckten sie alle wie auf Kommando zur Mauer der Ruine hinüber, wo Belle und Dorcas standen und sie beobachteten.

„Aber warum?", sagte Lysander.

„Weil deine Skulptur zu gut war", sagte Olivia grimmig. „Und weil jemand nicht will, dass wir Ollie Sparks befreien."

„Lass dich nicht hängen, Sander", versuchte Charlie ihn aufzumuntern.

„Du weißt nicht, wie das für ihn ist", erklärte Tancred. „Er *fühlt* die Brutalität, stimmt's, Sander? Als ob er ein Stück von seinem Herzen in die Skulptur gelegt hätte. Weißt du, wie das ist, Charlie?"

„Nein, natürlich nicht", sagte Charlie kleinlaut. „Entschuldigung."

„Was ist das?", fragte Fidelio und rieb sich den Kopf. „Ich höre Trommeln."

„Was denn sonst?", sagte Tancred fast schon ärgerlich. „Komm, Sander, wir gehen." Er fasste seinen Freund behutsam am Arm und lotste ihn von dem Aschehaufen weg. Lysander schien seine Umgebung kaum wahrzunehmen. Er ließ sich von Tancred zum Schulgebäude zurückführen, aber inzwischen hörte auch Charlie ein leises Trommeln, fast wie ein Herzschlag, das Lysander über die Rasenfläche folgte.

„Ich hab ihn nicht drum gebeten", murmelte Charlie und starrte in die anklagenden blauen Augen. „Er wollte es machen. Es war seine Idee."

„Ist nicht deine Schuld", sagte Fidelio munter. „Sander kommt schon drüber weg. Wir müssen uns einfach was anderes einfallen lassen."

„Es ist so gruselig", murmelte Emma. „Ich hab das Gefühl, da liegt ein echter Junge oder das, was mal ein echter Junge war."

„Gehen wir", sagte Olivia und sah zu Belle und

Dorcas hinüber. „Die haben nur ihren Spaß daran, uns hier so traurig rumstehen zu sehen."

Als sie sich gerade von dem Aschehaufen abwandten, kam Gabriel angerannt.

„Ich hatte eine total verrückte Klavierstunde", keuchte er. „Sie ging immer weiter und …" Er hielt mitten im Satz inne. „Oh, nein", sagte er und starrte auf die blauen Augen. „Ist das …?"

„Lysanders Skulptur", sagte Charlie. „Und wir können uns ziemlich genau denken, wer es war."

Um sie ein bisschen aufzuheitern, verkündete Olivia, sie habe ein Frisbee dabei.

„Los, wir spielen eine Runde", schlug sie vor.

Während sie das rote Frisbee hin und her warfen, erzählte ihnen Gabriel von seiner verrückten Klavierstunde.

Mr Pilgrim, der Klavierlehrer, war sowieso ein merkwürdiger Typ. Der geistesabwesende Mann ließ sich nur selten außerhalb des Musikturms blicken. Er sprach so gut wie kein Wort und es war so schwer, Ratschläge von ihm zu kriegen, dass er inzwischen kaum noch Schüler hatte. Während Gabriels heutiger Klavierstunde jedoch hatte Mr Pilgrim eine Menge geredet – für seine Verhältnisse.

„Komm schon, erzähl, was er gesagt hat." Olivia sprang nach dem Frisbee und verlor dabei einen gelben Schuh.

„Es war total komisch", sagte Gabriel. „Er hat gesagt: ‚Ich weiß nicht, wie er hier heraufgekommen ist, aber ich konnte ihm nicht helfen.‘ Also hab ich gefragt: ‚Wer, Mr Pilgrim?‘ Und er hat gesagt: ‚Es ist alles zu viel für ihn, er verkraftet es nicht – Lichter, Autos, Plastikzeug. Das mag er nicht, es verwirrt ihn. Er will das alles verschwinden lassen, was man ihm auch nicht verübeln kann …‘ Und dann hat Mr Pilgrim mich ganz fest angesehen und gesagt: ‚Aber *wie* er’s machen will, kann ich mir nicht vorstellen, du?‘ Ich hab gesagt …“ Gabriel fing das Frisbee und jaulte auf. „Autsch! Nicht so fest, Charlie!“

„Hey, komm schon, erzähl weiter“, rief Olivia. „Was hast du gesagt?“

„Ich hab einfach nur gesagt: ‚Nein, Sir.‘ Ich meine, was sollte ich schon sagen?“

„Du hättest fragen können: ‚Wie er *was* machen will?‘“, sagte Fidelio.

Plötzlich kam Charlie ein grässlicher Gedanke. Er stand wie angewurzelt da und hielt das Frisbee mit beiden Händen umklammert.

„Los, mach schon! Wirf, Charlie!“, riefen die anderen.

„Moment mal“, sagte Charlie. „Hat Mr P. diesen geheimnisvollen Besucher beschrieben?“

Gabriel schüttelte den Kopf. „Ich hab auch keinen Namen aus ihm rausgekriegt. Er hat nur gesagt: ‚Er kann’s aber bestimmt. Er kann ziemlich außergewöhnliche Sachen. Guck, was er mit den Noten gemacht hat!' Also hab ich hingeguckt und stellt euch vor, auf einem der Notenblätter waren alle Noten golden. Es war übrigens die Beethovensonate Nummer siebenundzwanzig. Und dann hab ich auf einmal gesehen, dass die Fledermäuse oben in der Zimmerecke – Mr Pilgrim hat immer schon Fledermäuse in seinem Raum, aber das stört ihn nicht und mich auch nicht, die sind ja im Grund nur wie fliegende Springmäuse ... "

„Was war denn nun eigentlich mit den Fledermäusen?", fragte Fidelio ungeduldig.

„Die waren auch golden", sagte Gabriel.

„Oh." Charlie war ganz flau.

Emma sah ihn an. „Was ist, Charlie?"

„Äh, nichts", murmelte Charlie.

„Und auch die Spinnen", fuhr Gabriel munter fort, „und ihre Netze. Das sah alles ganz irre aus, wie Weihnachtsschmuck."

Charlie war froh, als das Jagdhorn ertönte. So langsam fragte er sich, wann ihn wohl die nächste unangenehme Überraschung ereilen würde. Er freute sich ausnahmsweise mal richtig darauf, sich in einen schweren Mathetest zu verbeißen.

„Ich hab das Gefühl, dass du weißt, wer das ist", sagte Fidelio, als er neben Charlie über die Rasenfläche rannte. „Mr P.'s Besuch, meine ich."

„Sch-sch!", zischte Charlie.

„Sag schon, Charlie!", rief Olivia.

Sie drängten sich durch die Tür und Charlie war dankbar für das Sprechverbot in der Halle. Er ging, Fidelio im Schlepptau, in Richtung Mathesaal, während die Mädchen ihre Garderoben ansteuerten und Gabriel sich die Treppe hinaufschleppte, einem gefürchteten Musiktheorietest entgegen.

Charlie hätte sich zu gerne auf seine Bruchrechnungen konzentriert, aber er musste feststellen, dass er es nicht konnte.

Seine Gedanken wanderten immer wieder zu Mr Pilgrims mysteriösem Besucher. Wer sonst sollte Spinnen in Gold verwandeln? Wen sonst sollten Lichter und Autos verwirren? Am Ende des Aufgabenblatts war Charlie klar, dass er den Test verhauen hatte. Er bereute, dass er den Zauberstab nicht auch für Mathe benutzt hatte.

In der Cafeteria erwarteten ihn weitere schlechte Nachrichten. Eine der Küchenfrauen war ganz außer sich, weil sie erst am Morgen mit angesehen hatte, wie ein mächtiger Bulle aus einem Metzgerladen gestürmt war, in dem zuvor nur zwei riesige Rinderhälften gehangen hatten.

„Eben noch Rinderbraten und plötzlich ein lebendiger Bulle", murmelte Mrs Gill immer wieder vor sich hin, während sie Teller mit Hackfleischauflauf ausgab. „Was ist bloß los mit dieser Welt?"

„Ja, was nur, Mrs Gill?", sagte Fidelio mit seinem üblichen charmanten Lächeln.

„Du hast ihr wohl nicht geglaubt, was?", flüsterte Charlie, als sie sich einen Tisch suchten.

„Du vielleicht? Die arme Alte, sie ist doch völlig plemplem!"

„Ehrlich gesagt, ich *hab* ihr wirklich geglaubt", sagte Charlie.

In dem Moment kam Gabriel zu ihnen und sagte: „Habt ihr gehört, was Mrs Gill …?"

„Ja, haben wir gehört", sagte Fidelio. „Und Charlie glaubt ihr, weil er weiß, wer oder was oder warum … also warum, Charlie?"

„Ihr kennt doch dieses Bild?", sagte Charlie. „Das, das ich im letzten Halbjahr mal in die Schule mitgebracht habe?"

Fidelio und Gabriel starrten ihn an, ihre Gabeln auf halbem Weg zum Mund in der Luft festgefroren.

„Du meinst das Bild von dem Hexenmeister?", flüsterte Gabriel heiser.

Charlie sah sich besorgt in der Cafeteria um. Niemand beachtete sie und das Besteckgeklapper und das allgemeine Geschnatter waren so laut, dass keine Menschenseele jenseits ihres Tischs sie hätte verstehen können. Trotzdem senkte Charlie die Stimme, als er den beiden von seinem Besuch bei Skarpo und von der entwischten Maus erzählte.

„Heißt das, du glaubst, er ist auch mit rausgekommen?", fragte Fidelio.

„Muss so sein. Zuerst dachte ich, das wäre un-

209

möglich, weil er ja noch auf dem Bild war. Aber mein Onkel sagt, das sei nur sein Abbild, nicht der eigentliche Skarpo. Ich habe mir eingeredet, Skarpo könne nicht draußen sein, weil ich es einfach nicht glauben *wollte*."

„Du meinst, die goldenen Fledermäuse und der Bulle und alles – das war er?", fragte Fidelio.

„Garantiert", sagte Charlie. „Und ich habe das grässliche Gefühl, das ist erst der Anfang. Es könnte noch schlimmer werden."

Und es wurde noch schlimmer.

Als sie zur Nachmittagspause nach draußen gehen wollten, schob sich plötzlich eine einzelne Wolke vor die Sonne. Dann noch eine und noch eine. Der ganze Himmel war lila. Das Lila wurde zu tiefdunklem Indigoblau und dann allmählich immer dunkler zu Schwarz. Pechschwarz.

Scharen von Kindern drängten sich am Gartenausgang, weil niemand als Erster in das unheimliche Dunkel hinaustreten wollte.

„Herrgott, ihr Angsthasen", höhnte Zelda Dobinsky. „Raus jetzt! Geht schon! Ihr fürchtet euch doch nicht vor ein paar Wolken, oder?"

Um den Jüngeren ihre Verachtung zu demonstrieren, zwängte sie sich durch die Menge und trat ein paar Schritte in den dunklen Garten hinaus.

Da fiel ihr eine Kröte auf den Kopf. Und noch eine. Als ihr die erste Kröte auf den Kopf klatschte, öffnete

Zelda den Mund. Bei der zweiten kreischte sie laut und stürzte wieder in den Schutz der Menge zurück.

Dann begann es Frösche zu regnen.

Ein paar Kinder schrien und zogen sich in die Halle zurück. Andere streckten die Hände aus, um die Frösche zu fangen, aber die glitschigen Geschöpfe pladderten mit solcher Wucht herab, dass überall Aufschreie wie „Autsch!", Hilfe!" und „Aua!" ertönten und Hände blitzartig zurückgezogen wurden.

In der Ferne hörte man jetzt Polizei-, Krankenwagen- und Feuerwehrsirenen durch die Stadt jaulen.

Charlie stand ganz hinten in der Menge. Ihm rutschte das Herz in die Hose. Wo war Skarpo? Wie in aller Welt konnte man ihn einfangen und dahin zurückschaffen, wo er hingehörte?

Die Pause draußen im Dunkeln zuzubringen, war offensichtlich zu gefährlich. Im Gebäude gingen Lichter an und die Kinder wurden wieder in ihre Klassenzimmer geschickt. In Charlies Fall war das Mr Carps Englischraum.

Mr Carp war bullig und rotgesichtig. Er hatte immer einen dünnen, gemein aussehenden Rohrstock an seinem Pult lehnen und neigte dazu, Kindern damit – ganz aus Versehen natürlich – eins auf die Ohren zu geben, wenn er sauer war. Charlie war inzwischen ziemlich gut darin, diesen Attacken auszuweichen, aber an dem boshaften Glitzern in Mr Carps Augen konnte er ablesen, dass der Englischlehrer entschlossen war, ihn eines Tages zu erwischen. Charlie fürchtete, dass dieser Tag heute sein könnte.

Vom Nachbartisch flüsterte Fidelio herüber: „Hast du eine blasse Ahnung, was er als Nächstes tun wird, Charlie?"

Charlie schüttelte den Kopf.

Mr Carp schrie mit schriller Stimme: „Ihr habt eine halbe Stunde, um vor dem Test noch mal euren Wordsworth durchzugehen."

Auf der Hut, was ihre Ohren anging, zogen zwanzig Kinder ihre Worsdworth-Gedichte hervor und beugten sich stumm darüber.

Draußen verzogen sich die dunklen Wolken und die Sonne kam hervor. Bald schon sah man Mr Weedon und mehrere Abschlussklässler mit Keschern, Kartons und Plastiktüten umhergehen und Frösche einsammeln. Charlie fragte sich, ob es wohl in der ganzen Stadt Frösche geregnet hatte oder ob dieses Geschenk nur dem Bloor zuteil geworden war. Durchs Fenster sah er, wie Manfred sich die schleimigen Hände an der Hose abwischte. Charlie grinste in sich hinein. Doch das Grinsen verging ihm rasch.

Niemand fand etwas Ungewöhnliches dabei, als die Glocken der Kathedrale zu läuten begannen. Aber als auch noch die Glocken von fünf kleineren Kirchen einfielen, wurde die Lage doch langsam beunruhigend. Bald hallte die ganze Stadt von Glockengeläut wider. Und es hörte nicht auf. Es läutete und läutete.

Pfarrer, Hilfspfarrer, Kirchendiener und Glöckner eilten in die Kirchen, nur um festzustellen, dass die Glockenseile sich mysteriöserweise ganz von selbst auf und ab bewegten.

Fidelio sah Charlie an. Charlie verdrehte nur die Augen und zuckte die Achseln. Und dann meldete sich ein Mädchen in einer der vordersten Reihen. Als Mr Carp, der sich die Ohren zuhielt, den gestreckten Finger nicht bemerkte, rief das Mädchen, das Rosie Stubbs hieß: „Entschuldigung, Sir, aber da draußen im Garten ist ein Elefant!"

Alle drehten die Köpfe. Da war tatsächlich einer.

Mr Carp lief puterrot an und hob den Rohrstock. Rosie bedeckte ihre Ohren mit den Händen.

Das Glockengeläut wurde noch lauter.

„RUHE! RUHE, ALLE MITEINANDER!", schrie Mr Carp, obwohl die Klasse mucksmäuschenstill war. „Ich halte das nicht aus. Wer ist dafür verantwortlich? Derjenige gehört eingesperrt!"

Alle starrten ihn erschrocken an.

Mr Carp riss sich zusammen und brüllte: „Bücher wegpacken! Nützt nichts! Unterricht kann nicht fortgesetzt werden! Klasse ist entlassen!"

Die Schüler steckten dankbar ihre Bücher weg und marschierten hinaus in die Halle. Auch andere Klassenzimmer leerten sich. Gestresst aussehende Lehrer hasteten mit flatternden Umhängen in Richtung Lehrerzimmer, verloren unterwegs Papiere und Bücher.

Die Schüler, die sich in der Halle versammelt hatten, konnten sich einfach nicht an das Sprechverbot halten. Wispernd und murmelnd gingen sie zu den Cafeterien, in der Hoffnung auf einen außerplanmäßigen Imbiss.

Charlie und Fidelio hatten es gerade geschafft, sich je einen Keks und ein Glas Orangensaft zu schnappen, als plötzlich Billy Raven angerannt kam und zu Charlie sagte: „Du sollst in Dr. Bloors Büro kommen."

„Ich?", sagte Charlie und wurde blass.

„Wir alle. Du auch, Gabriel."

„Wir alle?", wunderte sich Gabriel. „Komisch. Was in aller Welt ist hier los?"

Der Hexenmeister ist los

Charlie war noch nie in Dr. Bloors Büro gewesen. Bei aller Nervosität war er doch auch neugierig.

„Ich war schon dort", erzählte Gabriel, als er und Charlie Billy in die Halle folgten. „Gleich als ich aufs Bloor kam. Ich musste hin, um das mit meinem Kleiderproblem zu erklären. Ich weiß nicht, warum, aber es ist so ein Raum, in dem man sich gleich fühlt, als hätte man was ausgefressen."

In der Halle wurden sie schon von Manfred und Zelda erwartet und nach und nach erschienen auch die übrigen sonderbegabten Kinder: Dorcas und Belle, dicht gefolgt von einem dümmlich grinsenden Asa, Tancred, dessen Haar vor Nervosität elektrisch knisterte, und Emma mit einem Bleistift hinterm Ohr.

„Nimm das Ding weg!", blaffte Zelda. „Und überhaupt, wie siehst du wieder aus, Mädchen!"

Emma guckte verwirrt, bis Charlie auf den Bleistift deutete. Sie nahm ihn weg, steckte ihn in die Tasche und strich sich, so gut es ging, das blonde Haar glatt.

„Ah, da kommt ja der große Bildhauer!", verkündete Manfred, als Lysander mit düsterer Miene in die

Halle geschlichen kam. „Schlechte Laune? Was ist denn passiert?"

„Das weißt du nur zu gut", presste Lysander grimmig hervor.

Dorcas kicherte und Belles grässliche Augen wechselten die Farbe von Blau über Grau zu Helllila. Manfred wirkte einen Moment lang verunsichert, sagte dann aber: „Geh du voran, Billy. Du weißt ja, wo es ist."

„Ja, Manfred." Billy ging quer durch die Halle zu der Tür, die in den Westflügel führte. Die alte Tür öffnete sich knarrend, und Charlie, der dicht hinter Billy herging, fand sich in dem dunklen, modrig riechenden Gang zum Musikturm.

Sie kamen in den Raum ganz unten im Turm und wollten gerade in den ersten Stock hinaufsteigen, als sie völlig unvermutet Mr Pilgrim auf der zweituntersten Stufe sitzen sahen.

„Entschuldigung, Sir", sagte Billy, aber Mr Pilgrim rührte sich nicht. Er schien Billy gar nicht gehört zu haben.

„Wir müssen sofort in Dr. Bloors Büro, Sir", sagte Charlie.

Mr Pilgrim starrte Charlie verwirrt an. „So viele Glocken", sagte er. „Warum so viele? Wer ist gestorben? Ist es wegen – mir?"

216

Als Charlie gerade antworten wollte, zwängte sich Manfred an ihm vorbei, funkelte den Musiklehrer finster an und sagte: „Gehen Sie bitte da weg, Mr Pilgrim. Schnell. Wir haben es eilig!"

Mr Pilgrim strich sich eine dicke dunkle Locke aus den Augen. „Ach, wirklich?", erwiderte er überraschend stur.

„Ja. Weg da!", sagte Manfred grob. „SOFORT!" Seine schmalen Augen bekamen etwas unheimlich Intensives, als er Mr Pilgrim jetzt anstarrte.

Charlie musterte flüchtig Manfreds kohlschwarze Augen und dachte daran, wie es sich anfühlte, hypnotisiert zu werden. Er wollte Mr Pilgrim so gerne warnen, ihn dazu bringen, sich gegen dieses schreckliche, lähmende Starren zu wehren. Man konnte sich Manfreds Kräften widersetzen. Charlie hatte es selbst mal geschafft.

Aber anscheinend hatte Mr Pilgrim weder die Kraft noch den Willen dazu. Mit einem gequälten Stöhnen erhob sich der Musiklehrer und verschwand die schmale Wendeltreppe hinauf. Die Kinder hörten seine Schritte noch über sich, als Manfred sie in den ersten Stock führte.

Sie traten durch eine niedrige Tür in einen mit dickem Teppichboden ausgelegten Flur, wo Manfred vor einer weiteren Tür stehen blieb. Diese hier war mit dunklem Eichenholz getäfelt. Manfred klopfte zweimal und eine tiefe Stimme sagte: „Herein."

Hinter einem mächtigen, auf Hochglanz polierten Schreibtisch saß Dr. Bloor, das gräuliche Gesicht von einer Schreibtischlampe erhellt. Die Vorhänge hinter ihm waren zugezogen und das mit Bücherregalen vollgestellte Zimmer war ziemlich düster. Dr. Bloor winkte und die Kinder schoben sich zaghaft vorwärts, bis sie in einer Reihe vor seinem Schreibtisch standen.

Die stahlgrauen Augen des Direktors überflogen ihre Gesichter, dann blieb sein Blick an Charlie hängen. „Ich will wissen, wer dafür verantwortlich ist", herrschte er sie mit eisiger Stimme an.

Charlies Beine fühlten sich wacklig an. Es ärgerte ihn schrecklich, dass Dr. Bloor so mit ihm umspringen konnte. Er wusste, der Schulleiter war kein bisschen sonderbegabt, tat aber so, als ob er ungeheure Macht hätte, als ob er tun könnte, was er wollte, und sein Wille so stark wäre, dass er alles und jeden bezwingen konnte.

„Kinder des Roten Königs!", höhnte Dr. Bloor. „Schaut euch doch an! Abnormitäten! Das seid ihr."

Manfred trat unbehaglich von einem Fuß auf den anderen, und Charlie fragte sich, wie es wohl war, von seinem eigenen Vater als Abnormität bezeichnet zu werden.

„Ihr alle!", brüllte Dr. Bloor und murmelte dann, mit einem Blick auf Belle: „Fast alle."

218 „Entschuldigung, Sir", sagte Zelda kühn. „Aber meinen Sie, dass *wir* für die Glocken und die Frösche verantwortlich sind? Ich war's nämlich garantiert

nicht. Ich habe einen Frosch auf den Kopf gekriegt. Das heißt, eigentlich war es eine Kröte oder vielmehr waren es zwei."

Charlie wusste, dass er ernstlich in Schwierigkeiten steckte, aber dennoch überkam ihn ein gefährlicher Drang zu kichern.

„Ich habe nicht angenommen, dass du es warst, Zelda", sagte der Direktor kalt. „Mir ist wohl bewusst, dass solche Dinge deine Fähigkeiten bei Weitem übersteigen."

Zelda wurde rot. Sie guckte finster die Reihe der Jüngeren entlang und sagte: „Ich glaube, es war Tancred, Sir."

„Mein Ding ist Sturm", schnappte Tancred wütend zurück. „Wetter."

„Wind kann Glocken zum Läuten bringen, dunkle Wolken zusammentreiben und Frösche vom Himmel fallen lassen", sagte Manfred.

„Aber keine Elefanten!", schrie Tancred, dessen Haar jetzt wie wild knisterte. Sein grüner Umhang hob sich, und ein Schwall eiskalter Luft blies einen Stapel Papiere von Dr. Bloors Schreibtisch.

„BEHERRSCH DICH GEFÄLLIGST!", brüllte Dr. Bloor.

Tancred biss die Zähne zusammen und Dorcas Loom begann, die Papiere aufzusammeln und Stück für Stück auf den Schreibtisch zurückzulegen.

„Ich weiß genau, wer etwas kann und wer nicht",

sagte Dr. Bloor. „Aber ich will, dass derjenige selbst gesteht. Könnt ihr euch in meine Lage versetzen?" Er stand auf und begann hinter seinem Schreibtisch auf und ab zu marschieren. „Die Leute in dieser Stadt wissen, dass ich Kinder mit ungewöhnlichen und manchmal auch", er sah Asa Pike an, „wenig wünschenswerten Talenten unter meinem Dach beherberge. Sie tolerieren *euch*, weil sie *mich* respektieren. Wir sind die älteste Familie in dieser Stadt. Wir können unseren Stammbaum fast tausend Jahre zurückverfolgen." Er deutete mit einer ausholenden Armbewegung auf die Bücherregale. „Diese Wände haben alles mit angesehen, Alchemie, Hypnose, Wahrsagerei, Metamorphosen, Zauberwerk von unvorstellbarer Pracht, Verwandlungen, ja", er hüstelte und senkte die Stimme, „sogar Erscheinungen."

Plötzlich blieb Dr. Bloor stehen, wandte sich seinen Opfern zu und sah ihnen ins Gesicht. „Aber nie, nie, nie", er hob die Stimme, „NIEMALS haben die Geschehnisse innerhalb dieses Gebäudes die Stadt in Mitleidenschaft gezogen. Noch nie hatten Bürger unter unseren … Besonderheiten zu leiden. Jetzt aber", er hieb mit der Faust auf die Schreibtischplatte und brüllte, „ist urplötzlich Tag zu Nacht geworden, sind Bullen durch die Straßen gestürmt und Glocken wild geworden. Könnt ihr euch vorstellen, was da draußen in der Stadt los ist?" Er streckte eine Hand in Richtung Fenster. „Gefahr. Chaos. Es gab binnen zehn

Minuten mehr Autounfälle als sonst im ganzen Jahr. Der Bürgermeister hat unverzüglich hier bei mir angerufen. Oh ja, er weiß sehr wohl, wo das alles herkommt."

„Ich glaube, das wissen wir auch, Sir", sagte eine Stimme.

Alle wandten sich Belle zu. Sie lächelte breit und ihre Augen nahmen jetzt ein leuchtendes Smaragdgrün an: „Dahinter steckt Charlie Bone. Stimmt's, Charlie?"

Charlies Mund wurde ganz trocken. Ihm war ein bisschen übel. „Ich weiß nicht", murmelte er.

„Lügner", sagte Manfred.

„Feigling", fauchte Zelda.

Asa schnaubte verächtlich.

„Ihr könnt gehen", sagte Dr. Bloor und entließ sie alle mit einer wedelnden Handbewegung.

Von dieser jähen Wende des Geschehens überrascht, wandten sich die elf Kinder zum Gehen, doch ehe Charlie die Tür erreicht hatte, setzte der Direktor hinzu: „Du nicht, Charlie Bone."

Gabriel warf Charlie noch einen kurzen mitfühlenden Blick zu, bevor ihn Manfred als Letzten zur Tür hinausschob. Dann war Charlie mit Dr. Bloor allein. Der Direktor marschierte wieder auf und ab, ließ sich schließlich in seinen mächtigen Ledersessel sinken und faltete die Hände auf einem Papierstapel. Er seufzte gequält und erklärte: „Du bist sehr dumm,

Charlie Bone. Ich hatte durchaus meine Zweifel, aber als ich euch alle da stehen sah, war mir schnell klar, wer der Schuldige ist. Ich habe dir die Chance gegeben, ein Geständnis abzulegen. Du hättest sie nutzen sollen."

„Ja, aber ... ich war nicht ...", setzte Charlie an.

„Du Dummkopf!", donnerte Dr. Bloor. „Meinst du, ich weiß nicht, was du kannst? Ich weiß sehr wohl von dem Bild, das du ... zu betreten vermagst. Ich weiß von der ‚Person', die du so leichtfertig herausgelassen hast. Wer sonst außer ihm könnte dieses ganze Unheil stiften? Hier läuft ganz offensichtlich ein wild gewordener Hexenmeister frei herum und ich will wissen, was du, Charlie Bone, dagegen zu tun gedenkst!"

„Äh ... ihn finden?", schlug Charlie vor.

„Und wie willst du das machen?"

„Äh ... indem ich ihn suche?"

„Oh, brillant!", sagte Dr. Bloor sarkastisch. „Ganz ausgezeichnet!" Er hob die Stimme. „Wenn dieser Unsinn nicht bis morgen Früh, neun Uhr, abgestellt ist, kannst du dich auf das Schlimmste gefasst machen."

„Inwiefern, Sir?", fragte Charlie, nachdem er sich geräuspert hatte.

„Das werde ich dich wissen lassen", sagte der Direktor. „Deine überaus geschätzten Verwandten haben mir versichert, du würdest ein Gewinn für diese

Schule sein, aber bisher bist du nur eine Last. Sie sind sehr enttäuscht und werden sicherlich jede Strafe, für die ich mich entscheide, billigen – auch wenn sie dich dadurch für immer verlieren."

Charlie schauderte. Er dachte an seinen Vater, der verschwunden war, unerreichbar, dem eigenen Sohn unbekannt.

„Ja, Sir. Kann ich jetzt gehen und mit der Suche anfangen?"

„Das würde ich dir dringend raten. Du hast nicht viel Zeit", lautete die grimmige Antwort.

Charlie witschte schleunigst hinaus. Draußen auf dem Flur beschloss er jedoch, nicht in die Richtung zu gehen, aus der er gekommen war, sondern weiter in den geheimnisvollen Wohnbereich der Bloors vorzudringen. Irgendwann, so hoffte er, würde er auf eine Treppe zum Speicher stoßen. Denn dort musste sich Skarpo ja wohl verstecken, inmitten der Spinnweben und gespenstisch leeren Räume.

Charlie schlich leise über den dicken Teppichboden des Flurs. Da waren dunkle, eichengetäfelte Türen, Gemälde in Goldrahmen (er vermied es, die darauf abgebildeten Personen anzusehen), Regale voller staubiger Bücher, eine Sammlung kleiner Skelette in einem Glasschränkchen, ein Bärenkopf, auf eine wappenförmige Holzplatte montiert. Von der Decke hingen ausgestopfte Vögel und getrocknete Kräuterbüschel.

„Gruselig", murmelte Charlie und schlich rasch weiter.

Er gelangte ans Ende des Flurs und erklomm eine schmale Treppe zum zweiten Stock. Hier blickte er kurz in einen schummrigen Gang, an dessen Ende etwas an der Wand lehnte, was schrecklich nach einem Sarg aussah.

Charlie eilte die nächste Treppe hinauf. Die hier bestand aus nacktem, knarrendem Holz. Am oberen Ende fand er sich in dem stickigen, von Gaslichtern erhellten Gang wieder, durch den er und Emma gegangen waren, als sie Ollie entdeckt hatten. Die Stiege zum Speicher ging etwa in der Mitte ab, erinnerte er sich.

Klänge drangen an sein Ohr: Musik. Nicht Mr Pilgrims perlendes Klavierspiel, sondern Blasmusik und dazu eine raue, zittrige Stimme. Charlie blieb stehen und horchte. Die Stimme war unverkennbar. Ganz offenkundig wohnte der alte Ezekiel in diesem düsteren Teil des Hauses.

Charlie schlich vorsichtig weiter, bis er an die Speichertreppe kam. Als er ein paar Stufen erklommen hatte, zog plötzlich etwas seinen Blick aufwärts. Dort, am oberen Ende der Treppe, schimmerte etwas: ein aufgerolltes Seil, dick und silbrig blau. Aber es war kein Seil. Charlie erkannte jetzt ein schwaches Schuppenmuster.

Als das Wesen Charlies Anwesenheit spürte, erhob

sich aus der Spirale ein Kopf, platt und dreieckig, mit schwarzen Augen und einer bizarren Zeichnung auf der Oberseite. Aber das Allerseltsamste waren die feinen blauen Federn am Hals. Urplötzlich drang ein Zischen wie von entweichendem Gas aus dem breiten Maul der Kreatur.

Charlie wich erschrocken zurück, verlor den Halt, taumelte rückwärts und landete auf allen vieren unten im Gang. Als die zischende Schlange die Stufen hinabzugleiten begann, rappelte Charlie sich auf und rannte ans Ende des Gangs. Er war gerade auf der Treppe, die hinunter in den zweiten Stock führte, als Ezekiels schrille Stimme ertönte: „Wer ist da? Wer hat meinen Schatz in Unruhe versetzt? Pass auf, wer immer du bist, sonst bist du gleich nur noch STAUB!"

„Staub?", murmelte Charlie tonlos, während er Wendeltreppen und knarrende Holzstufen hinunterhetzte. „Wohl eher nichts. Verschwindibus. Futsch. Kein Charlie Bone mehr."

Er hatte gerade den Treppenabsatz über der Eingangshalle erreicht, als er Mr Weedon direkt vor die Füße lief.

„Was machst du hier im Westflügel?", knurrte der Hausmeister. „Das ist verboten."

„Ich habe die Erlaubnis."

Mr Weedon zog fragend eine Augenbraue hoch. „Ach, ja?"

„Ja, von Dr. Bloor persönlich", sagte Charlie bestimmt. Schließlich hatte Dr. Bloor ihm befohlen Skarpo zu suchen. „Ich suche jemanden. Sie haben ihn nicht zufällig gesehen? Er hat silbriges Haar und einen silbrigen Bart und hat ein dunkles Gewand an und ein kleines Käppchen auf ...“

„*Du* schon wieder. Natürlich. Du kleiner Mistkerl. Du bist schuld an dem ganzen Chaos da draußen, das *ich* wegräumen darf. Von dem Elefanten mal ganz zu schweigen. Der hätte mich um ein Haar totgetrampelt, als ich versucht habe, ihn von der Stelle zu bewegen.“

„Was ist aus ihm geworden?“, fragte Charlie, der seine Neugier einfach nicht zügeln konnte.

„Spurlos verschwunden ist er. Aber sein Dung nicht – und auch nicht die verflixten Fußabdrücke in meinem guten Rasen. Wenn ich diesen gottverdammten Hexenmeister zu fassen kriege, drehe ich ihm den Hals um.“

„Also, ich würde nicht ...“, hob Charlie an.

„Mach, dass du wegkommst“, knurrte Mr Weedon. „Ich habe euch satt, alle miteinander. Sonderbegabt, pah!“ Er marschierte in Richtung Westflügel und ließ einen ängstlichen, aber irgendwie auch erleichterten Charlie zurück.

Drunten füllte sich die Halle jetzt mit Kindern, die zum Gartenausgang strebten. Die Nachmittagspause hatte begonnen, und Charlie beschloss, die Suche draußen fortzusetzen.

„Was war denn?", fragte Fidelio, als Charlie bei seinen Freunden ankam.

Charlie berichtete: „Ich muss den Hexenmeister bis morgen Früh, neun Uhr, finden, oder ich bin geliefert. Mehr als geliefert – ich bin ..." Er fuhr sich mit der Handkante über die Kehle.

Fidelio und Gabriel erboten sich bei der Suche zu helfen.

„Im Wald", schlug Gabriel vor.

Sie wateten durchs dichte Unterholz zwischen den Bäumen, die das Schulgelände umgaben. Aber je tiefer sie in den Wald vordrangen, desto schwerer ließ sich sagen, ob die dunklen Gestalten, die um die Baumstämme huschten, richtige Personen waren oder nur Schatten wackelnder Äste. So viele von ihnen ähnelten einem hoch gewachsenen Mann in einem langen Gewand.

Als das Jagdhorn zur letzten Unterrichtsstunde rief, war sich Charlie nicht sicher, was er tun sollte. Dr. Bloor hatte ihm einen Auftrag erteilt. Aber er riskierte, von den anderen Lehrern Arrest zu kriegen, wenn er die Suche nach Skarpo fortsetzte.

Er beschloss, die Schlafsäle zu inspizieren. Es gab insgesamt fünfundzwanzig, verteilt über drei Stockwerke, und Charlie hatte erst zehn durchsucht, als es zum Abendessen läutete. Was sollte er jetzt machen? Es erwartete doch wohl niemand, dass er das Abendessen ausfallen ließ? Er machte sich auf den langen

Weg hinunter in den Speisesaal. Als er sich der Halle näherte, hörte er laute Stimmen. Er war sehr spät dran und hoffte, dass er nicht den ersten Gang verpasst hatte. Als er die Tür öffnete und den Saal betrat, schlug ihm ohrenbetäubender Lärm, entgegen. Und dann rief jemand: „Da ist er! Er ist an allem schuld."

Charlie zog den Kopf ein und versuchte, sich klein und unauffällig zu machen. Aber jetzt sahen ihn alle an. Jemand hatte die Nachricht verbreitet: Charlie Bone war an allem schuld, am Froschregen, an der Dunkelheit, an wild gewordenen Bullen, goldenen Fledermäusen und Elefanten, die sich in Luft auflösten. Und was das Schlimmste war, er war schuld an diesem Abendessen. Als Charlie neben Fidelio auf die Bank schlüpfte, sah er auf seinem Teller einen Haufen Kohl und eine Scheibe altbacken aussehendes Brot. Alle anderen hatten das Gleiche vor sich.

„Was ist das?", flüsterte Charlie Fidelio zu.

„Probleme in der Küche", erklärte Fidelio leise. „Eigentlich sollte es Rührei geben, aber als eine der Küchenhilfen in die Vorratskammer ging, waren da statt Dutzenden Eiern lauter Hühner. Horch, man kann sie hören."

Und tatsächlich hörte Charlie hinter der Tür zur Küche munteres Gegacker. Ihm rutschte das Herz in die Hose.

Nachdem die übrigen Kinder am Tisch zugesehen hatten, wie Charlie seinen Platz einnahm, begannen sie ihr Brot und ihren Kohl zu mümmeln. Von allen Seiten kamen angewidertes Gemurmel und Äußerungen wie „Iiii!", „Würg!", „Bäh!", nur Billy Raven, der Charlie gegenübersaß, flüsterte: „Also, ich hab nichts gegen Kohl."

Und dann krähte Damian Smerk am Schauspieltisch: „Das Zeug ist total eklig. Ich würde Charlie Bone am liebsten meinen Schuh zu essen geben."

„Halt die Klappe, du Dickwanst", sagte Olivias Stimme. „Es ist nicht seine Schuld."

„Ist es wohl, du blöde ..."

Der Rest dieser wenig charmanten Bemerkung wurde von Dorcas Loom übertönt, die rief: „Man müsste Charlie Bone zwingen, für den Rest seines Lebens Nacktschnecken zu essen." Sie ließ ihren Worten ein lautes Kichern folgen und etliche ihrer Busenfreundinnen am Kunsttisch giggelten mit.

Tancred sprang Charlie bei, indem er etwas sagte, was Charlie nicht richtig verstehen konnte, was aber offenbar so grob war, dass es verblüffte und schockierte Ausrufe provozierte.

Dr. Bloor stand auf und blickte grimmig in den Saal. Er wollte gerade etwas sagen, als Tancreds Temperament endgültig mit ihm durchging. Geschirr und Besteck flitschten über die Tische, da jetzt ein heftiger Wind durch den Speisesaal fegte.

Essensportionen krachten zu Boden und Mitglieder des Lehrkörpers sprangen empört auf.

„Schluss jetzt!", donnerte Dr. Bloor. „Tancred Torsson, BEHERRSCH dich!"

Der Schulleiter stand am Rand des Podests, die Hände hinterm Rücken, und funkelte Tancred finster an, während der stürmische Junge sich langsam beruhigte und an den Tischen nach und nach wieder Normalität einkehrte.

„Und jetzt geh und hole Kehrschaufel und Besen und

einen Putzlappen", herrschte Dr. Bloor Tancred an. „Mach gefälligst den Dreck weg, den du verursacht hast."

„Ja, Sir." Tancred schlich hinaus und schaffte es mit Mühe, seinen wild flatternden grünen Umhang unter Kontrolle zu halten.

Charlie hatte ein schlechtes Gewissen. Es war alles seine Schuld. Tancred musste dafür bezahlen, dass er so leichtsinnig gewesen war, den Hexenmeister herauszulassen. Er war beinahe erleichtert, als ihm Dr. Bloor befahl: „Charlie Bone, aufstehen."

Charlie erhob sich mit zittrigen Knien, die Hände um die Tischkante gekrallt.

„Dir ist klar, wo du jetzt sein solltest?", sagte der Direktor mit stählerner Stimme.

„Äh … nicht so genau, Sir."

„Auf der Suche, Junge. Auf der Suche!"

„Das war ich ja, Sir. Aber da ist einfach kein – äh – niemand."

„Ich bin sicher, es gibt einen Ort, wo du noch nicht gesucht hast, hab ich Recht?" Er wartete auf eine Antwort, aber als Charlie ihm keine gab, wiederholte er: „HAB ICH RECHT?"

Mit kaum hörbarer Stimme krächzte Charlie: „Ja, Sir."

„Und welcher Ort ist das?"

„Die Ruine, Sir."

Sämtliche Messer und Gabeln verharrten reglos. Kein Mund bewegte sich mehr. Alle Augen waren auf Charlie gerichtet und jeder im Raum war froh, er selbst zu sein und nicht Charlie Bone.

„Dann wird es höchste Zeit, dass du hingehst, nicht wahr?" Dr. Bloors Stimme war jetzt ein bedrohliches Zischen.

„Ja, Sir." Charlie warf noch einen Blick auf sein Häufchen Kohl und verließ den Speisesaal.

Der strahlende Sonnenschein war jetzt feuchtkaltem Grau gewichen und Charlie fröstelte, als er auf die Burgruine zulief. Am helllichten Tag mit einem Freund in die Ruine zu gehen, war eine Sache. Allein hinzugehen, wenn die Dämmerung nahte, eine ganz andere.

Die hohen, roten Mauern waren halb vom Wald überwuchert und als Charlie den mächtigen Torbogen passiert hatte, blieb er erst einmal stehen, um zu verschnaufen und nachzudenken. Er stand in einem gepflasterten Hof mit fünf bogenförmigen Durchgängen – lauter verschiedene Eingänge in die Burgruine. Welchen sollte er nehmen? Charlie entschied sich schließlich für den mittleren, weil er wusste, wo der hinführte.

Er gelangte in einen dunklen Gang, wo kleine Tierchen um seine Füße huschten und feuchte, schleimige Kreaturen sich unter seinen Fingern bewegten, als er sich abstützen wollte. Endlich kam er wieder ins Freie, und nachdem er einen weiteren Hof durchquert hatte, stieg er eine Reihe von Steinstufen hinab und gelangte zu einem runden Platz, der von kaputten Statuen umsäumt war. In der Mitte stand ein mächtiger Steinsarkophag. Charlie kletterte auf den bemoosten Deckel, richtete sich auf und horchte.

Er hatte gehofft, von diesem Punkt aus jedes noch so ungewöhnliche Knistern oder Rascheln, das Skarpos Position verraten mochte, hören zu können. Aber es war aussichtslos. Von allen Seiten kamen Geräusche: Geraschel von Blättern, Geriesel von altem Mauerwerk, das Seufzen des Winds und das unaufhörliche Trippeln und Trappeln winziger Pfoten.

Charlie sprang von dem Steinsarg, überquerte den Platz mit den Statuen und schlüpfte durch eine Lücke in der Mauer dahinter. Er watete durch Brombeerranken und Brennnesseln, stolperte über Mauerreste, taumelte überwucherte Stufen hinab und rief: „Skarpo! Skarpo! Sind Sie da? Bitte, bitte, sagen Sie's mir. Ich tue alles für Sie, wenn Sie mir jetzt helfen."

232

Charlie merkte selbst, dass das ein bisschen voreilig war, aber schließlich war er verzweifelt.

Schatten glitten über die Mauern, Bäume wisperten, Vögel flogen auf und schrien in den Wind.

Charlie sah auf die Uhr. Schon neun. Die Hausaufgabenzeit war vorbei. Seine Freunde lagen bestimmt schon alle im Bett. Dr. Bloor hatte ihm nicht gesagt, wann er zurückkommen durfte. Sollte er etwa die ganze Nacht in der Ruine bleiben?

„Ohne mich", murmelte Charlie. Er wusste, was manchmal nach Einbruch der Dunkelheit hier in der Ruine umherstreifte: ein Junge, der keiner war, Asa Pike auf vier Pfoten, mit Fell und Fangzähnen, die Augen gelb glühend, das verächtliche Lachen jetzt ein grimmiges Knurren. Eine lautlos umherpirschende, mörderische Bestie.

Charlie machte kehrt, zwängte sich durchs Gestrüpp wieder zurück und erreichte schneller als erwartet den Platz mit den Statuen. Er wollte ihn gerade überqueren, als er plötzlich oben im Innenhof eine Bewegung wahrnahm. Er duckte sich rasch hinter einer Statue ins Gebüsch. Im verblassenden Tageslicht sah er etwas, was ihm eine Gänsehaut machte. Am oberen Ende der Steintreppe stand jemand, eine uralte Frau in einem langen weißen Kleid, graugesichtig, das Fleisch von spinnwebartigen Runzeln durchzogen. Das dünne weiße Haar hing ihr über die knochigen Schultern.

„Yolanda", stieß Charlie hervor. „Belle."

Er wünschte, er hätte sie nicht gesehen. Und er wünschte vor allem, er hätte das graue Untier nicht gesehen, das in ihrem Schatten kauerte.

Die Augen der Frau verengten sich. Sie schien Charlie direkt anzusehen. Dann ging sie weg. Das Untier folgte ihr bei Fuß wie ein Hund. Nur war es kein Hund und auch kein Wolf und keine Hyäne. Es war ein graues Biest mit krummem Rücken, langem Schwanz, gelben Augen und einer Eberschnauze.

Charlie schloss die Augen und hielt den Atem an. Sie sind von derselben Art, dachte er. Asa und Belle. Beide Gestaltwandler. Kein Wunder, dass Asa dauernd hinter ihr herschleicht.

Es war schon dunkel, als er sich endlich traute, aus seinem Versteck herauszukommen. Er schlich sich zentimeterweise voran. Doch sobald er außerhalb der alten Burgmauer war, rannte er wie der Teufel über die Rasenfläche, stürzte durch den Garteneingang und taumelte keuchend in die steingeflieste Halle, als hätte er einen Marathonlauf hinter sich.

Im Gebäude war alles still. Charlie schleppte sich in seinen Schlafsaal hinauf und fiel auf sein Bett.

„Was entdeckt?", flüsterte Fidelio schläfrig.

„Nein", murmelte Charlie. Er dachte voller Angst an die Strafe, die ihn erwartete. Jetzt gab es kein Entrinnen mehr. Wie sollte er Skarpo bloß vor neun Uhr finden?

Er glaubte zuerst, bestimmt nicht schlafen zu können, aber dann übermannte ihn die Erschöpfung, kaum dass er die Augen zugemacht hatte.

Als er aufwachte, dachte er, dass alles nur ein Albtraum gewesen sei. Es war noch dunkel und am anderen Ende des Schlafsaals schien Billy Raven leise vor sich hin zu murmeln. Im Raum hing ein widerlicher Geruch.

Damian Smerk stöhnte: „Billy Raven, schaff diesen räudigen Köter raus. Er stinkt wie die Pest."

Erneutes Gemurmel. Das Klicken von Krallen auf dem Fußboden. Dann fiel die Tür zu.

Charlie machte die Augen wieder zu, aber plötzlich flüsterte eine Stimme an seinem Ohr: „Charlie? Charlie, bist du wach?"

„Hmm?", grunzte Charlie.

„Ich bin's, Billy. Benedikt war hier. Er sagt, die Köchin will dich sprechen. Jetzt sofort. Es ist sehr dringend."

Die Feuerkatzen und eine Reise

Ganz hinten in der blauen Küche stand ein Besenschrank. Der Inhalt dieses Schranks – Wischmopps,
Kehrschaufeln, Schrubber und Staubwedel – verbarg
eine niedrige Tür mit einem Griff, der wie ein hölzer-
ner Aufhängeknauf aussah. Zur Tarnung hing daran
immer ein Staubwedel. Aber wenn man den Knauf
drehte, öffnete sich die Tür zu einem sanft beleuchteten Gang.

Als die Köchin ans Bloor gekommen war, hatte
man ihr ein kaltes Zimmer im Ostflügel gegeben, aber
sie hatte nie vorgehabt, dort zu wohnen. Die Bloors
ahnten nicht, wer sie in Wirklichkeit war. Sie kamen
gar nicht auf die Idee, dass die Köchin das alte Gebäude besser kennen könnte als sie selbst. Sehr bald
schon war sie in eine geheime unterirdische Wohnung
gezogen, von der die Bloors nichts wussten.

Wie hätten die Bloors auch ahnen sollen, dass die
Köchin nur in der einen Absicht gekommen war, den
Kindern des Roten Königs zu helfen? Da sie selbst
sonderbegabt war (wovon die Bloors ebenfalls keine
Ahnung hatten), hatte die Köchin immer schon ge-

236

fühlt, dass es ihre Aufgabe war, Kinder zu beschützen, die womöglich wegen ihrer Gaben leiden mussten. Und sie hatte seit längerem den starken Verdacht, dass von all den sonderbegabten Kindern am Bloor Charlie Bone – mit seinen eifrigen, aber oft ungeschickten Versuchen, anderen zu helfen – ihr wachsames Auge am nötigsten hatte.

Charlie neigte dazu, sich Hals über Kopf in Abenteuer zu stürzen, ohne sie vorher richtig zu durchdenken, und jetzt hatte er seine bislang größte Dummheit gemacht. Mithilfe der Köchin würde er das wieder in Ordnung bringen müssen.

Benedikt führte Charlie bis in die Küche, wollte dann aber nicht weitergehen. Er legte sich vor die Tür, den Kopf auf den Pfoten. Offensichtlich war er es gewohnt, nachts den Bereich der Köchin zu bewachen.

Charlie tastete sich vorsichtig zum Besenschrank hinüber. Er war schon zweimal im unterirdischen Reich der Köchin gewesen, aber außer ihm und Billy wusste, soweit ihm bekannt war, an der ganzen Schule nur noch Gabriel davon, und der hatte hoch und heilig schwören müssen, niemandem ein Sterbenswörtchen zu sagen.

Charlie kletterte über Putzmittelflaschen und -dosen, Besen und Stapel von Lappen. Er drehte den Holzknauf und die kleine Tür öffnete sich quietschend. Charlie betrat den dahinterliegenden Gang und rannte zu einer Treppe. Er stieg in einen weiteren Besenschrank und klopfte an die Rückwand.

„Bist du's, Charlie Bone?", hörte er die Stimme der Köchin.

„Ja", sagte Charlie leise.

„Dann komm rein."

Charlie betrat einen niedrigen Raum mit abgewetzten, gemütlichen Sesseln und dunkel glänzenden Holzmöbeln. Im Winter bullerte im Ofen der Köchin ein Kohlenfeuer. Jetzt war nicht geheizt, aber im Zimmer war es sommerlich stickig.

Ein Sessel war zum kalten Ofen gedreht und im Lampenschein erkannte Charlie einen spitz zulaufenden schwarzen Schuh und den Saum eines dunklen Gewandes. Da war noch jemand im Zimmer.

Die Köchin legte den Zeigefinger an die Lippen. „Psst!"

Charlie schlich auf Zehenspitzen um den Sessel herum und erstarrte vor Schreck. Dort saß, fest schlafend, Skarpo, der Hexenmeister.

„Wie ist der denn hierhergekommen?", flüsterte Charlie.

„Dasselbe könnte ich dich fragen. Was hast du getan, Charlie Bone?"

„Es war nicht meine Schuld, ehrlich nicht. Ich wusste nicht, dass es möglich ist, verstehen Sie ..." Charlie war etwas verlegen. „Ich bin in dieses Bild reingegangen, wo er drauf war. Und da muss er mit

238

mir rausgekommen sein. Aber ich habe es nicht gemerkt."

„Tss! Tss!" Die Köchin schüttelte den Kopf. „Der arme Mann war in einer schrecklichen Verfassung, als ich ihn gefunden habe. Er kauerte in meinem Besenschrank, weinte und flehte mich an, ihn nach Hause gehen zu lassen. Er hält es hier nicht aus – der Lärm, die Lichter, die vielen Leute. Er ist völlig verschreckt."

„Er hat selbst ein paar ganz schön schreckliche Sachen gemacht", entgegnete Charlie, wobei er zu flüstern vergaß.

Skarpos Augen öffneten sich jäh. „Du!", rief er und funkelte Charlie böse an.

„Ja, ich", sagte Charlie.

Der Zauberer stieß eine Aneinanderreihung von Wörtern aus, mit denen Charlie gar nichts anfangen konnte. „Wovon redet der Hexenmeister?", fragte Charlie die Köchin.

Die Köchin lächelte grimmig. „Er spricht eine veraltete Sprache, aber zum Glück kommen wir beide aus derselben Ecke der Welt, also kann ich ihn einigermaßen verstehen. Der arme Mann bittet dich darum, ihn wieder nach Hause zu bringen."

„Wie soll ich das machen?", fragte Charlie. „Das Bild ist bei mir in der Filbot Street und ich komme nicht vor Freitag hier raus."

Skarpo, der wie gebannt auf Charlies Lippen gestarrt hatte, wandte sich mit fragender Miene der Köchin zu. In einem seltsamen Singsang erklärte sie ihm Charlies Problem.

Skarpo stöhnte.

„Ich sitze deswegen schon genug in der Tinte", sagte Charlie. „Dr. Bloor ist draufgekommen, dass das alles meine Schuld ist – die ganzen Glocken und Frösche und Hühner und alles. Ich bin dran, wenn es nicht aufhört. Also hören Sie lieber auf, irgendwelche Sachen zu verhexen, sonst bin ich nicht mehr da, um Ihnen zu helfen."

Skarpo runzelte die Stirn und murmelte etwas.

„Ich glaube, er hat's verstanden", sagte die Köchin. Sie seufzte tief. „Dann behalte ich ihn besser bis Freitag hier, obwohl ich weiß Gott nicht darauf erpicht bin, meine Wohnung mit einem Hexenmeister zu teilen. Stell dir vor! Sein Vater ist per Schiff aus Italien gekommen, mit Rizzio, dem Busenfreund der Schottenkönigin Maria Stuart."

„Wurde der nicht ermordet?", fragte Charlie.

„Auf grässliche Art, ja", sagte die Köchin schaudernd. „Und jetzt schnell wieder ins Bett, Charlie, sonst kommst du morgen Früh nie raus."

Als Charlie gerade gehen wollte, fiel ihm auf, dass es da ein Problem gab. „Wie soll *er* hier rauskommen, ohne dass ihn jemand sieht?"

„So wie er reingekommen ist", antwortete die Köchin geheimnisvoll. „Gute Nacht, Charlie."

Charlie traute Skarpo nicht. Am nächsten Morgen wartete er darauf, dass wieder irgendetwas Schreckliches geschehen würde. Aber es tauchten keine Frösche oder Elefanten mehr auf. Der Himmel war klar und blau, die Bratwürste blieben Bratwürste und auch mit dem Hackfleischauflauf, den es zum Abendessen gab, passierte nichts.

„Schade", murmelte Fidelio, der Vegetarier war.

Während des gesamten Abendessens fühlte Charlie Dr. Bloors Blick auf sich ruhen und er hatte das Gefühl, dass der Direktor richtiggehend enttäuscht war. Wahrscheinlich hätte es ihm Spaß gemacht, sich eine schreckliche Strafe für Charlie auszudenken.

Nach dem Essen konnte man die Atmosphäre im Königszimmer mit dem Messer schneiden, wie Grandma Bone es ausgedrückt hätte. Charlie hörte Zelda wispern: „Bones Monstrositäten-Montag", und Asa schnaubte auf seine gehässige Art.

Es war eine sehr unbehagliche Stunde, mit Lysanders Trommeln, die noch immer im Hintergrund dröhnten, und Tancreds wütenden Windstößen, die dauernd Papier vom Tisch fegten. Um Tancred noch zu übertrumpfen, begann Zelda, Bücher und Stifte außer Reichweite ihrer Besitzer wandern zu lassen. Aber das Schlimmste war Manfreds starrer, hypnotischer Blick, der ständig auf Charlie gerichtet schien.

Auch Belle beobachtete Charlie. Auf ihrem Gesicht lag etwas Verbittertes und Boshaftes.

Er erzählte niemandem von seinem nächtlichen Besuch bei der Köchin, aber als er mit Gabriel und Fidelio auf dem Weg zum Schlafsaal war, sagte Fidelio: „Erzähl schon, Charlie, was ist passiert? Hast du den alten Knaben gefunden?"

„Ja", flüsterte Charlie. Er sah sich um. Niemand in Hörweite. Also schilderte er seine Begegnung mit dem Hexenmeister.

Seine beiden Freunde blieben mitten im Gang stehen und hörten gebannt zu.

„Deswegen also sind die Fledermäuse nicht mehr golden", murmelte Gabriel.

Die Hausmutter kam auf sie zumarschiert und schrie: „Was lungert ihr drei noch da herum? Ins Bett, aber schnell, marsch, marsch!" Sie klatschte energisch in die Hände.

Zu Charlies Erleichterung verlief der Rest der Woche ohne irgendwelche unangenehmen Zwischenfälle. Die anderen hörten auf ihn komisch anzuschauen und hinter seinem Rücken zu tuscheln, und bis zum Freitagnachmittag waren alle so mit der Abschlussaufführung beschäftigt, dass sie Charlie Bones Monstrositäten-Montag ganz vergessen hatten.

Charlie hatte sich oft gewünscht, er könnte auch bei dem Stück mitmachen. Seine Freunde waren alle daran beteiligt. Diejenigen, die nicht mitspielten, malten Kulissen, nähten Kostüme oder machten Musik.

Selbst Billy Raven war als trommelnder Elf in das Stück eingebaut worden. Nur Charlie galt als unbrauchbar, wenn es um Darbietungen und sonstige künstlerische Tätigkeiten ging.

Heute jedoch war Charlie froh, die Schule verlassen zu können, während so viele andere noch dableiben mussten, um zu proben. Doch als sich der Schulbus der Filbert Street näherte, verspürte er einen unangenehmen Druck in der Magengegend. Wenn es Skarpo gelungen war, irgendwie ins Haus zu kommen, ohne dass Grandma Bone etwas gemerkt hatte, wo mochte er dann stecken? Und was würde er machen?

Charlie stieg aus und ging ganz langsam die Filbert Street hinunter. Er dachte darüber nach, welchen Handel er Skarpo vorschlagen würde. Er würde sich bereit erklären Skarpo in das Bild zurückzubringen, wenn Skarpo ihm einen Rat gab, wie er Ollie Sparks wieder sichtbar machen konnte. Ein Hexenmeister musste das doch wohl wissen!

Charlie stieg die Treppe zu Nummer neun hinauf und wollte gerade aufschließen, als die Tür plötzlich aufging und Skarpo vor ihm stand.

„AAAH!", schrie Charlie.

Der Hexenmeister lächelte, wobei er eine Reihe schwarzer Zähne entblößte, und Charlie sah sich rasch um, ob jemand etwas mitbekommen hatte. Aber niemand in der Straße sah her. Die Leute waren es gewohnt, dass in Nummer neun seltsame Dinge vor sich gingen.

Der Hexenmeister sagte etwas, was wie „Wuischt!" klang und zog Charlie über die Schwelle.

„Hat Sie irgendjemand gesehen?", flüsterte Charlie. „Eine Frau? Eine alte Frau?"

„Nix Alte", sagte Skarpo. Er packte Charlie am Arm und zerrte ihn in die Küche, wo das Bild an eine Obstschale gelehnt auf dem Tisch stand. Skarpo deutete mit dem Kinn auf das Bild und sagte: „Wohlan."

„Nicht hier", entgegnete Charlie. „Hier könnte jemand reinkommen. Oben." Er deutete an die Decke.

Skarpo schnappte sich das Bild und schob Charlie zur Tür hinaus. Er brabbelte die ganze Zeit, aber Charlie konnte kaum ein Wort verstehen.

Noch immer völlig wirr vor sich hin murmelnd, bugsierte ihn der Hexenmeister die Treppe hinauf und durch den Flur zu seinem Zimmer. Drinnen setzte sich Skarpo aufs Bett, das Bild auf den Knien, und sah Charlie an.

Es war ziemlich verrückt, dass er da saß und sein Silberbart beim Reden auf und abwippte, während der gemalte Skarpo völlig reglos in einem von Kerzen erhellten Raum stand.

„Auf, auf!", donnerte Skarpo. „Eil dich!"

244 „Also, so läuft das nicht", sagte Charlie. „Zuerst müssen Sie etwas für mich tun."

„Sapperment!" Skarpo warf das Bild zu Boden.

„Und das da sollten Sie lieber nicht kaputt machen, sonst kommen Sie *nie* zurück."

Der Hexenmeister funkelte Charlie wütend an.

Mit sorgsam gewählten Worten erläuterte Charlie dem Hexenmeister Ollies Problem.

Skarpo runzelte die Stirn. „Was die Schlang hat getan, die Schlang muss lösen."

Diesmal waren seine Worte unmissverständlich, aber sicherheitshalber fragte Charlie nach: „Die Schlang? Die *Schlange* muss es machen?"

„Ja. Die Schlangä", sagte Skarpo. Er winkte Charlie heran. „Nun bring mich von hinnen."

„Moment", sagte Charlie. „Da ist noch was …"

„Kein Weiteres!", brüllte Skarpo.

Charlie hielt tapfer stand. „Doch, noch ein Weiteres. Sie haben gesagt, Sie könnten meinem Onkel helfen, wenn Sie ihn sehen könnten. Na ja, er ist nebenan."

„Sapperment", brummte Skarpo, sprang dann aber doch ohne weiteres Sträuben auf und stapfte aus dem Zimmer.

„Warten Sie!", rief Charlie, der Angst hatte, Skarpo könnte auf Grandma Bone treffen.

Aber der Hexenmeister war bereits geradewegs in Patons Zimmer marschiert. Charlie fand ihn dabei, wie er neugierig die Gegenstände auf Patons Nachttisch inspizierte, während sein Onkel ihn vom Bett aus anstarrte.

Ohne die Lippen zu bewegen murmelte Paton: „Charlie, ist das der, für den ich ihn halte?"

„Äh – ja", sagte Charlie. „Er kann dir vielleicht helfen."

„Und *wie* um alles in der Welt will er das machen?", fragte Paton nervös.

Plötzlich stürzte Skarpo zur Tür und verriegelte sie. Dann griff er in sein voluminöses Gewand und zog eine Kette hervor. Er lächelte Paton an und ließ die Kette durch die Luft schwirren.

„Großer Gott! Du willst mich doch nicht ans Bett ketten!", schrie Paton.

Skarpos Lächeln wurde noch breiter. Er steckte die Kette wieder weg und zog jetzt ein kleines silbernes Glöckchen hervor, das er direkt über Patons Füßen schwingen ließ. Es klingelte wohltönend, während der Hexenmeister einen Singsang anstimmte.

„Was ist das denn nun? Mein Totenglöckchen?", stöhnte Paton.

„Glaub ich nicht, Onkel", beruhigte ihn Charlie. „Weißt du, es ist komisch, als ich in dem Bild drin war, habe ich verstanden, was er sagte, aber jetzt kapiere ich so gut wie nichts."

„Ich auch nicht. Ich nehme an, wenn du ‚reingehst', wie du es nennst, akklimatisierst du dich gewissermaßen – stellst dich auf den jeweiligen Ort ein. Ja, wenn man's recht bedenkt, muss es so sein."

246

„Verstehe", sagte Charlie nachdenklich.

Skarpo ging jetzt mit großen Schritten im Zimmer umher, läutete sein Glöckchen und setzte seinen tiefen Singsang fort.

Plötzlich blieb er neben Paton stehen und befahl: „Die Zung hervor!"

Paton sah ihn zutiefst misstrauisch an, gehorchte dann aber.

Der Hexenmeister wich zurück und sagte: „Wo habt Ihr geweilt?"

„Wenn du *das* meinst, was ich glaube, das du meinst – ich war auf Schloss Darkwood."

„Beim Blute des Herrn!", rief der Hexenmeister. „Eine recht schaurige Sippschaft – Schurken, Lumpen, Meuchler. Weh Euch!"

„Weh – ja, das kann mal wohl sagen", murmelte Paton.

„Eisenkraut!", sagte der Hexenmeister. „Das heilig Kräutlein. Badet Euch, wascht Euer Haupt, nehmt den Duft zu Euch."

In diesem Moment bewegte sich die Türklinke und ehe Charlie ihn daran hindern konnte, war Skarpo hingeeilt und hatte aufgeschlossen.

Im gleichen Augenblick schwang die Tür auf und draußen stand Grandma Bone. Eine Sekunde starrte sie Skarpo wortlos an, dann schloss sie die Augen und sank langsam zu Boden.

„Ach! Die Sinne sind ihr geschwunden!", erklärte Skarpo.

„Was ist passiert?", fragte Paton, der nicht durch die Türöffnung gucken konnte.

„Grandma Bone", berichtete Charlie. „Sie ist in Ohnmacht gefallen. Es war wohl ein Schock, Skarpo leibhaftig vor sich zu sehen!"

„Legt sie auf ihr Bett", sagte Paton. „Dann glaubt sie vielleicht, es war nur ein Albtraum."

Skarpo war schneller. Er hatte sich Grandma Bone bereits über die Schulter gewuchtet und trug die Bewusstlose jetzt unter Charlies Führung in ihr Zimmer und warf sie aufs Bett.

„Vorsicht!", warnte Charlie. „Ihre Knochen sind nicht mehr die jüngsten."

Skarpo gab ein meckerndes Lachen von sich und verlangte dann: „Nun bring mich von hinnen!"

„Okay", sagte Charlie.

Aber als sie wieder in seinem Zimmer waren, kamen ihm Bedenken. „Sie lassen mich doch wieder raus?", fragte er den Hexenmeister. „Ich will nicht für immer bei Ihnen festsitzen."

„Das ist auch nicht mein Begehr", antwortete der Hexenmeister. „Ich werde dir einen kräftigen Stoß zuteil werden lassen."

„Okay", sagte Charlie skeptisch.

Er lehnte das Bild an die Nachttischlampe und starrte in die gemalten Augen des Hexenmeisters. Nichts passierte. Aber wie hätte auch etwas passieren sollen? Charlie ging auf, dass der eigentliche Skarpo ja hier neben ihm stand und sich an seinen Arm klammerte. Hinter diesen gemalten Augen war keine Seele, kein Wille, der ihn in das Bild hineinziehen konnte.

„Ich glaube, Sie müssen *wollen*, dass ich ins Bild gehe", erklärte Charlie.

„So sei es." Zwei knochige Hänge gruben sich in Charlies Schulterblätter. Er trat einen Schritt auf das Bild zu, noch einen.

„Vorwärts, elender Wicht", raunzte eine Stimme direkt hinter Charlies Ohr.

„He, ich versuche Ihnen zu hel…"

Plötzlich flog Charlie vorwärts. Es war ein verrücktes Gefühl, als ob die Hände in seinem Rücken geradewegs durch seinen Körper hindurchfassten und gleichzeitig schoben und zogen. Charlie sauste so schnell vorwärts, dass er keine Luft mehr bekam. Staubwolken schlugen ihm ins Gesicht. Er schloss die Augen und nieste heftig.

Die vertraute Mischung aus Kerzentalg und Moder drang in Charlies Nase. Er wischte sich die Augen und sah, ganz weit vorn, flackernden Kerzenschein. Näher jetzt. Und dann war da der Raum des Hexenmeisters: der lange Tisch, die Zeichen an der Wand, der Totenkopf am Boden. Und in der Mitte Skarpo selbst, die dunkelgelben Augen leer und leblos.

Als Charlie schon darauf gefasst war, gleich im Zimmer des Hexenmeisters zu landen, wich der Raum plötzlich wieder zurück. Charlie streckte die Hände aus, um nach dem Mann auf dem Bild zu greifen, erwischte aber nur Luft. Er warf die Füße nach vorn, um auf dem Fußboden aufzukommen, aber mit einem fürchterlichen Ruck wurde er in der Luft herumgewirbelt und wieder zurückkatapultiert.

Mit einem schmerzhaften Rumms landete er auf seinem eigenen Zimmerfußboden. Neben ihm kauerte der Hexenmeister auf allen vieren, das schwarze Übergewand über den Kopf gestülpt. Unter dem Stoff kam ein ersticktes Stöhnen hervor.

„Was ist passiert?", fragte Charlie.

Der Hexenmeister befreite sein Gesicht und setzte sich auf. Er schüttelte ausgiebig den Kopf und sagte dann etwas, was wie „Haselmus!" klang.

„Was?" Charlie erhob sich ziemlich wackelig. „Was meinen Sie? Wir waren doch schon fast da. Was ist passiert?"

„Haselmus", sagte Skarpo und zeigte wütend auf Charlie. „Du hast die Haselmus gestohlen."

„Haselmus?" Charlie starrte den Zauberer blöde an, versuchte, seinen Worten irgendeinen Sinn abzugewinnen. Dann endlich dämmerte es ihm.

„Oh, die Hasel*maus*. Natürlich. Ohne Ihre Maus können Sie nicht zurück. Ich schätze, alles muss genau so sein, wie es war, als Sie rausgegangen sind."

„So ist's", knurrte Skarpo.

„Zuletzt hab ich sie im Zimmer meines Onkels gesehen. Das haben wir gleich."

Skarpo sprang auf, um Charlie auf keinen Fall aus den Augen zu lassen. Sie platzten in Patons Zimmer und brabbelten beide gleichzeitig los, von der verschwundenen Maus und der missglückten Reise.

„Ruhe, bitte", stöhnte Paton entnervt. „Mir zerspringt gleich der Schädel. Warum ist dieser Mensch immer noch hier?"

Charlie erklärte es. „Wir müssen die Maus finden oder er kann nie mehr zurück."

„Lächerlich", sagte Paton. „Diese Maus ist längst weg. Hier werdet ihr sie nicht finden. Sie ist irgendwo unter den Dielen. Dort dürften genügend Krümel liegen, um sie monatelang zu ernähren."

Skarpo ließ sich in einen Sessel fallen, legte den Kopf in die Hände, schaukelte mit dem Oberkörper hin und her und heulte los wie eine Sirene.

„Erbarmen!" Paton hielt sich krampfhaft die Ohren zu. „Charlie, such mein Handy."

Paton hatte sich bei einem Versandhaus ein Handy gekauft, das er hauptsächlich zum Bestellen von Büchern benutzte, aber ab und zu trafen auch schlecht sitzende Kleidungsstücke ein, die er dann postwendend wieder zurückschickte.

Charlie fand das Handy seines Onkels schließlich unter einem Papierstapel auf dem Schreibtisch.

„Was hast du vor?", fragte er, als er Onkel Paton das Handy reichte.

„Ich rufe Mr Onimous an", antwortete Paton und

wählte eine Nummer. „Die Katzen werden das Problem lösen."

„Die Katzen? Aber die töten die Maus doch."

Sein Onkel beachtete ihn gar nicht.

„Ah, Mr Onimous", sagte er. „Hier ist Paton Darkwood. Wir haben ein Problem, Charlie und ich und – äh – noch jemand. Ich wäre Ihnen wirklich sehr dankbar, wenn Sie die famosen Flammen hierherbringen könnten. Sofern sie verfügbar sind natürlich." Er hielt inne und aus dem Handy drang eine leichte, melodische Stimme. „Ach, ja? Ausgezeichnet." Paton warf einen Blick auf den Hexenmeister. „Ich wäre dankbar, wenn Sie es beschleunigen könnten. Vielen Dank!"

Skarpo hatte mit dem Geheule aufgehört und musterte jetzt Paton interessiert. „Euren Fingern wohnen magische Kräfte inne", sagte er und deutete mit seinem eigenen Zeigefinger auf das Handy.

„Ja, so könnte man sagen", stimmte ihm Paton zu und wich dabei Charlies Blick aus. „Nun denn, Mr … Skarpo? Jetzt gilt es, Geduld zu haben. Sehr bald schon wird ein guter Freund von uns hier eintreffen – und Hilfe bringen. Ich wäre Ihnen sehr verbunden, wenn Sie solange still sein könnten. Wie Sie ja wissen, geht es mir nicht so gut, und noch mehr Lärm wäre mein Ende. Besten Dank!"

Der Hexenmeister hatte Paton aufmerksam zugehört. Er war offensichtlich schwer beeindruckt. Ab und zu brummte er leise vor sich hin, aber ansonsten war es im Zimmer so still, dass man eine Uhr, die Paton verlegt hatte, im Schrank ticken hörte.

Im ganzen Haus herrschte Stille, bis Amy Bone von der Arbeit kam.

Charlie ging hinunter in die Küche, um seiner Mutter zu erklären, was los war. Er sprudelte so hastig los, dass nur ein ziemlicher Wirrwarr herauskam, aber Mrs Bone erriet trotzdem sehr rasch, was Charlie ihr mitzuteilen versuchte. Sie ließ die Einkaufstasche fallen, setzte sich hin und sagte: „Das ist ja unglaublich, Charlie. Willst du wirklich sagen, in Patons Zimmer sitzt ein leibhaftiger mittelalterlicher Hexenmeister?"

„Bisschen später als Mittelalter, würde ich sagen", erklärte Charlie. „Sein Vater hatte irgendwas mit Maria Stuart zu tun."

„Ich fass es nicht. Ich meine, ich hätte nie gedacht, dass deine Gabe eines Tages zu so was führen würde. Weiß es deine Großmutter?"

„Ja. Aber sie ist in Ohnmacht gefallen, als sie ihn gesehen hat."

„Das wundert mich nicht."

Es klingelte und Charlie rannte an die Haustür.

„Da sind wir, Charlie. Zu euren Diensten." Mr Onimous hüpfte in die Diele, gefolgt von den drei Katzen. „Guten Tag, gnädige Frau", sagte er, als Amy Bone den Kopf aus der Küchentür steckte.

„Das überlasse ich euch", erklärte sie und zog sich wieder in die Küche zurück.

In Gegenwart der Katzen überkam Charlie immer ein unerklärliches Glücksgefühl. Es war, wie wenn nach einem grauen, regnerischen Tag die Sonne hervorkam. Die Flammen strichen ihm um die Beine, rieben die Köpfe an seinen Knien und erfüllten die Diele mit ihrem lauten warmen Schnurren, während Charlie Mr Onimous die Situation erläuterte. „Onkel Paton dachte, die Flammen könnten die Maus vielleicht finden", sagte er. „Aber sie würden sie doch sicher töten, oder?"

„Natürlich nicht. Nicht, wenn sie wissen, was sie tun sollen", beruhigte ihn Mr Onimous. „Rauf mit euch, ihr Schönen!"

Die Katzen rannten die Treppe hinauf, Aries voraus, dann der orangefarbene Leo und als Letzter der gelbe Sagittarius wie ein greller Blitz.

Unglücklicherweise wählte Grandma Bone gerade diesen Moment, um ihre Zimmertür zu öffnen. „Katzen!", kreischte sie.

Aries spuckte sie an, Leo fauchte und Sagittarius grollte.

Grandma Bone wich in ihr Zimmer zurück und knallte die Tür zu. „Ich komme nicht heraus, ehe diese Viecher nicht aus dem Haus sind!", schrie sie.

254

„Soll mir recht sein", murmelte Charlie.

Er führte Mr Onimous und die Katzen in Patons

Zimmer. Mr Onimous beugte sich über Patons Kran-kenlager: „Ich habe von Ihrer Erkrankung gehört, Mr Darkwood. Seien Sie versichert, dass wir für Sie tun werden, was wir können."

„Danke, Orvil", sagte Paton, „aber im Moment ist das Problem dieses Mannes hier dringlicher." Er zeigte auf Skarpo.

Mr Onimous zuckte erschrocken zusammen. Er hatte den Hexenmeister, der zusammengesunken in einem Sessel hinter Patons Schreibtisch saß, gar nicht bemerkt.

„Oh! Verzeihung, Sir. Es ist mir eine Ehre. Orvil Onimous." Er streckte eine pfotenähnliche Hand aus.

Der Hexenmeister ließ sich die Hand schütteln, schien Mr Onimous aber kaum wahrzunehmen. Sein Blick war auf die drei leuchtenden Katzen geheftet.

„Welch wunderbare Geschöpfe", sagte er. „Gar alte Kreaturen. Leoparden zweifelsohne. Euer, Sir?"

„Sie gehören niemandem", sagte Mr Onimous. „Aber einst haben sie dem König gehört. Dem Roten König, meine ich natürlich."

„Dem Roten König, hmm." Skarpo nickte und musterte noch immer begierig die Katzen.

„Sie können sie nicht mitnehmen", sagte Charlie streng.

Skarpos Bart zitterte vor lauter Empörung. „Ich bin kein Dieb, du Wicht."

„Na ja ..." Charlie verkniff es sich gerade noch,

255

den gestohlenen Zauberstab zu erwähnen. Die Situation war so schon heikel genug.

„Also, wo ist das Bild, Charlie?", fragte Mr Onimous.

Charlie holte das Bild aus seinem Zimmer und Mr Onimous tippte mit dem Zeigefinger auf die gemalte Maus und sagte: „Seht ihr, ihr Flammen? Die Maus, die hier aus der Tasche lugt?"

Die Katzen folgten Mr Onimous' Finger und richteten dann ihren ernsten Blick auf Skarpo. Ihre leuchtenden Augen wanderten von seinem Gesicht zu einer dunklen Falte seitlich an seinem Gewand, wo jetzt keine Maus mehr war.

Es war wirklich verblüffend, wie schnell sie kapierten. Binnen einer Sekunde waren sie durchs Zimmer geflitzt, unters Bett geschossen und zur Tür hinausgesaust.

Charlie trat auf den Gang, um zu gucken, was die Katzen jetzt vorhatten. Das Haus war von goldenem Licht erfüllt und man hörte leises Trappeln, sachtes Kratzen, Miauen und Schnurren. Geschickte Pfoten bedienten Türklinken, öffneten Schränke, lüpften Teppiche, Vorhänge und Bettüberwürfe, zogen Schubladen auf, durchsuchten Kartons, Schuhe, Kleider. Und dann verharrten plötzlich alle drei Katzen reglos und schnupperten und lauschten.

256

Charlie hielt den Atem an und lauschte ebenfalls. Nach kurzer Zeit erklang plötzlich ein dumpfes Geräusch, ein Quieken und ein lang gezogenes, schrilles Fiepen. Und dann kamen sie die Treppe herauf, Sagittarius vorneweg, eine Maus zwischen den Zähnen.

Die Flammen rannten in Patons Zimmer und Sagittarius legte unter lautem Miauen die vor Schreck gelähmte, aber ansonsten unbeschadete Maus dem Hexenmeister auf den Schoß.

„Haselmus!", rief Skarpo und ergriff die Maus. „Brav gemacht, wertes Geschöpf." Er streichelte der gelben Katze den Kopf. „Hab Dank." Er beförderte die Maus in seine Tasche, stand auf und verbeugte sich leicht vor Paton und Mr Onimous. „Edle Herren, gehabt Euch wohl!" Dann lehnte er das Bild an einen hohen Bücherstapel auf Patons Schreibtisch und drehte Charlie so, dass er es genau vor sich hatte. „Wohlan!", befahl er.

„Okay." Charlie sah seinen Onkel und Mr Onimous bittend an. „Könnt ihr mir helfen, wieder rauszukommen – falls ich festsitze?"

„Die Flammen werden gut auf dich aufpassen", beruhigte ihn Mr Onimous. Und die Katzen drängten sich enger an Charlie, während die ungemütliche Aktion des Geschoben- und Gezogenwerdens von Neuem begann.

Doch diesmal fühlte sich Charlie unterwegs von einer tröstlichen Wärme eingehüllt und während er in die leblosen Augen des Hexenmeisters blickte, sah er aus dem Augenwinkel immer wieder ein rotgoldenes

Leuchten neben sich. Als sich die Augen des Hexenmeisters mit Leben füllten, wusste Charlie, dass es ihm gelungen war, Skarpo wieder nach Hause zu bringen. Jetzt musste er schnell den Rückzug antreten, ehe Skarpo sich irgendwelche Tricks einfallen ließ.

Aber Skarpo schien nicht die Absicht zu haben, Charlie hereinzulegen.

„Nun geh, Charlie Bone", sagte der Hexenmeister mit einem Winken. „Und gedenke des Krauts gegen deines Onkels Leiden."

Was dann geschah, war gewiss nicht Skarpos Schuld.

Hinter dem Tisch des Hexenmeisters war ein Fenster, durch das man das Meer glitzern sah. Charlies Blick wurde magisch davon angezogen und ehe er sich versah, flog er schon durch das Fenster.

Als er über dem stillen mondbeschienenen Wasser schwebte, spürte er wieder die wärmende Gegenwart leuchtender Geschöpfe und er hatte keine Angst. In der Ferne zeichnete sich die dunkle Silhouette eines Waldes ab und Charlies Herz schlug schneller vor Vorfreude, als er darauf zuflog. Jetzt schwebte er über den Bäumen auf eine Stelle zu, wo Feuerschein die Baumkronen orange färbte.

258   Er sah auf eine Lichtung hinab, wo eine Gestalt an einem Feuer stand. Der Mann trug einen roten Umhang und seine Haut hatte die Farbe warmer, brauner

Erde. Charlie spürte, dass dieser Mann der einsamste Mensch auf der ganzen Welt war.

Aus dem Feuer stoben Funken in den Himmel und als der Mann ihnen nachblickte, sah er Charlie. Die Traurigkeit wich aus seinen Zügen und er lächelte freudig. Mit tiefer, melodischer Stimme rief er drei Namen und drei Geschöpfe traten aus dem Schatten-dunkel. Der Feuerschein tanzte auf ihrem hellen, ge-tüpfelten Fell und sie blickten aus goldenen Augen zu Charlie empor.

Tante Eustacias Garten

„Flammen", murmelte Charlie.

„Bist du wieder da?", fragte eine Stimme.

Silbriger Nebel umgab Charlie und als er blinzelte, fand er sich von drei goldenen Augenpaaren beobachtet.

„Oh", sagte er.

Das laute Schnurren, das in seinen Ohren vibriert hatte, wurde leiser und er bückte sich, um die drei leuchtenden Köpfe zu streicheln.

„Na, das war ja ein Ding, Charlie. Das werde ich mein Lebtag nicht vergessen."

Der Nebel verzog sich und Charlie sah Mr Onimous in dem Sessel sitzen, den Skarpo eben erst geräumt hatte.

„Was war denn?"

„Also, da warst du und da war der Hexenmeister", sagte Mr Onimous und beugte sich aufgeregt vor. „Und Skarpo, na ja, er ist einfach durch dich durchgegangen. Zuerst ist er immer durchsichtiger geworden, bis er nur noch so eine Art Schatten war, und dann ist er verschwunden. Einfach so!"

„Und was ist mit mir passiert?"

„Mit dir? Du warst einfach die ganze Zeit da, Charlie. Hast dagestanden wie versteinert und das Bild angestarrt. Aber die Katzen, die waren die ganze Zeit in Bewegung. Sind um deine Beine gelaufen, immer rings herum, und haben geschnurrt und gesungen, wie ich es noch nie gehört hatte."

„Ich glaube, sie haben mich begleitet", sagte Charlie. „Meinen Geist, meine ich, als er unterwegs war."

„Ach, tatsächlich? Na ja, gut, zutrauen würde ich's ihnen."

Charlie erzählte nichts von seiner Begegnung mit den Leoparden und dem Mann im roten Umhang. Das war so einzigartig und kostbar, dass ihm dafür die Worte fehlten. Er drehte sich zu seinem Onkel um und sah, dass Paton schlief. „Hat Onkel Paton mitgekriegt, was passiert ist?"

„Der Ärmste ist eingenickt, bevor uns der Hexenmeister verlassen hat. Dein Onkel ist sehr krank, Charlie. Tragisch, einen so mutigen und gescheiten Mann in einem solchen Zustand zu sehen."

„Ich will ihm helfen", sagte Charlie. „Und ich werde ihm auch helfen. Skarpo sagt, er muss in etwas baden, was sich Eisenkraut nennt. Was meinen Sie, wo ich das finde?"

„Hmm." Mr Onimous rieb sich mit dem Zeigefinger das pelzige Kinn. „Ich werde mal rumfragen, Charlie. Aber jetzt muss ich los. Mach's gut!"

Mit seiner üblichen Hurtigkeit war Mr Onimous schon aufgesprungen und aus Patons Zimmer und die Treppe hinuntergewieselt, ehe Charlie noch weitere Fragen einfielen.

„Wiedersehen, Mrs Bone – junior und senior", rief er, als er aus dem Haus sauste und die leuchtenden Katzen in großen Sätzen hinter ihm hereilten.

„Sind sie weg?", kreischte Grandma Bone.

„Ja, Grandma", seufzte Charlie.

Sie erschien in ihrer Zimmertür. „*Alle* weg? Du weißt schon, wen ich meine."

„Ja, der ist auch weg."

Sie ging wieder in ihr Zimmer und knallte die Tür zu.

Charlie setzte sich mit seiner Mutter zum Tee, aber während der gesamten Mahlzeit musste er immer wieder an seinen Flug über die Landschaft hinter dem Fenster des Hexenmeisters denken.

Ich habe den Roten König gesehen, dachte er. Und er hat mich gesehen. Ich habe die Leoparden gesehen und den Wald, wo sie leben.

Charlie wurde sich immer sicherer, dass Aries, Leo und Sagittarius ihn in diesen fernen Wald geführt hatten. Aber warum? Und wie?

„Einen Penny für deine Gedanken, Charlie", sagte 262 seine Mutter.

Charlie zögerte. „Ich hab nur überlegt, wo ich Eisenkraut herkriege."

„Eisenkraut? Das ist ein Heilkraut, aber ich hab noch nie welches gesehen. Wofür willst du's denn, Charlie?"

„Um Onkel Paton zu helfen."

„Oh." Seine Mutter zog die Augenbrauen hoch, sagte aber nichts.

Später brachte Charlie seinem Onkel ein Tablett mit Essen. Aber Paton wollte nichts anrühren. Im Zimmer war es duster, deshalb zündete Charlie eine Kerze an, die auf Patons Schreibtisch stand.

„Bitte versuch doch was zu essen", bettelte er. „Ich dachte, es geht dir besser."

Paton drehte den Kopf weg. „Tut mir leid, Charlie. Ich glaube, es ist hoffnungslos. Ich bin am Ende. Es sitzt in meinem Kopf, in meinen Knochen, meinen Innereien. Er hat mich erledigt."

„Aber was hat er denn getan? Und wer ist *er*?"

Sein Onkel wollte es nicht sagen. Mit leiser, rauer Stimme fragte er: „War Julia noch mal hier?"

„Glaub nicht", sagte Charlie.

„Ach", sagte Paton traurig.

„Sie kann ja hier gewesen sein, während ich in der Schule war", sagte Charlie, der seine Gedankenlosigkeit sofort bereute. „Ja, ich bin mir eigentlich ziemlich sicher, dass sie da war. Aber wahrscheinlich hat Grandma Bone sie nicht reingelassen."

263

„Nein", seufzte Paton. „Sie hat mich vergessen."

Charlie wusste nicht, was er darauf antworten

sollte. Er fragte sich, ob er seinem Onkel erzählen sollte, dass er den Roten König gesehen hatte. Vielleicht würde ihn das ja aufheitern. Aber er fand immer noch keine Worte, um zu erklären, was er erlebt hatte. „Du kannst es doch mal mit dem Eisenkraut probieren", sagte er. „Ich glaube, der Hexenmeister wollte dir wirklich helfen."

„Eisenkraut", murmelte Paton leise. „Das heilige Kraut."

„Weißt du, wo das wächst?"

„In Eustacias Garten vermutlich. Sie zieht dort so ziemlich alles. Aber ich rate dir, geh nicht dorthin. Das ist gefährlich."

„Ich hab keine Angst", entgegnete Charlie. „Ich war schon mal dort."

Sein Onkel stöhnte: „Nein, Charlie", und sank dann wieder in einen unruhigen Schlaf. Er murmelte und brabbelte vor sich hin, verzog das Gesicht und knirschte mit den Zähnen.

Charlies Entschluss stand fest. Irgendwie würde es ihm gelingen in Eustacias Garten zu kommen. Aber zuerst musste er wissen, wie dieses Eisenkraut aussah. Schließlich wollte er nicht etwas Schädliches oder gar Tödliches pflücken, denn Eustacia hatte garantiert jede Menge Giftpflanzen in ihrem Garten.

264

Am Samstagmorgen, als seine Mutter in den Gemüseladen gegangen war, stattete Charlie Miss Ingledew einen Besuch ab. Im Buchladen ging es erstaunlich lebhaft zu. Normalerweise war es dort eher ruhig, aber heute traf Charlie Olivia, Tancred und Lysander an, die mit bizarrem Federkopfschmuck hinter dem Ladentisch umherstolzierten.

Emma und Tancred sollten Kopfbedeckungen für das Theaterstück entwerfen und Tancred hatte Lysander mitgebracht, um ihn aufzuheitern, was offenbar funktioniert hatte. In Lysanders Nähe war das unheimliche Trommeln verstummt und er schaffte es sogar zu lächeln, als Tancred seinen gelb gefiederten Kopfputz in die Luft warf.

„Du siehst so ernst aus, Charlie", bemerkte Tancred. „Keine Bange, wir haben Ollie nicht vergessen. Wir tüfteln an einem Plan, aber uns ist das Theaterstück dazwischen gekommen."

„Worum geht es in dem Stück eigentlich?", fragte Charlie, verblüfft über die schrägen Kopfbedeckungen.

„Es ist so eine Art Mischung aus *Das Feuerzeug* von Hans Christian Andersen und *Die zertanzten Schuhe* von den Brüdern Grimm, erklärte Olivia. „Ich bin eine von den Prinzessinnen."

„Und wer spielt die Hauptrolle?"

„Das ist noch nicht raus", sagte Olivia. „Manfred will, dass Lydia Pieman sie kriegt. Ich schätze mal, er schwärmt für sie. Zelda ist wahnsinnig eifersüchtig."

Emmas Tante kam und bat die Kinder die Kopfbedeckungen im Hinterzimmer aufzuprobieren. „Ich möchte nicht, dass die Kundschaft denkt, das hier ist jetzt ein Kleiderladen", sagte sie lächelnd.

Charlie erklärte Miss Ingledew, er sei nicht gekommen, um Kopfbedeckungen aufzuprobieren, sondern in einer dringenden Mission. „Es ist wegen meinem Onkel."

„Verstehe." Miss Ingledew versuchte, nicht allzu interessiert zu gucken, aber Charlie merkte, dass sie ganz Ohr war.

„Deine Großmutter meint, ich würde Paton nachstellen, und ich möchte deutlich machen, dass ich das ganz und gar nicht tue."

„Natürlich nicht", sagte Charlie. „Aber es ist so, dass es Onkel Paton immer schlechter geht. Inzwischen will er nicht mal mehr essen."

„Oh, Charlie, das wusste ich nicht. Armer Paton. Ich muss … es tut mir so leid." Miss Ingledew schien plötzlich sehr aufgeregt.

„Ich hab irgendwo gehört, dass eine Pflanze namens Eisenkraut ihn vielleicht heilen könnte", sagte Charlie.

Miss Ingledew runzelte die Stirn. „Wer hat das gesagt?"

„Ich wette, das war Skarpo", sagte Olivia.

„Stimmt das?", fragte Emma. „War er's?"

„Erzähl schon", drängelte Tancred, „oder ich puste dir die Hose weg."

Charlie hielt seinen Gürtel fest. „Ja, er war's", gab er grinsend zu.

„Ich weiß nicht, wovon ihr redet", sagte Emmas Tante. „Und ich weiß nicht, ob ich's wissen möchte."

„Das Problem ist, ich weiß nicht, wie Eisenkraut aussieht", sagte Charlie. „Und ich dachte, vielleicht ist ja in einem von Ihren tollen Büchern ein Bild."

In dem Moment kamen zwei Kunden in den Laden und Miss Ingledew erklärte den Kindern, sie sollten die Bücher im Hinterzimmer durchsuchen. „Guckt unter H", sagte sie. „Von Heilkräuter bis Homöopathie."

Lysander wurde schließlich fündig, nicht zuletzt, weil er der Größte war und die H-Bände alle auf dem obersten Bord standen.

„Hier", sagte er, legte ein aufgeschlagenes Buch auf einen Tisch und tippte auf ein Foto. Eisenkraut entpuppte sich als eine Pflanze mit gelbgrünen Blättern und einer ährenförmigen rötlich lila Blüte auf jedem Stängel. „Hier steht, früher glaubten die Leute, es sei gut gegen alles, einschließlich Hexerei."

„Das heilige Kraut", las Olivia, die über seine Schulter spähte, „so meinten die Römer, sei ein Mittel gegen die Pest und vermöge bösen Zauber und Hexerei abzuwenden."

„Und ich weiß, wo ich's finde", murmelte Charlie, der die Abbildung anstarrte.

„WO?" Vier Augenpaare richteten sich auf ihn.

„Im Garten meiner Großtanten", sagte er. „In Darkly Wynd."

„Wir kommen mit", sagte Olivia.

„Nicht nötig …", hob Charlie an.

„Klar ist es nötig. Wie kommen mit", widersprach Lysander heftig. „Ich muss irgendwas tun, was *funktioniert*, sonst platze ich."

Charlie musste zugeben, dass es gut wäre, nicht ganz allein nach Darkly Wynd gehen zu müssen, wenn er auch Angst hatte, dass fünf Kinder an einem so stillen und düsteren Ort zu viel Aufsehen erregen würden.

Tancred zwinkerte ihm aufmunternd zu: „Du wirst uns nicht los."

Die fünf Freunde erklärten Miss Ingledew, sie gingen jetzt los, Eisenkraut suchen. Sie nickte ein wenig misstrauisch, war aber so mit einem älteren Ehepaar beschäftigt, das ein Kochbuch suchte, dass sie nicht weiter nachfragte. Als die Kunden jedoch gegangen waren, fand sie das Buch, das die Kinder aufgeschlagen hatten, und nahm es mit in den vorderen Raum. Sie legte es auf den Ladentisch und studierte die Abbildung der Pflanze mit den rotlila Blüten. „Ein heiliges Kraut", murmelte sie nachdenklich. „Böser Zauber … Hexerei …"

Mit einem lauten Klimpern öffnete sich die Tür und zwei Mädchen traten ein.

„Kann ich euch helfen?", fragte Miss Ingledew.

„Wir wollen kein Buch", sagte das hübsche blonde Mädchen. „Wir suchen unsere Freunde."

„Wir dachten, wir hätten sie hier aus dem Laden kommen sehen", sagte das andere Mädchen, das kleiner und pummliger war.

„Oh, ihr meint Emma, meine Nichte."

Die beiden Mädchen waren jetzt an den Ladentisch getreten, und die Blonde drehte das aufgeschlagene Buch zu sich. „Eisenkraut. Interessant."

„Ja." Emmas Tante klappte das Buch zu.

„Können Sie uns vielleicht sagen, wo Emma und die anderen hingegangen sind?", fragte das dickliche Mädchen.

„Ich habe leider keine Ahnung."

„Och! Wir wollten uns doch treffen", sagte der Pummel.

„So ein Pech", antwortete Miss Ingledew. Sie hatte das deutliche Gefühl, dass die Mädchen logen. Sie waren ihr äußerst unsympathisch, vor allem die hübsche Blonde. Deren Augen wechselten dauernd die Farbe, das machte einen ganz nervös.

„Na ja", seufzte die Blonde. „Mal sehen, ob wir sie noch einholen." Sie lächelte breit und zeigte dabei makellos weiße Zähne.

„Wiedersehen!" Miss Ingledew klemmte sich das Buch unter den Arm und sah den beiden Mädchen nach.

„Was haben die wohl vor?", murmelte sie.

Als Charlie und seine Freunde gerade am Grauen Hügel angekommen waren, trat plötzlich eine Gestalt aus einer der dunklen Gassen.

„Tante Venetia!", flüsterte Charlie den anderen zu. „Schnell! Bevor sie uns sieht."

Sie rannten über die Straße und versteckten sich hinter der großen Tanne in der Mitte des halbrunden Platzes, während Tante Venetia in Richtung Hauptstraße marschierte. Sie trug eine große Einkaufstasche mit einem goldenen D darauf. Als sie näher kam, zog Charlie die anderen tiefer in den Schutz des Baumes. Seine Großtante blieb stehen und einen Moment lang dachte Charlie, sie würde über die Straße kommen und genauer nachsehen. Aber nach ein paar Sekunden ging Venetia weiter.

Als seine Tante in die Hauptstraße eingebogen war, führte Charlie die anderen zu der dunklen Gasse namens Darkly Wynd.

„So ein grässlicher Ort", sagte Olivia. „Wer will denn hier wohnen?"

„Meine Großtanten." Charlie grinste schief.

Sie gingen an den halb verfallenen Häusern vorbei, wo Ratten zwischen Mülltonnen herumkrabbelten und ein Betrunkener vor sich hin murmelnd auf einer feuchtkalten Kellertreppe saß, und dann standen sie vor den drei Häusern mit der Nummer dreizehn.

„Welches?", fragte Lysander.

„Na ja, das letzte ist Venetias und wenn es nach

dem Alter geht, müsste Eustacia im mittleren wohnen", sagte Charlie.

„Meinst du, sie ist zu Hause?", fragte Olivia.

„Weiß nicht", sagte Charlie. „Aber ich werde bestimmt nicht anklopfen und fragen."

„Und wie kommen wir in den Garten?", fragte Emma.

Darüber hatte sich Charlie noch gar keine Gedanken gemacht. Aber Tancred zum Glück.

„Hier rüber", rief er und winkte sie zu einem kleinen Gittertor. Hinter dem Tor führte ein schmaler Durchgang zwischen Nummer zwölf und Nummer dreizehn hindurch.

Das Tor quietschte laut, als sie schnell durchwitschten, und Charlie schaute nervös die Seitenwand von Nummer dreizehn hinauf. Aber da war nur ein Fenster ganz oben und die Vorhänge waren zugezogen.

Hinter den Häusern waren die Höfe und Gärten von hohen, grauen Steinmauern umgrenzt. Zwischen den Gärten von Darkly Wynd und denen der Häuser vom Grauen Hügel führte ein Weg hindurch. Doch anders als bei den übrigen Gärten gab es bei der Nummer dreizehn keine Gartentore in der Mauer.

„Du musst einfach rüberklettern", sagte Lysander zu Charlie. „Du kannst auf meinen Rücken steigen."

„Wir stehen Schmiere", versprach Emma.

„Ich gehe mit Charlie", sagte Tancred.

„Nein, ich!", rief Olivia. „BITTE!"

„Sch-sch!", zischte Charlie. „Ihr könnt ja beide mitkommen."

Sobald er auf Lysanders Rücken gestiegen war und über die Mauer guckte, begriff Charlie, dass er dringend Unterstützung bei der Suche gebrauchen konnte. Der Garten war ein einziger Pflanzendschungel. Kräuter, Blumen, Sträucher und Unkraut drängten sich wie ein dicker Teppich zwischen den Begrenzungsmauern.

„Wow!", sagte Olivia, als sie den Garten sah. „Wo fangen wir an?"

Sie beschlossen, sich in einer Reihe von der Mauer zum Haus vorzuarbeiten. Charlie war klar, dass es nicht leicht sein würde. Die Pflanzen standen so dicht, dass man es kaum vermeiden konnte draufzutreten. Olivia mit ihren plumpen rotlila Schuhen richtete noch mehr Schaden an als die Jungen. Dauernd stolperte sie und krachte mitten in die größten und zartesten Blüten. Charlie versuchte nicht hinzusehen und stur auf die Pflanzen vor sich zu schauen.

Ab und zu rief einer von ihnen leise: „Ich hab's!" Und dann: „Nein, doch nicht!"

Sie waren schon fast am Haus, als Charlie plötzlich etwas auf die Mauer zwischen Eustacias Garten und dem Nachbargrundstück ploppen hörte. Er sprang über die letzten Pflanzenbüschel, um zu gucken, was es gewesen war.

272

Ein glatter, grauer Kiesel lag oben auf der Mauer. Er kam ihm merkwürdig bekannt vor. Und dann fiel es ihm wieder ein.

„Mr Boldova", murmelte er. „Die Funken sprühenden Steine." Aber war der Stein nun aus Eustacias Haus gekommen oder aus dem von Venetia nebenan?

„Hast du's gefunden, Charlie?", fragte Tancred in rauem Flüsterton.

„Nein, ich ..."

Von jenseits der Mauer kam ein lauter Pfiff und Lysander rief: „Achtung, Charlie. Da drin ist irgendwas los."

Charlie sah an dem hohen, verrußten Haus hinauf. Er hörte Stimmen. Eins der oberen Fenster schlug zu und dann hörte er schnelle Schritte.

„Lass uns abhauen", sagte Olivia.

„Aber ich hab das Eisenkraut noch nicht gefunden", protestierte Charlie.

„Vergiss es", sagte Tancred. „Los, komm, wir versuchen es ein andermal."

Aber vielleicht würde es ja kein anderes Mal geben. Charlie war nicht bereit, einfach aufzugeben. Er drehte sich um sich selbst und starrte mit zusammengekniffenen Augen auf die Pflanzen, während die anderen zur Mauer rannten.

„Pass auf!", schrie Tancred, als die Hintertür des Hauses aufging.

Und dann sah Charlie es plötzlich, direkt vor seinen Füßen. Er hatte keine Zeit, einzelne Stängel zu pflücken. Er bückte sich und riss die ganze Pflanze aus, samt Wurzeln und allem.

„Was machst du da?", kreischte Großtante Eustacia von der Tür aus.

Sie rannte die steile Hintertreppe hinunter, während Charlie durch den Garten hetzte und dabei alles zertrampelte, was ihm unter die Füße kam. Olivia war schon dabei, über die Mauer zu klettern, als es plötzlich unter Charlies rechtem Fuß laut krackste, und eh er sich's versah, rutschte er abwärts.

„Iii-aaa-uuuu!", schrie Charlie und versuchte, sich an einem spillerigen Strauch festzuklammern. Vergebens. Er fiel immer tiefer in eine dunkle Grube.

„Meine Falle nicht gesehen, du dummer Junge, was?", keckerte Eustacia.

„Charlie, wo bist du?", rief Olivia.

„Hier unten. Hilf mir!" Charlie versuchte, sich an den Grubenwänden hochzuziehen, aber die schwarze Erde war glitschig von Schnecken und moderndem Unkraut.

Von den drei Großtanten hatte Eustacia die fieseste Lache, so richtig gehässig. „Ha! Ha! Ha!" Sie stand direkt über Charlie, dadurch hatte er den wenig erfreulichen Ausblick auf braune Kniestrümpfe und schwarze Unterwäsche.

274

Er schloss die Augen und piepste: „Hilfe!"

„Da kommt jede Hilfe zu spät", höhnte Eustacia.

„Du sitzt in der Falle wie eine Ratte, Charlie Bone. Also, was soll ich jetzt mit dir machen?"

Charlie sah hinauf. „Alte Frauen dürfen so was nicht mit Kindern machen", sagte er trotzig.

„Sie *dürfen* nicht? Aber ich hab's gerade getan", spottete seine Großtante. „Und wenn du …"

Plötzlich, mitten im Satz, flog Eustacia davon. Es war wirklich verblüffend. Während Charlie zu der Gestalt dort in der Luft hinaufstarrte, verschwand diese in einer Blätterwolke. Er hörte jetzt über sich einen tosenden Wind, der Zweige, Erde, Halme und Pflanzen in einen einzigen mächtigen Wirbel hineinsog.

„Tancred", hauchte Charlie, während sich ihm vier Hände entgegenstreckten.

„Kletter rauf, Charlie", hörte er Tancreds Stimme, obwohl er ihn durch das herumfliegende Zeug nicht sehen konnte.

„Den ollen Drachen hat Tancred aus dem Verkehr gezogen", sagte Olivia. „Also, komm jetzt rauf."

Doch Charlie kam nicht an die wedelnden Hände heran. „Ich kann nicht! Es geht nicht!", rief er.

Zwei weitere Hände erschienen, kräftige braune Hände, die weiter in die Grube hinabreichten.

„Mach schon, Charlie", sagte Lysanders Stimme. „Streng dich an, Mann. Komm da raus!"

275

Diesmal klemmte Charlie sich das Eisenkraut zwischen die Zähne und sprang hoch, während er sich nach den braunen Händen reckte. Sie packten ihn und er kletterte mühsam höher.

Tancred und Olivia fassten seinen einen Arm, während Lysander am anderen zog, und so wurde Charlie ganz allmählich ans Tageslicht gehievt.

Er hörte weiter weg einen erstickten Schrei und als er in den Wind hinauskrabbelte, sah er etwas, das seine Großtante sein musste, ganz mit Grünzeug bedeckt gegen die Böen ankämpfen, die durch den Garten fegten.

„Hiergeblieben!", kreischte der grüne Haufen, als Charlie und die anderen zur Mauer rannten.

Lysander schob von hinten nach, als Charlie hinaufkletterte, und dann plumpsten sie alle drei, von Lachkrämpfen geschüttelt, auf den Weg.

„Was ist passiert?", fragte Emma, die zu klein war, um über die Mauer sehen zu können.

„Tancred hat sein Wind-Dingens abgezogen und jetzt sieht Charlies Tante aus wie ein Komposthaufen!", berichtete Olivia.

„Sie wird's an dir auslassen, Charlie", sagte Emma, die viel zu verängstigt war, um die komische Seite zu sehen.

Charlie, der daran gar nicht denken wollte, nahm das Eisenkraut aus dem Mund, spuckte Erde aus und
klopfte sich den Dreck ab, während sie alle durch den schmalen Durchgang zum Ausgang von Darkly Wynd liefen. Dort angekommen, zog Emma, die als

Einzige vorausgedacht hatte, eine Plastiktüte aus der Tasche und streckte sie Charlie hin.

„Was würden wir nur ohne dich machen?", sagte Charlie und ließ das erdverklumpte Eisenkraut in die Tüte fallen.

„Da sind Wurzeln dran", bemerkte Emma. „Du kannst es wieder einpflanzen."

„Ich muss erst mal rausfinden, ob es wirkt", sagte Charlie.

Sie flitzten Darkly Wynd entlang und hinaus in den Sonnenschein. Der Temperaturunterschied war gewaltig.

Hinter ihnen lag ein Ort, wo nie die Sonne hinkam. Ein toter, vergessener Winkel aus kaltem Stein und düsteren Schatten. Alle fünf erschauerten und wandten die Gesichter der Sonne entgegen.

Und dann sagte Tancred: „Ach übrigens, Charlie, was hast du da eigentlich angeguckt, als deine Tante zur Tür rauskam?"

Den Kiesel hatte Charlie ganz vergessen. Er zog ihn aus der Tasche. „Das da", sagte er.

Sie musterten den glatten, grauen Stein auf Charlies Handteller.

„Kommt mir irgendwie bekannt vor", sagte Lysander.

„Der gehört bestimmt Mr Boldova", sagte Charlie. „Die Funken sprühenden Steine auf seiner Hand sahen genauso aus."

„Stimmt", sagte Olivia. „Aber wie kommt er in den Garten deiner Tante?"

„Jemand hat ihn aus einem Fenster fallen lassen", sagte Charlie. „Ich schätze, sie hat ihn geklaut."

Das hielten alle für plausibel. Aber wer hatte den Stein geworfen? Und warum? Ein Rätsel.

„Das sind mir irgendwie zu viele Rätsel", sagte Lysander. „Wir treffen uns morgen, okay? Und reden über das Ollie-Problem."

„Und Charlies Onkel?", fragte Emma. „Mal angenommen, das Eisenkraut hilft nicht?"

„Ich komme auf jeden Fall", versprach Charlie.

An der Hauptstraße trennten sich die fünf und Charlie rannte mit dem viel gepriesenen Eisenkraut nach Hause. Er konnte es kaum erwarten auszuprobieren, ob es half. Zuerst würde er ein paar Blätter klein schneiden, aufbrühen und seinem Onkel einen Becher Tee bringen. Er sauste die Eingangstreppe von Nummer neun hinauf, öffnete die Tür und – stand direkt vor Grandma Bone.

„Was hast du da?", knurrte sie und beäugte die Plastiktüte.

„Nichts – äh, das ist nur ein bisschen Obst aus Mums Laden", sagte Charlie.

„Lügner! Ich weiß, was du getan hast. Eustacia hat mich angerufen. Du bist ein Dieb!"

„Nein." Charlie drückte sich rückwärts zur offenen Haustür hinaus.

„Her mit der Tüte!", verlangte sie.

„Nein!", schrie Charlie.

Grandma Bone grabschte nach der Tüte, aber in dem Moment kam ein großer gelber Hund die Stufen hinaufgestürmt, sprang Charlies Großmutter an und warf sie um.

„Runner!", rief Charlie.

Er rannte die Vordertreppe hinunter, dicht gefolgt von Runnerbean, während Grandma Bone aus der Diele herausbrüllte: „Stehen bleiben! Komm sofort her! Warte, Charlie Bone! Das wirst du bereuen!"

Charlie rannte die Straße hinauf und keuchte außer Atem: „Runner, wo kommst du denn her?" Und dann sah er Fidelio eilig auf sich zukommen.

„Hallo, Charlie!", rief Fidelio. „Runner ist mir einfach ausgebüchst. Er konnte es wohl nicht erwarten, dich zu sehen."

Fidelio erklärte, er sei ins Café *Zum glücklichen Haustier* gegangen, in der Hoffnung, Charlie dort zu finden, sei aber stattdessen Norton Cross vor die Füße gelaufen und der habe darauf bestanden, dass er mit Runnerbean spazieren ginge.

„Hab ich total vergessen", gab Charlie zu. „Vergess ich, ehrlich gesagt, andauernd. Tut mir leid, Runner." Er tätschelte den zotteligen Hundekopf.

„Wo warst du denn? Und was tut sich so in Sachen Ollie?", fragte Fidelio.

Charlie erzählte hastig von seinem Besuch in Darkly

Wynd und warum er seiner Großtante das Eisenkraut geklaut hatte.

„Da wäre ich gern dabei gewesen", sagte Fidelio, ein bisschen traurig, weil er zurzeit nirgendwo mitmachen konnte. „Komm lieber mit zu mir, bis sich deine Großmutter wieder beruhig hat."

Charlie fand das eine sehr gute Idee.

Runnerbean weniger, aber er freute sich so, Charlie zu sehen, dass er sogar bereit war, mit in dieses Haus zu gehen, das für ihn der lauteste Ort auf der ganzen Welt war. Fidelios sieben Geschwister spielten alle verschiedene Instrumente und zu jeder Tageszeit waren mindestens fünf von ihnen am Üben. Dazu noch der sonore Bass und der schrille Sopran von Mr und Mrs Gunn und das Ganze hörte sich an wie das Werk eines besonders kühnen Experimental-Komponisten.

„Komm, wir gehen ganz nach oben", rief Fidelio, sobald sie im Haus waren. „Da ist es ein bisschen ruhiger."

Runnerbean schleppte sich widerwillig die Treppen hinauf und zuckte jedes Mal zusammen, wenn er an einem Zimmer vorbeikam, wo eine Trommel, eine Trompete, ein Horn oder ein Cello bearbeitet wurde.

280 Ganz oben im Haus war ein schummriger Dachboden, wo die Gunns ihre kaputten Instrumente aufbewahrten. Die beiden Jungen machten es sich auf einer großen Kiste gemütlich, und Charlie erzählte

Fidelio ausführlicher von seinem Handel mit Skarpo. Doch er stellte fest, dass er immer noch nicht bereit war, von seiner mysteriösen Reise übers Meer zu erzählen, nicht mal seinem besten Freund.

Fidelio hörte Charlie aufmerksam zu und sagte dann: „Geh deiner Großmutter heute lieber aus dem Weg. Und stell diese Pflanze ins Wasser, bevor sie verwelkt."

Also gingen sie wieder hinunter, vorbei an sommersprossigen, braun gelockten Kindern, die Charlie begrüßten wie einen lange vermissten Bruder, und in die Küche, wo eine singende Mrs Gunn gerade Bananensandwiches und Zitronenlimonade machte.

„Was ist das denn für ein Unkraut?", rief sie, als Charlie das Eisenkraut aus der Tüte zog. „Soll ich es eintopfen?"

„Na ja, Mum, Charlie muss es vor seiner Großmutter verstecken", sagte Fidelio. „Deshalb wäre ein Topf nicht so gut. Und es ist kein Unkraut, sondern ein Heilkraut."

„Aha!", sang Mrs Gunn. „Aber den Wurzelstock können wir trotzdem einpflanzen. Ich werde ein paar Stängel abschneiden, die kannst du dann, wenn du gehst, unter deinem T-Shirt verstecken, Charlie. Der Rest der Eisenkrautpflanze ist dann hier, wenn du was brauchst."

Charlie übergab ihr das Eisenkraut und nahm zwei Bananensandwiches (eins für sich und eins für Runnerbean) entgegen. Dann gingen er und Fidelio mit dem gelben Hund in den Park, damit er ordentlich Auslauf bekam.

Um vier Uhr, nachdem er noch etliche Sandwiches (mit Käse und Erdnussbutter beziehungsweise Ei und schwarzem Johannisbeergelee) verdrückt hatte, verließ Charlie die Gunns und brachte Runnerbean ins Café *Zum glücklichen Haustier* zurück. Er versprach Norton, am nächsten Tag wieder vorbeizukommen, aber jetzt wollte er dringend nach Hause, ehe seine Mutter auf eine stinksaure Grandma Bone stieß.

Doch als Charlie in Nummer neun ankam, war Grandma Bone nicht da und seine Mutter wollte gerade Onkel Paton eine Tasse Tee bringen.

„Kann ich?", bettelte Charlie. Er zog die Eisenkrautstängel unter seinem T-Shirt hervor und legte sie auf den Tisch. „Ich will, dass Onkel Paton das hier mal probiert."

Mrs Bone zog die Augenbrauen zusammen. „Wo hast du das her, Charlie?"

„Von Tante Eustacia", gestand er. „Ich hab's ehrlich gesagt geklaut und es könnte sein, dass es ein bisschen Ärger gibt."

Seine Mutter lächelte ihr nervöses Lächeln. „Das ist allerdings zu erwarten. Hoffen wir mal, dass es wirkt, bevor deine Großmutter zurückkommt." Sie knipste ein paar Blätter ab, gab sie in eine Teetasse und goss kochendes Wasser darauf.

Charlie beobachtete, wie das Wasser in der Tasse knallgrün wurde. Das sah gefährlich aus. Hatte Skarpo sie etwa reingelegt?

„Ich hoffe, es schadet nicht mehr, als es nützt", sagte Mrs Bone. „Es sieht ganz schön stark aus."

„Es ist vielleicht Onkel Patons allerletzte Chance, Mum", sagte Charlie verzweifelt.

Er wartete, bis der Eisenkrauttee abgekühlt war, und brachte ihn dann seinem Onkel hinauf, die restlichen Stängel unter den Arm geklemmt.

Paton lag im Halbdunkel. Die Vorhänge waren zugezogen und bei dem matten Licht, das noch ins Zimmer sickerte, wäre man nie draufgekommen, dass draußen ein strahlender Sommernachmittag war.

Charlie stellte den Tee auf den Nachttisch seines Onkels und flüsterte: „Onkel Paton, ich hab dir was zu trinken gebracht."

Paton stöhnte.

„Bitte, trink einen Schluck. Davon wird es dir besser gehen."

Paton stemmte sich auf einem Ellbogen hoch.

„Hier." Charlie reichte ihm die Tasse.

Patons Augen waren immer noch halb geschlossen und seine Hand zitterte, als er die Tasse ergriff.

Charlie sah gespannt zu, wie sein Onkel die Tasse an den Mund hob.

283

„Mach schon", bat Charlie. „Trink."

„Man könnte meinen, du willst mich vergiften." Paton gab ein komisches, halb ersticktes Geräusch von sich, das wohl ein Lachen sein sollte.

„Ich will dir helfen", flüsterte Charlie ernst.

Sein Onkel machte jetzt die Augen ganz auf und sah Charlie an. „Sehr gut", sagte er und nahm einen Schluck. „Igitt! Was *ist* das?"

„Eisenkraut", sagte Charlie. „Skarpo hat gesagt, das würde dich heilen. Und den Rest hab ich auch mitgebracht." Charlie legte die Kräuterstängel auf Onkel Patons Bett.

„Sieht aus wie Unkraut", bemerkte Paton. „Ich kann mir denken, wo du gewesen bist, Charlie." Er lachte jetzt richtig und nahm noch einen großen Schluck und dann noch einen.

Charlie wartete, während sein Onkel die Tasse leerte.

„Nicht schlecht", sagte Paton. „Gar nicht schlecht. Vielen Dank, Charlie." Er sank wieder in die Kissen und machte die Augen zu.

Charlie nahm seinem Onkel die leere Tasse aus der Hand und schlich sich aus dem Zimmer.

„Hat es gewirkt?", fragte Mrs Bone, als Charlie wieder in die Küche kam.

„Weiß nicht, Mum. Aber er sah irgendwie friedlich aus. Wahrscheinlich dauert es eine Weile."

Sie merkten, dass sie sich so leise wie möglich unterhielten und bewegten. Fernsehen kam nicht in-

frage. Es war, als ob die Luft im Haus voller mysteri-
öser, sensibler Geister wäre, die schon der kleinste
Windhauch oder das leiseste Geräusch stören könnte.

Es wurde dunkel, aber Grandma Bone kam nicht
nach Hause. Charlie stellte sich vor, dass jetzt in
Darkly Wynd eine Besprechung stattfand. Bestimmt
schmiedeten sie Pläne, wie sie ihn ein für alle Mal un-
schädlich machen konnten. Er sah zu seiner Mutter
hinüber, die friedlich am Küchentisch las, und hoffte,
dass das, was auf ihn zukam – was es auch immer sein
mochte –, sie nicht in Mitleidenschaft ziehen würde.

Plötzlich sah Mrs Bone von ihrem Buch auf.
„Hörst du das?"

Charlie hörte es wohl. Oben ging eine Tür auf. Die
Dielen knarrten. Gleich darauf hörte man Wasser
rauschen. Ein Bad wurde eingelassen.

Als der Hahn wieder zugedreht wurde, herrschte
so tiefe Stille, dass Charlie seinen eigenen Herzschlag
hören konnte. Und dann zog ein seltsamer Duft
durchs Haus, ein Duft voller Zauberkraft.

Lysanders Plan

Charlie schlug die Augen auf und sah auf die Küchen-uhr. Mitternacht.

Seine Mutter spülte gerade einen Milchtopf.

„Ich bin gerade erst wieder aufgewacht", sagte sie, während sie zwei Becher mit dampfendem Kakao auf den Tisch stellte. „Ich weiß nicht, was über uns ge-kommen ist, Charlie."

„Onkel Paton hat ein Bad genommen", murmelte Charlie. „Ich weiß noch, dass ich Wasser einlaufen gehört habe, und dann bin ich eingeschlafen."

„Ich auch", sagte Mrs Bone. „Deine Großmutter ist immer noch nicht da. Lass uns in Bett gehen, ehe sie kommt."

Sie tranken ihren Kakao aus und gingen rasch nach oben. Als Charlie an Onkel Patons Tür vorbeikam, blieb er stehen und horchte. Aus Patons Zimmer kam kein Laut. Noch nicht mal ein Schnarchen. Mit einem besorgten Stirnrunzeln schlich Charlie leise in sein Zimmer.

Als er gerade ins Bett steigen wollte, hörte er drau-ßen einen Wagen halten. Eine Autotür schlug zu und

Grandma Bone rief: „Gute Nacht, Eustacia. Das kleine Biest übernehme ich, keine Angst."

Charlie zog sich die Bettdecke über den Kopf und versuchte, nicht daran zu denken, dass er morgen auf Grandma Bone treffen würde.

Er wachte ganz früh auf, schlich sich in die Küche hinunter und aß ein Schälchen Cornflakes. Er dachte daran, seiner Mutter einen Zettel zu hinterlassen, dass er den ganzen Tag wegbleiben würde, obwohl er noch keine Ahnung hatte, wo er hingehen sollte. Aber alles war besser, als Grandma Bone gegenüberzutreten.

Doch es war schon zu spät für einen solchen Zettel. Zu spät, um aus dem Haus zu flüchten. Charlie erstarrte, als ein Paar große Füße die Treppe heruntergestapft kamen. Sie durchquerten die Diele und die Küchentür flog auf.

„Erwischt!" Grandma Bone stand in der Tür, in ihrem grässlichen grauen Morgenrock.

„Morgen, Grandma", sagte Charlie, so lässig er konnte.

„Hab ich mir doch gedacht, dass du entwischen willst, bevor ich auf bin."

„N-nein."

„Lüg nicht. Du sitzt böse in der Patsche, Charlie Bone." Seine Großmutter kam in die Küche marschiert und funkelte ihn wütend an. „Was hast du im Garten meiner Schwester gesucht? Nein, mach dir gar nicht erst die Mühe zu antworten. Du hast gestohlen. Und deine komischen Freunde sind auch in die Sache verwickelt. Eustacia ist in einem schrecklichen Zustand. Sie hätte beinah einen Herzinfarkt erlitten."

„Tut mir leid", murmelte Charlie.

„Entschuldigungen reichen nicht. Du wirst dafür bezahlen!", schrie Grandma Bone. „Wir werden Dr. Bloor benachrichtigen und du wirst hierbleiben, bis wir beschlossen haben, was wir mit dir machen."

„Ich darf nicht raus?", fragte Charlie. „Nicht mal in die Schule?"

„NEIN! Einen Monat mindestens."

Normalerweise hätte das Charlie ja nichts ausgemacht. Aber aufgrund der derzeitigen Lage *musste* er unbedingt in die Schule. Da war eine blaue Boa, die es zu zähmen, da war Ollie Sparks, den es zu retten galt. „Aber …", sagte er.

„Und diese gestörte Frau steckt da auch mit drin", knurrte Grandma Bone böse. „Auf ihrem Ladentisch wurde ein Buch gefunden, aufgeschlagen bei einer Abbildung des Krauts, das du gestohlen hast."

Charlie war sich nicht sicher, aber er meinte das leise Klimpern von Glasscherben zu hören, während seine Großmutter auf ihn einbrüllte. Er fragte sich gerade, wer wohl das Buch in der Buchhandlung Ingledew gefunden und die Information weitergegeben hatte, als seine Großmutter plötzlich mit der Faust auf den Tisch hieb und schrie: „WIR LASSEN UNS DAS NICHT BIETEN! DIESE STÄNDIGE EINMISCHUNG, DIESEN STÄNDIGEN UNGEHORSAM, DIESES, DIESES ... WARUM KANNST DU DICH NICHT EINFACH FÜGEN?"

Charlie wollte gerade eine kleinlaute Antwort geben, als eine Stimme von der Tür her „Aha!" sagte.

Da stand Onkel Paton, in einem so strahlend weißen Hemd, dass es einen fast blendete. Sein Haar war zwei Nuancen schwärzer denn je und er wirkte mindestens zehn Zentimeter größer. So groß, dass er den Kopf einziehen musste, um durch die Tür zu passen.

Grandma Bone machte ein Gesicht, als hätte sie ein Gespenst gesehen. „Dir geht es besser", krächzte sie.

„Freut dich das nicht?", fragte Paton.

Grandma Bone biss sich nervös auf die Lippe. „Aber ... aber ..."

„Du dachtest, er hätte mich erledigt, was?", sagte Paton und trat auf seine Schwester zu. „Dachtest, er hätte mich in einen schlappen, ängstlichen, windelweichen Jasager verwandelt?"

„Ich weiß nicht, wovon du sprichst", sagte sie mit bebender Stimme.

„Natürlich weißt du das!", donnerte Paton. „Du hast es doch selbst eingefädelt. Du hast das Ganze geplant. Du hast diese böse Gestaltwandlerhexe hierhergeholt. Was hattest du vor, *hä*?"

„Hör auf!", rief Grandma Bone. „Ich ... ich könnte dich auffordern, dieses Haus zu verlassen!"

„Und ich könnte dasselbe mit dir tun", brüllte Paton auf sie herab.

Charlie verfolgte fasziniert, wie seine Großmutter einen erstickten Schrei ausstieß und aus der Küche rannte, beide Hände in die Herzgegend gekrallt.

Paton bedachte Charlie mit einem strahlenden Lächeln und begann sich einen Kaffee zu machen.

„Es hat gewirkt!", strahlte Charlie. „Das Eisenkraut. Es hat tatsächlich gewirkt!"

„Irgendwas hat gewirkt. Ich fühle mich pudelwohl", sagte Paton, der kein bisschen wie ein Pudel aussah.

„Ich hatte schon Angst, Skarpo hätte uns doch reingelegt", sagte Charlie. „Aber vielleicht sollte ich ihm ab jetzt vertrauen. Wow, Onkel Paton! Ist das toll, dich wieder gesund und munter zu sehen!"

„Es fühlt sich auch toll an, Charlie. Danke." Paton machte eine kleine Verbeugung und kam dann mit seiner Tasse an den Tisch. „Also, was ist? Klärst du mich jetzt auf, wie der Stand der Dinge im Bloor ist?"

Charlie tat sein Bestes, seinem Onkel zu erzählen, was alles passiert war, während er auf dem Krankenbett gelegen hatte. Er war gerade bei der Schilderung 290 der Geschehnisse in Eustacias Garten, als jemand die Treppe heruntergestapft kam, aus dem Haus ging und die Vordertür hinter sich zuknallte.

Durchs Fenster sahen sie Grandma Bone die Straße hinaufmarschieren, auf dem Kopf ihren neuen Strohhut – schwarz mit lila Kirschen.

„Sie will bestimmt nach Darkly Wynd", sagte Paton, „neue Gemeinheiten ausbrüten. Ich wette, meine Genesung wird ein ganz schöner Schock sein, vor allem für diese alte Hexe Yolanda." Er gluckste vergnügt.

„Onkel Paton, meinst du, du kannst jetzt drüber reden, was in dem Schloss passiert ist?", fragte Charlie vorsichtig.

Paton kratzte sich am Kinn und sagte: „Ja, Charlie. Wird wohl Zeit." Er leerte seine Tasse und stellte sie wieder hin.

Einen Moment lang starrte er in die Ferne, dann begann er: „Stell dir das Schloss so vor, wie ich es dir beschrieben habe, außen wie innen finster. Ich kam im Morgengrauen an, aber auf Schloss Darkwood gibt es keinen Sonnenaufgang. Der Himmel wird stattdessen graugelb und kein einziger Vogel singt. Der eiskalte Wind pfeift über die Felsen. Da gibt es keine Bäume, keine Blätter oder Blüten, nur das verdorrte Gras.

Die Straße endet an einem schmalen Fußgängersteg, also habe ich den Wagen stehen lassen und bin die halbe Meile bis zum Schloss zu Fuß gegangen. Dreizehn in den Fels gehauene Stufen führen zu einem Tor, das nie abgeschlossen ist. Ich meine, wer betritt schon freiwillig einen solchen Ort?" Paton hielt inne und zog schaudernd die Schultern hoch.

„Und dann?", fragte Charlie.

„Mir fiel alles wieder ein, Charlie: der schreckliche Treppensturz meiner Mutter und wie mein Vater mit mir flüchtete. Ich hätte am liebsten kehrtgemacht und wäre davongerannt, aber ich musste ja herausfinden, ob Yolanda schon weg war und warum sie nach all den Jahren in den Süden wollte. Ich habe gerufen, aber es kam keine Antwort. Das ganze Schloss schien leer und verlassen. Und dann fing es an. Zuerst ein Lachen, wie ich noch keines gehört hatte. Mehr wie ein Geheul. Und dann ein Tosen und das Geschrei von tausend unidentifizierbaren Lebewesen. Und aus diesem schrecklichen Lärm rief eine Stimme: ,Was willst du, Paton Darkwood?'

Ich habe standgehalten, aber ich sage dir, Charlie, mein Magen fühlte sich an wie ein Stein. Und ich habe gefragt: ,Spricht da Yolanda?' – ,Nein', kam die Antwort. ,Yolanda hat eine Einladung bekommen, die sie nicht ablehnen konnte.' Und wieder dieses schreckliche Lachen.

Ich rannte auf das Tor zu, aber irgendetwas stieß mich zurück. Ich holte den Zauberstab hervor und versuchte, auf das unsichtbare Etwas vor mir einzu-schlagen, aber der Stab zischte wie ein brennendes Lebewesen und versengte meine Hand. Und dann …" Paton seufzte und schüttelte den Kopf. „Ich weiß nicht, wie lange ich dort war. Ich lag auf dem Steinboden, ohne etwas zu sehen und ohne zu wissen, ob ich wachte oder träumte. Mein Körper brannte entweder oder er war eiskalt. Manchmal bekam ich ihn kurz zu Gesicht, aber er sah immer wieder anders aus. Mal war er ein Kind, dann ein alter Mann. Am einen Tag stand neben mir ein großer schwarzer Hund, am nächsten ein Bär. Da war ein Rabe, der auf meinen Kopf einpickte, ein Wolf, der an mir herumnagte. Aber jedes Mal, wenn er weg war, kroch ich ein bisschen näher zur Tür.

Irgendwann erreichte ich sie. Ich zog mich an der mächtigen Eisenklinke hoch, drückte sie nieder und fiel nach draußen. Ich stolperte die dreizehn Stufen hinunter und dann rannte ich los. Frag mich nicht, wie. Ich spürte ihn hinter mir, wie er mir den Nacken versengte, die Schuhsohlen. Ich kam zum Wagen und taumelte hinein. Aber der Albtraum hatte gerade erst begonnen. Er sprang aufs Wagendach und zerschmetterte die Windschutzscheibe mit den Fäusten. Ich weiß nicht, welche Gestalt er da hatte – ein Monster, den Geräuschen nach. Er wälzte sich herunter und war jetzt vor dem Wagen, schmiss Steine auf die Scheinwerfer. Er jagte Flammen gegen die Reifen und die Straße vor mir war von tausend Funken erhellt.

Wir kamen an eine weitere Brücke und als ich drüberfuhr, gab er plötzlich auf. Vielleicht schwindet seine Macht jenseits der Grenzen seines Besitzes.

Aber ich hörte ihn hinter mir herrufen und diese schreckliche, heulende Stimme werde ich nie vergessen." Paton erschauerte und schloss die Augen.

Charlie schwieg erwartungsvoll, hielt es dann aber nicht mehr aus und fragte: „Was hat er gerufen?"

Paton sagte mit einem schiefen Grinsen: „Er hat gerufen: ‚Wenn du meinem Liebling etwas tust, wirst du mit deinem Leben dafür bezahlen.'"

„Aber wer *ist* er?"

„Oh, habe ich das nicht gesagt?" Paton zog eine Grimasse. „Er ist Yolandas Vater. Yorath, ein Gestaltwandler, der schon so alt ist, dass er keine eigene Gestalt mehr hat, sondern sich welche borgen muss, von anderen ... Wesen." Paton guckte auf die Brandmale an seiner rechten Hand und wiederholte: „Von anderen Wesen, ja."

„Wow, Onkel Paton", sagte Charlie ernst. „Ein Wunder, dass du nicht tot bist."

Paton nickte. „Ein Wunder, ja. Ich weiß nicht, was mich am Leben gehalten hat, Charlie, außer vielleicht die Erinnerung an meine Mutter und ... an eine gewisse andere Person." Er räusperte sich. „Yolanda mag vielleicht nur deshalb hergekommen sein, um Ezekiel zu helfen, aber jetzt, wo sie weiß, was du kannst, wird sie dich bestimmt mitnehmen wollen."

294   „Was, nach Schloss Darkwood?", fragte Charlie erschrocken.

„Das werden wir nicht zulassen", sagte Paton resolut. „Und jetzt, um mal das Thema zu wechseln, hast du jede Menge zu tun, Charlie. Es gilt Pläne zu machen, für die Rettung dieses unsichtbaren Jungen. Wenn du mich fragst, der Schlüssel ist Billy Raven."

„Billy? Wieso?"

„Er kann doch mit allen Kreaturen sprechen? Bringt ihn dazu, mit dieser Boa zu reden. Sie kann nicht durch und durch böse sein."

Charlie dachte darüber nach, während sein Onkel an den Herd ging und sich ein Riesenfrühstück machte, zum Ausgleich für all die Tage, an denen er nichts gegessen hatte. Bald darauf kam Amy Bone aus ihrem Dachzimmer herunter. Sie hatte von dem ganzen Gebrüll und Türenknallen nichts mitgekriegt und war so verblüfft, Paton auf den Beinen und munterer denn je zu sehen, dass sie beinah in Ohnmacht gefallen wäre.

Amy Bone griff sich einen Stuhl, ließ sich daraufplumpsen und murmelte: „Dieser seltsame Herr aus dem Bild kann also doch nicht so böse gewesen sein. Oh, Paton, ich bin ja so froh, dass du wieder gesund bist. Wir werden alle besser schlafen, jetzt wo du wieder in Form bist."

Charlie fragte sich, weshalb Skarpo beschlossen hatte, kein hinterhältiger Bösewicht mehr zu sein, sondern zu helfen. War es in dem Moment passiert, als er den Zauberstab in Charlies Händen gesehen hatte? Und wenn ja, warum?

Um ein Uhr lehnte Charlie höflich die Einladung zu einem tollen Mittagessen ab, das Onkel Paton telefonisch beim schicksten Delikatessengeschäft der Stadt bestellt hatte, und machte sich auf den Weg zum Café *Zum glücklichen Haustier*. Er hatte zu viel im Kopf, um ein üppiges Mittagessen genießen zu können. Orangensaft und Kekse waren genau das Richtige.

Alle seine Freunde waren da, am größten Tisch im Raum, mit Vögeln, Springmäusen, Kaninchen und Fidelios tauber Katze, verteilt auf Schultern, Köpfen, Knien. Runnerbean begrüßte Charlie auf seine übliche rau-feuchte Art, mit Anspringen, Abschlabbern und Bellen, bis Charlie ihm ein Schokoplätzchen kaufte und es unter den Tisch warf.

„Sind alle so weit?", fragte Lysander ziemlich streng. „Wir haben wichtige Dinge zu besprechen. Tancred und ich haben eine Liste gemacht und hätten gern Beiträge von euch." Er legte ein liniertes Blatt mitten auf den Tisch. Darauf stand:

1. Die blaue Boa finden
2. Die blaue Boa zähmen
3. Die blaue Boa aus dem Bloor rausbringen, irgendwohin, wo sie Ollie heilen kann
4. Ollie Sparks finden
5. Ollie Sparks aus dem Bloor schmuggeln, solange er noch unsichtbar ist (leichter so).

6. Die blaue Boa dazu kriegen, Ollie sichtbar zu machen
7. Ollie zu seinen Eltern nach Schloss Funkenstein bringen

Alle starrten auf die Liste, die in Lysanders fantastischer Schönschrift verfasst war. Sie ließen das Blatt herumgehen, bis jeder es gründlich gelesen hatte. Als das der Fall war, guckten alle skeptisch bis düster.

„So schlimm ist es gar nicht", sagte Charlie. „Jedenfalls weiß ich schon mal, wo die Boa ist, und ich finde sie auch wieder."

„Aber wie sollen wir sie zähmen?", fragte Emma.

„Billy Raven", sagte Charlie. „Der kann doch mit Tieren reden."

„Aber wie kriegen wir Billy dazu?", fragte Olivia. „Ich meine, würdest du gern mit einer überdimensionalen Schlange plaudern, die einen unsichtbar machen kann?"

„Inzwischen vertraue ich Billy", sagte Charlie. „Ich glaube, er will uns wirklich helfen."

„Rembrandt", sagte Gabriel nachdenklich. „Wir sagen Billy, wenn er uns hilft, kann er Rembrandt zurückhaben. Er wird alles tun, um diese Ratte wiederzusehen – er liebt sie."

„Gute Idee, Gabriel", sagte Lysander. „Aber wenn Weedon und Manfred ständig überall herumschnüffeln – von dieser schrecklichen Belle mal ganz abgesehen –, wo in aller Welt soll Billy die Ratte dann halten?"

Charlie dachte an die Köchin. „Ich weiß wo", sagte er, aber als ihn alle gespannt anguckten, sagte er nur: „Vertraut mir."

„Okay", sagte Lysander. „Jetzt müssen wir eine Lösung finden, wie wir die Boa aus dem Bloor rauskriegen."

„Da hab ich auch eine Idee", sagte Charlie. „Ich arbeite daran."

Wieder starrten ihn die anderen fragend an, aber Charlie setzte rasch hinzu: „Ich kann's euch noch nicht sagen, aber ich weiß, es könnte klappen." Wieder dachte er an die Köchin.

„Jetzt kommen wir zu Ollie." Tancred zeigte auf Punkt fünf der Liste.

„Also, da hab ich mir was überlegt", sagte Emma. Sie wurde ein bisschen rot, als alle sie anguckten, und setzte eine riesige Spinne auf die Tischplatte.

Alle japsten erschrocken und ein heftiger Windstoß blies die Liste vom Tisch, als Tancred rief: „Jiieks! Was soll das denn?"

„Keine Panik", sagte Olivia und hob die Liste wieder auf.

Emma grinste und bohrte den Zeigefinger in den Körper der Spinne. „Sie ist nicht echt. Es ist so eine Art Fingerpuppe, aber Ollie kann sie sich auf den Zeh stecken. Dann kann er durchs Hauptportal rennen, sobald jemand von den Lehrern rausgeht, und man sieht keinen Zeh, sondern nur eine Spinne."

„Genial", sagten alle bis auf Tancred, der offenbar ein Problem mit Spinnen hatte.

„Eine springende Spinne", murmelte er zweifelnd. „Ich meine, sie wird sich ja wohl kaum wie eine echte Spinne bewegen, wenn sie auf einem rennenden Fuß sitzt."

Die Reaktion war ein Durcheinander aus „Sei nicht so kritisch!", „Ist doch eine tolle Idee!", „Weißt du was Besseres?", „Das klappt schon!" und „*Du* brauchst sie ja nicht auf den Zeh zu setzen, Tanc!"

„Und was wird dann mit Ollie?", fragte Tancred. „Wo soll er hin, wenn er erst mal draußen ist? Wir sind ja dann nicht da, um ihm zu helfen. Wir können ja nicht als Spinnen verkleidet rausmarschieren."

Olivia sagte: „Darüber haben wir nachgedacht, Emma und ich. Er kann in die Buchhandlung gehen. Die ist leicht zu finden, weil sie direkt neben der Kathedrale liegt, und die sieht man von der ganzen Stadt aus."

„Ich habe meiner Tante gesagt, wenn es an der Tür klingelt, und da ist keiner …"

„… außer einer Spinne", brummelte Tancred.

„Na, jedenfalls", fuhr Emma fort, „wird sie sich um ihn kümmern, bis wir ihn – sichtbar kriegen."

Charlies Gehirn ratterte. Sein Onkel würde sich bald ein neues Auto besorgen müssen. Wenn er sich nun einen Kleinbus kaufte? Bald waren Ferien. Ob es wohl ginge, dass sie alle zusammen eine Reise nach Schloss Funkenstein machten, acht Kinder – und ein Hund?

„Ich glaube, wir haben jetzt genügend Fragen geklärt, um die Operation zu starten", sagte Lysander. „Lasst uns Montagnacht anfangen, mit den Punkten eins und zwei, die Boa finden und zähmen."

Charlie sah noch ein Problem: „Wie sollen wir Billy Raven unbemerkt auf den Speicher des Westflügels kriegen?"

„Ablenkung", sagte Tancred, der sich jetzt wieder gefasst zu haben schien. „Überlasst das uns, Lysander und mir. Wir schaffen das schon, was, Sander?"

Lysander nickte.

Sie verließen das Café bester Laune, allesamt begierig, die neue Woche zu beginnen. Im Moment wollte keines der Kinder an die Risiken ihrer Mission denken. Sie sahen im Geist nur den sichtbaren Ollie Sparks endlich wieder mit seinen leidgeprüften Eltern vereint.

Während die anderen nach Hause gingen, um ihre Tiere zu füttern oder etwas für das Abschlussstück vorzubereiten, führte Charlie Runnerbean aus. Als er den Hund ins Café *Zum glücklichen Haustier* zurückbrachte, kam Mr Onimous hinter der Theke hervorgeschossen.

„Da ist was im Gang", sagte der kleine Mann.

„Wenn du Hilfe brauchst, Charlie, weißt du ja, an wen du dich wenden kannst."

Charlie dankte Mr Onimous und lief schnell in die Filbert Street zurück, gespannt, ob die wundersame Gesundung seines Onkels tatsächlich von Dauer war.

War sie.

Als Charlie in die Küche guckte, sah er zu seiner Verblüffung seine Mutter und Paton mit Grandma Bone beim Tee sitzen. Oder besser gesagt, beim Nachtisch. Es war ein heißer Nachmittag und Paton hatte mehrere Packungen alkoholhaltiger Eiskremspezialitäten bei demselben Delikatessengeschäft geordert, das auch das Mittagessen geliefert hatte.

Charlie wurde zum Mitessen eingeladen und setzte sich Grandma Bone gegenüber. Sie verputzte gerade ein großes Schälchen grün-braun gestreifter Eiskrem mit Mandelsplittern darauf. Sie würdigte Charlie keines Blickes, sondern spachtelte nur ihr Eis, nach Charlies Schätzung mit einem Tempo von zwei Löffeln pro Sekunde.

„Schoko, Kirsche, Rum und Walnuss? Karamell, Apfel, Cognac und Mandeln? Oder Mocca, Orange, Whisky und Erdnuss?", fragte ihn Paton.

Charlie entschied sich für das Schokoeis und machte sich darüber her. Es war das köstlichste Eis, das er je gegessen hatte. Er hoffte, Patons Genesung bedeutete, dass so was nun jedes Wochenende in Nummer neun eintraf.

Grandma Bones Schälchen war jetzt leer. Sie starrte es traurig an und wischte sich mit dem Handrücken den Mund. Charlie fand, dass sie beschwipst wirkte. Als sie aufstand und zur Spüle ging, schwankte sie ein bisschen. Sie hatte immer noch kein Wort gesagt, ja, nicht mal in Charlies Richtung geguckt. Was war bloß mit ihr los?

Charlies Mutter sagte: „Das war so ziemlich das Beste, was ich je gegessen habe. Danke, Paton."

„War mir eine Freude." Paton zwinkerte Charlie zu, als Grandma Bone langsam und würdevoll am Tisch vorbei und aus der Küche stakste.

„Was ist denn nur mit Grandma passiert?", flüsterte Charlie.

Seine Mutter legte sich den Zeigefinger auf die Lippen. Charlie grinste. Jetzt erst bemerkte er den Deckelkorb, der innen neben der Tür stand. Das brachte ihn auf eine Idee. Als seine Großmutter endlich oben angekommen war und ihre Zimmertür zugemacht hatte, fragte Charlie seinen Onkel, wo denn der Korb herkomme.

„Darin hat das Delikatessengeschäft das Mittagessen geschickt."

Charlie ging den Korb inspizieren. Er war nicht ganz ausgepackt worden. Drinnen lagen noch mehrere Gläser Marmelade, ein Teekuchen und zwei Packungen Kekse. Charlie nahm ein Glas „Beste Erdbeerkonfitüre" heraus.

„Mit ganzen Erdbeeren", murmelte er. „Onkel Paton, kann ich die Marmelade hier haben?"

„Aber sicher, Charlie. Ich kann mir denken, wofür."

„Und dieser Korb", fragte Charlie. „Meinst du, du könntest den Laden dazu kriegen, so einen in größer der Köchin vom Bloor zu schicken? Den größten, den sie haben?"

„Wozu denn um alles in der Welt, Charlie?", fragte seine Mutter.

„Charlie hat einen Plan", sagte Paton. „Wir müssen einfach mitmachen, ohne zu viele Fragen zu stellen, Amy."

Mrs Bone schüttelte den Kopf. „Ich hoffe nur, das wühlt nicht alles wieder auf", sagte sie. „Grandma Bone war heute Nachmittag richtig friedlich."

„Zu friedlich", murmelte Charlie. „Und zu still. Da braut sich irgendwas zusammen, so viel ist klar. Möchte wissen, was die Tanten vorhaben."

Die Nacht des Windes
und der Geister

Am Montag nutzte Charlie die erstbeste Gelegenheit, mit der Köchin zu reden. Während des Mittagessens witschte er schnell in die Küche, unter dem Vorwand, einen Wischmopp zu holen, weil jemand ein Glas Wasser umgekippt hatte.

Die Köchin sah Charlie an der Küchentür stehen und kam herüber. Ein aufmerksamer Beobachter hätte sich wohl gefragt, was die beiden da so ausführlich über Wischmopps zu diskutieren hatten. Aber die Küchenfrauen waren viel zu gehetzt, um irgendetwas zu bemerken. Charlie redete die meiste Zeit und die Köchin nickte ab und zu und tätschelte ihm manchmal beruhigend die Schulter.

Charlie sagte: „Danke!", und ging ohne Mopp wieder hinaus.

Billy Raven saß zwischen Gabriel und Fidelio an Charlies Tisch und als Charlie sich wieder hinsetzte, fiel ihm auf, dass Billy total deprimiert wirkte. Aber fröhlich hatte er schon nicht mehr ausgesehen, seit Rembrandt nicht mehr da war.

Gabriel war es schließlich, der das Gespräch auf

die schwarze Ratte lenkte. „Würdest du Rembrandt gern wiedersehen?", fragte er Billy.

Billy nickte traurig. „Er war mein bester Freund. Mit ihm konnte ich praktisch über alles reden. Er ist so klug. Aber wie sollte ich ihn sehen können? Sie lassen mich doch hier nicht raus." Billys rote Augen füllten sich mit Tränen.

„Das ließe sich schon arrangieren", sagte Charlie. „Die Köchin sagt, sie könnte ihn nehmen und dann könntest du ihn jedes Wochenende sehen. Aber du müsstest versprechen, ganz bestimmt niemandem zu erzählen, wo er ist."

„Das tu ich nicht!", sagte Billy und legte die Hand aufs Herz. „Ich schwör's!"

„Wenn wir das für dich regeln, musst du aber auch was für uns tun", sagte Fidelio.

„Was denn?" Billy guckte sofort ganz ängstlich.

Charlie schlug vor, draußen weiterzureden.

Olivia und Emma saßen unter einem Baum, als sie Charlie und seine Freunde in den Garten herauskommen sahen.

Normalerweise wären sie zu den dreien hingerannt, aber weil Billy dabei war, beschlossen sie, lieber sitzen zu bleiben, um auf keinen Fall in eine offensichtlich heikle Situation hineinzuplatzen.

Billy war sehr blass – er schüttelte immer wieder den Kopf und knabberte nervös an den Fingernägeln. Aber dann sagte Gabriel etwas und der Kleine beruhigte sich. Er lächelte irgendwie resigniert, nickte und ließ den Kopf hängen.

Als das Jagdhorn ertönte, rannten die beiden Mädchen los und erwischten Charlie gerade noch, ehe er die Halle betrat.

„Was ist mit Billy?", fragte Olivia.

„Er macht's", flüsterte Charlie aufgeregt. „Heute Nacht geht's los. Bleibt in eurem Schlafsaal und behaltet Belle im Auge."

Emma drückte Charlie rasch die Spinne in die Hand. „Die wirst du brauchen", sagte sie.

Während der restlichen Unterrichtsstunden fiel es Charlie schwer, sich auf irgendetwas anderes zu konzentrieren als auf die kommende Nacht. Er wusste, er würde mindestens bis Mitternacht warten müssen, ehe er und Billy losgehen konnten, um die blaue Boa aufzustöbern.

Und wenn Billy sich nun doch nicht mit der Schlange verständigen konnte? Wenn die Boa sie stattdessen einfach beide umschlang und unsichtbar machte? Was dann?

Nach der Hausaufgabenzeit holte Charlie Tancred und Lysander auf dem Weg zu den Schlafsälen ein. „Seid ihr heute Nacht dabei?", fragte er sie. „Billy macht es."

306   „Wir übernehmen unseren Teil", grinste Tancred geheimnisvoll. „Um wie viel Uhr?"

„Ich hoffe nur, wir jagen dem Kleinen keine Angst

ein", sagte Lysander. „Die Ahnen können manchmal ganz schön Furcht erregend aussehen."

„Ich werde Billy sagen, ihr habt alles unter Kontrolle", sagte Charlie.

„Schön wär's!" Lysander gluckste vergnügt.

In dem Moment rauschte Zelda Dobinsky an ihnen vorbei. Sie bedachte die drei mit einem gehässigen Blick und ließ einen von Tancreds Ordnern zur Decke emporfliegen. Eine Wolke von losen Blättern segelte herab und der Ordner klatschte auf den Boden.

„Die hält sich für wahnsinnig clever", murmelte Tancred, während er die Zettel einsammelte.

„Warte bis heute Nacht", sagte Lysander leise. „Da kriegt sie den Schock ihres Lebens."

„Was macht ihr denn da?" Diesmal war es Belle, die sich angeschlichen hatte.

Die Jungen traten zur Seite und sie stapfte über die Blätter und trampelte absichtlich darauf herum.

„He, Vorsicht!", rief Tancred. „Das sind meine Aufgaben."

„Na und?" Sie funkelte ihn mit kirschroten Augen an.

„Also pass gefälligst auf", fauchte Tancred zurück und sein gelbes Haar knisterte.

„Probleme?", fragte eine Stimme und Asa kam durchs Halbdunkel angetrabt.

307

„Nichts, womit ich nicht allein fertig werde." Belle schenkte Asa ihr strahlendstes Lächeln.

Asa griente freudig. „Hebt das Zeug auf und macht, dass ihr in eure Schlafsäle kommt", befahl er den Jungen.

Belle warf die blonden Locken zurück und ging weiter und Asa trottete hinter ihr her.

„Ich glaube, sie ahnen irgendwie, dass heute Nacht etwas steigt", flüsterte Charlie, während er den anderen die Blätter aufzusammeln half.

„Aber sie wissen nicht, was", beruhigte ihn Lysander. „Viel Glück, Charlie!"

„Danke!" Charlie ging weiter zu seinem Schlafsaal. Billy Raven saß aufrecht im Bett und sah schrecklich nervös aus.

„Alles okay, Billy?", fragte Charlie.

Billy schüttelte heftig den Kopf. „Ich hab solche Angst", flüsterte er.

„Brauchst du nicht. Unsere Chancen stehen gut. Ich wecke dich, wenn es so weit ist." Charlie ging zu seinem eigenen Bett und zog seinen Schlafanzug an.

Im Nachbarbett lag Fidelio auf der Seite und las eine Partitur, wie andere Leute Bücher lasen. „Soll ich heute Nacht mitkommen?", fragte er Charlie.

„Nicht nötig", erwiderte Charlie. „Es wäre besser, wenn du hierbleiben und die Augen offen halten würdest."

308   „Klar doch." Fidelio wandte sich wieder seiner Partitur zu und summte leise vor sich hin, während er die Noten überflog.

Gabriel kam erst kurz vor Lichtaus. Er war ganz rot im Gesicht und außer Atem, entweder vom Rennen, oder weil ihm irgendetwas widerfahren war. Unterm Arm hatte er einen zusammengerollten grünen Umhang.

„Wechselst du zu Kunst?", sagte Charlie, aber es war eher ein Scherz als eine ernsthafte Frage.

Aber Gabriel ging nicht darauf ein. Ihm war offenbar nicht nach Scherzen zumute. Er ließ sich schwer auf sein Bett fallen.

„Ich hab Mr Boldovas Umhang gefunden", sagte er leise. „Er lag ganz hinten in einem Schrank im Zeichensaal. Ich hab gesucht, ob da irgendwas ist, was uns einen Hinweis darauf gibt, wieso er so plötzlich verschwunden ist."

„Und hat der Umhang ... du weißt schon?"

„Hat er allerdings", sagte Gabriel.

Fidelio sah auf. „Was ist los?", fragte er.

Gabriel sah sich im Schlafsaal um. Jungen gingen in den Waschraum oder kamen heraus, andere lagen im Bett und lasen, schwatzten oder stritten. Für Gabriel und den grünen Umhang schien sich niemand zu interessieren.

„Mr B. ist ganz in der Nähe", sagte Gabriel leise. „Er ist nicht nach Hause gegangen. Aber er ist – irgendwie verschwunden. Es ist das gleiche Gefühl, wie ich's damals bei deinem Vater hatte, Charlie, aber bei Mr Boldova ist es nicht ganz so schlimm. Vielleicht liegt das ja daran, dass er sonderbegabt ist. Er kann sich immer noch wehren."

Die Erwähnung seines Vaters traf Charlie völlig unvorbereitet. An ihn hatte er bis zu diesem Moment überhaupt nicht mehr gedacht. Aber jetzt fragte er sich plötzlich, ob seine eigene Familie je wieder vollständig sein würde. Wo war Lyell Bone? Weit, weit weg oder näher, als irgendjemand ahnte? Ganz in der Nähe, aber trotzdem verschwunden?

Gabriel sah Charlies besorgtes Stirnrunzeln und sagte: „Ich geh heute Nacht mit euch, Charlie."

„Ist nicht nötig", sagte Charlie schleppend.

„Ich komme aber mit", sagte Gabriel entschlossen. „Und ich werde das hier anziehen." Er stopfte den grünen Umhang unter sein Kopfkissen. „Mr Boldova war ein sehr mutiger Mann. Ich schätze, sein Umhang wird mir eine Extraportion Mut verleihen."

In gefährlichen Situationen strahlte der verträumte und ein bisschen versponnene Gabriel plötzlich Ruhe und eine seltsame Kraft aus. Charlie war froh, dass er ihn bei dieser riskanten Boajagd dabeihaben würde.

Die Schüler am Bloor sprechen bis heute von der Nacht des Windes und der Geister. Sie wird ewig unvergessen bleiben.

310   Schlag Mitternacht, zu dieser magischen Stunde, in der Charlie sich immer am entschlossensten fühlte, verließen die drei Jungen den Schlafsaal und machten

sich auf den Weg zum Westflügel. Billy ging zwischen Charlie und Gabriel, der Mr Boldovas grünen Umhang trug.

Hinter ihnen erhob sich ein leises Lüftchen. Nach und nach wurde das Lüftchen zu einem Wind, der durch die Gänge pfiff, an Türen und Fenstern rüttelte, Teppiche lüpfte und Vorhänge bewegte. In den Schlafsälen zogen sich Kinder die Bettdecke über den Kopf, um das merkwürdige Heulen, Quietschen und Klappern draußen vor der Tür nicht zu hören.

Lucretia Darkwood war von ihrer hellseherisch begabten Schwester Eustacia gewarnt worden, dass in dieser Nacht im Bloor etwas Seltsames passieren würde. Als Lucretia den unnatürlichen Wind hörte, sprang sie sofort aus dem Bett, entschlossen, jedweden „Unsinn" abzustellen. Doch als sie ihre Tür öffnete, warf sie der Wind mit solcher Wucht auf ihr Bett zurück, dass sie nur atemlos und verängstigt dort liegen bleiben konnte.

Auch andere versuchten in dieser Nacht, ihre Zimmer zu verlassen – vergebens. Manfred Bloor zerrte laut schimpfend an seiner Türklinke, während von draußen zwei braune Hände die Tür fest zuhielten.

Der alte Ezekiel schaffte es nicht mal, in seinem Rollstuhl bis zur Tür zu kommen. Eine Armee von Speeren war in sein Zimmer eingedrungen. Sie hingen rings um ihn in der Luft und fuhren zischend auf ihn ein, sobald er sich zu rühren versuchte.

Im Stockwerk darunter marschierte Dr. Bloor bereits seinen hell erleuchteten und mit dickem Teppichboden ausgelegten Flur entlang. Auf der Hälfte der Strecke schlug ihm der Wind entgegen, aber davon ließ sich ein Mann wie Dr. Bloor nicht aufhalten. Er kämpfte sich knurrend weiter, bis er auf etwas stieß, dem selbst er nicht gewachsen war. Zuerst ging das Licht aus, dann ragten plötzlich drei geisterhafte Erscheinungen vor ihm auf. Ihre Gesichter waren in Nebel gehüllt, aber die braunen Hände mit den glänzenden Speeren sah man nur zu gut. Und die Gestalten produzierten ein seltsames Geräusch, ein fernes, rhythmisches Trommeln.

Ganz oben im Westturm nahm ein Mann, der kaum jemals schlief, die Hände vom Klavier und legte sie in den Schoß. Mr Pilgrim lauschte den Mitternachtsglocken. Aber da waren noch andere Geräusche in der Luft, fernes Getrommel und Wind, der stöhnte und sang. Der Musiklehrer runzelte die Stirn und versuchte sich zu erinnern, wie sein Leben einmal gewesen war.

Emma und Olivia hatten die ganze Nacht kein Auge zugetan. Sie hatten dagelegen und ins Dunkel gespäht und gehorcht. Schlag Mitternacht sah Olivia plötzlich eine helle Gestalt in Richtung Tür huschen. In Sekundenschnelle war sie aus dem Bett gesprungen und rannte auf die Gestalt zu. Die drehte sich zu ihr um und Olivia erblickte eine hässliche alte Frau.

„Verschwinde", fauchte die Frau.

„Nein." Olivia packte ein knochiges Handgelenk und hielt es so fest sie konnte.

„Hau ab!", kreischte die Alte.

„Ich weiß, wer Sie sind, Sie alte Hexe", rief Olivia. „Sie heißen Yolanda Darkwood und ich habe keine Angst vor Ihnen, nicht das kleinste bisschen."

„Ach, ja?" Die Alte stieß ein kehliges Lachen aus und alle anderen Mädchen im Schlafsaal bis auf zwei verkrochen sich tiefer unter der Bettdecke.

Olivia, die das knochige Handgelenk der Alten immer noch festhielt, wurde auf den Gang hinausgeschleift. Als sie verzweifelt um sich trat, wurde ihr Bein plötzlich von stählernen Kiefern gepackt. Olivia schrie auf, als sich spitze Zähne in ihr Fleisch gruben, und dann sah sie ins Gesicht eines Untiers, einer so schrecklichen Bestie, dass sie die Augen zumachen musste. Das dürre Handgelenk entglitt ihren Fingern und durch halb geschlossene Lider sah sie die weiß gewandete Alte und das Untier im Schattendunkel verschwinden.

Als Olivia sich in den Schlafsaal zurückschleppte, stolperte sie über etwas, was direkt hinter der Tür lag. Es war Emma, von Kopf bis Fuß mit dicker Schnur umwickelt.

„Emma!", stieß Olivia hervor. „Was ist passiert?"

„Ich wollte helfen", stöhnte Emma. „Ich dachte, als Vogel könnte ich ..."

Olivia sah die Federn an Emmas Fingerspitzen, schmerzhaft fest zusammengeschnürt.

„Oh, Em. Wer war das?" Sie zerrte an der Schnur.

„Weiß nicht genau. Ich glaube, es war Dorcas."

Olivia musterte die beiden Bettenreihen aufmerksam. Alle Mädchen hatten sich die Bettdecke über den Kopf gezogen.

„Ich krieg das schon auf, Emma", sagte sie entschlossen und als sie einen Knoten fand, bearbeitete sie ihn mit den Zähnen.

Emma seufzte erleichtert auf und die weichen, schwarzen Federn an ihren Fingerspitzen bildeten sich allmählich zurück.

Billy, Charlie und Gabriel waren in dem staubigen, von Gaslampen erhellten Bereich des Westflügels angelangt, wo der alte Ezekiel seit hundert Jahren wohnte. Billy zitterte jetzt vor Angst. Gabriel und Charlie hielten ihn an den Händen und führten ihn zu der Treppe, wo Charlie die blaue Boa gesehen hatte.

Die Schlange war immer noch da, eine silbrig blaue Spirale am oberen Ende der Treppe, leise glitzernd im Schummerlicht.

Als die drei Jungen die Stufen hinaufstiegen, hob das Geschöpf den Kopf und sie erstarrten. Charlies Beine waren plötzlich wie Blei. Er konnte sich nicht rühren. Hinter sich hörte er Billy erschrocken nach Luft schnappen.

„Red mit ihr, Billy", flüsterte Charlie.

Schweigen.

„Billy?", sagte Gabriel.

„Ich k... kann nicht", murmelte Billy. „Ich weiß nicht, was ich sagen soll."

„Irgendwas", sagte Charlie verzweifelt. „Sag irgendwas."

Plötzlich zischte die Boa laut. Sie pendelte bedrohlich hin und her und dann fuhr der Kopf herab und genau auf Charlie zu. Der wich zurück und hätte beinah Billy umgeworfen.

Zu Charlies Überraschung erwiderte Billy das Zischen der Schlange und das Geschöpf richtete sich mit einem glucksenden Geräusch wieder auf. Fast als könnte er nicht anders, zwängte Billy sich an Charlie vorbei und ging langsam die Stufen hinauf auf die Boa zu.

Charlie wich immer weiter zurück, bis er neben Gabriel unten im Gang stand. Atemlos beobachteten die beiden, wie der kleine Junge dem glitzernden blauen Schlangengeringel immer näher kam. Das Glucksen der Boa wurde leiser und intensiver und Billy, der jetzt die Sprache des Geschöpfes gefunden zu haben schien, antwortete mit Summen und zischelndem Pfeifen. Am oberen Ende der Treppe ließ er sich im Schneidersitz nieder und sah die seltsame Schlange mit den Halsfedern an. Und obwohl Charlie die Sprache der Schlange nicht verstehen konnte,

315

hatte er doch das Gefühl, dass sie mit Billy warm geworden war und ihm eine Geschichte zu erzählen versuchte.

Leise übersetzte Billy die Worte der blauen Boa: „Sie sagt ... sie wurde vor tausend Jahren geboren. Einst ... lebte sie bei einem König ... der sie sehr gut behandelte. Aber eines Tages ... ging der König fort ... und sein Sohn ... quälte sie, bis sie nichts mehr fühlte als Hass ... Hass ... Hass ... und anfing zu töten. Die Tochter des Königs fand sie ... zusammengerollt und vor Wut zischend ... und ... sie ... schaffte es fast, sie zu heilen ... mit ihrer Freundlichkeit. Aber die Boa konnte ... das Verlangen ... die Gier, andere Wesen zu umschlingen ... nicht vergessen ... also verwandelte die Prinzessin ihre Kraft ... die Opfer unsichtbar zu machen ... statt zu töten.“

Billy drehte sich langsam zu Charlie und Gabriel um. „Eigentlich ist sie eine gute Schlange“, erklärte er ihnen. „Seit die Prinzessin starb, hat sie mit niemandem mehr geredet ... bis jetzt. Ich glaube, ich hab sie glücklich gemacht.“

„Pass auf, Billy“, warnte Charlie.

Die Schlange kam auf Billy zu und der weißhaarige Junge drehte sich gerade in dem Moment wieder um, als sie auf seinen Schoß glitt. Billy schrie erschrocken auf, als die Kreatur sich um seine Taille wand. Langsam verschwand Billys untere Körperhälfte.

„Oh, nein!“, rief Charlie. „Was haben wir getan?“

316

„Psst!", machte Gabriel. „Horch."

Billy flüsterte und summte weiter. Er gab eine Serie kurzer, gurgelnder Laute von sich, als sich die Boa um seinen Hals schlang. Da hing sie nun und hörte ihm allem Anschein nach zu und langsam wurde Billys Körper wieder sichtbar.

„Wow! Sie kann es", sagte Charlie. „Sie kann es wirklich."

„Frag die Boa, ob sie das auch bei einem anderen Jungen kann", sagte Gabriel. „Bei einem, den sie ganz unsichtbar gemacht hat."

Billy summte weiter und die Boa antwortete mit erneutem Glucksen und Zischen.

„Sie sagt, sie macht es", erklärte Billy, „wenn wir versprechen, sie nicht in ein Glas zu sperren … Sie lag Hunderte von Jahren in einer blauen Flüssigkeit … mit den Knochen eines Vogels … bis Mr Ezekiel sie wieder belebt hat. Deshalb hat sie jetzt Federn. Ich hab ihr gesagt, wir würden sie nie in ein Glas sperren. Wir würden sie irgendwohin bringen, wo sie in Sicherheit ist." Billy sah Charlie an. „Das stimmt doch hoffentlich."

„Es stimmt", sagte Charlie. „Ich verspreche, dass ihr niemand etwas tut."

„Okay", sagte Billy. „Und jetzt?"

„Jetzt bringen wir sie hinunter in die Küche", sagte Charlie.

Billy stand auf und stieg vorsichtig die wacklige

Treppe hinab, während sich die Boa noch immer glücklich um seinen Hals schmiegte.

„Hoffentlich kriegen wir sie wieder ab", flüsterte Gabriel Charlie zu, während sie den Gang entlanggingen. „Was die wohl frisst?"

„Wer weiß?" Plötzlich fiel Charlie noch etwas ein. Er zog das Glas „Beste Erdbeerkonfitüre" aus seiner Schlafanzugtasche, hielt es fest in der Hand und rief leise: „Ollie Sparks, bist du da? Ich hab dir Marmelade mitgebracht."

Aber das Gebäude war immer noch in der Gewalt des Windes und der Geister. Charlies Worte gingen im Getöse unter und es kam keine Antwort.

Als sie sich der Haupthalle näherten, wurde das Heulen und Tösen des Winds noch lauter. Hin und wieder huschte eine helle Gestalt neben ihnen her und ein glänzender Speer oder ein gefiederter Pfeil sauste über ihre Köpfe.

Völlig unbeeindruckt von den ganzen übernatürlichen Aktivitäten ging Billy voran, während ihm die Boa leise ins Ohr zischelte.

Sie kamen an den Treppenabsatz über der Halle und als sie in die lang gestreckte, steingeflieste Halle hinabschauten, entdeckten sie den Quell der nächtlichen Magie. Zwei seltsame Gestalten wirbelten über den Steinboden, so schnell, dass ihre grünen Umhänge wie schwirrende Libellenflügel aussahen. Man hätte sie unmöglich auseinanderhalten können, wären da nicht die Haarschöpfe gewesen – der eine schwarz, der andere flackernd gelb.

Billy wollte gerade eben als Erster die Haupttreppe hinuntergehen, als er plötzlich einen Schreckensschrei ausstieß. Eine Riesenspinne war von der Decke herabgeplumpst und saß jetzt direkt vor ihm auf der Treppe.

Sie war so groß wie Billy, mit Augen wie glühende Kohlen und acht schwarz behaarten Beinen.

„Ganz ruhig", sagte Gabriel. „Das ist nicht, was es zu sein scheint." Er trat vor und ging auf die Spinne zu. Die riesige Kreatur sprang abrupt aufs Treppengeländer und schwang sich an einem fingerdicken, silbernen Faden in die Halle hinab.

Sie landete direkt vor Tancred, dessen wirbelnder Körper ins Stocken kam und dann gänzlich erstarrte. Sein Umhang sank schlaff herab und seine Schultern ebenfalls. Ganz weiß vor Entsetzen starrte er die Spinne an und der wilde Wind, der das ganze Gebäude erfüllt hatte, erstarb.

„Nicht aufhören, Tancred", rief Gabriel. „Das ist *sie* – Yolanda. Keine Angst. Sie kann dir nichts tun."

Aber Tancred konnte sich nicht rühren.

Yolanda hatte ihre Gestalt mit Bedacht gewählt. Tancred war wie gelähmt, also musste Gabriel es selbst mit der Spinne aufnehmen. Er wickelte den Umhang des mutigen Mr Boldova fest um sich, rannte in die Halle hinunter und schrie: „Hierher,

Yolanda! Hierher, du alte Hexe! Was kannst du mir tun, hä?"

Die Spinne drehte sich um. Ihre vordersten Beine griffen nach Gabriel und ihre roten Augen loderten. Gabriel sprang beiseite, aber schon der eine kurze Blick in diese hypnotischen Augen hatte ihn ganz benommen gemacht.

Und dann marschierte Billy schnurstracks an ihm vorbei und rief: „Mit mir kannst du das nicht machen, Yolanda. Ich bin nicht hypnotisierbar, von nichts und niemandem."

Und die Boa, die jetzt mit Leib und Seele an Billy hing, fuhr auf die Spinne los, mit einem Zischen, das die ganze Halle erfüllte und das riesige Untier schaudernd in sich zusammenschrumpfen ließ.

Der kleine Trupp marschierte, mit Billy an der Spitze, weiter in Richtung Küche. Doch kurz bevor sie die Halle hinter sich ließen, ließ sie ein schreckliches Geheul erschrocken herumfahren. Die Bestie, die Charlie in der Ruine gesehen hatte, stand oben an der Treppe, umringt von großen, geisterhaften Gestalten in hellen Gewändern. Die Gestalten trugen jede Menge glänzender Armreifen und die bedrohlichen Spitzen ihrer langen Speere reichten bis weit über ihre Köpfe.

„Heute Nacht wird die Bestie nicht mehr weit kommen", sagte Charlie grimmig.

Die drei Jungen liefen rasch den Gang mit den Porträts entlang und Gabriel holte seine Taschenlampe heraus, um vor ihnen herzuleuchten.

Die Köchin erwartete sie schon ungeduldig an der Tür zur blauen Cafeteria, einen riesigen Deckelkorb zu ihren Füßen. Onkel Paton hatte offensichtlich Wort gehalten. Der Korb hatte sogar Räder.

„Du liebes bisschen", sagte die Köchin. „Du bist wirklich ein tapferer Junge, Billy. Meinst du, deine Schlange würde in diesen Korb kommen?"

Billy flüsterte auf die Boa ein, aber die machte keine Anstalten, sich von ihm zu lösen. Er summte und zischelte sanft und begütigend und ganz allmählich lockerte die Schlange ihre Umklammerung. Billy hievte sie sich von den Schultern und legte sie behutsam in den Korb. „Sie wird jetzt tun, was Sie wollen", sagte er.

„Danke, Billy." Die Köchin schloss den Korbdeckel und schnallte den Riemen zu.

„Alles wird mir weggenommen", murmelte Billy traurig. „Alles."

Und Tränen stiegen ihm in die Augen.

„Nicht alles", sagte die Köchin. „Bald schon wirst du einen Freund wiedersehen. Rembrandt heißt er, wenn ich mich nicht irre."

„Echt?" Billy wischte sich die Nase mit dem Ärmel und strahlte.

321

„Und was gibt's Neues von Ollie Sparks? Ich muss zu meiner Schande gestehen, ich hab's nicht geschafft, dem armen Kerlchen etwas zu essen zu bringen. Dieser Weedon beobachtet mich auf Schritt und Tritt."

„Wir haben ihn vorübergehend aus den Augen verloren", gestand Charlie. „Aber wir finden ihn wieder. Wir geben nicht auf."

„Ihr solltet ihn besser bald finden", sagte die Köchin seufzend. „Und jetzt geht, ihr drei. Um das hier kümmre ich mich." Sie hob den Korb hoch und verschwand in der Cafeteria.

Begleitet vom singenden Wind und einer hurtigen Geisterschar, flitzten die drei wieder nach oben. Sie kamen an Tancred und Lysander vorbei, die noch immer in der Halle ihre magischen Kräfte walten ließen, aber die Riesenspinne und die Bestie waren verschwunden. Gabriel und Billy liefen vor Charlie her und waren gerade in den Gang zu den Schlafsälen eingebogen, als plötzlich eine kalte Hand Charlies Unterarm umklammerte. Charlie erschrak sich fast zu Tode.

„Ich bin's", sagte eine Stimme. „Ollie Sparks."

„Ollie?", flüsterte Charlie erleichtert. „Ich hab hier was für dich."

„Marmelade", sagte Ollie. „Ich hab's gehört."

„Hier, ‚Beste Erdbeerkonfitüre'", sagte Charlie. Er hielt die Marmelade vor sich.

„Wow! Meine Lieblingssorte. Danke, Charlie."

Was genau passierte, war schwer zu erkennen,

aber Charlie fühlte, wie ihm die Marmelade aus der Hand gerissen wurde – und dann verschwand sie. „Ollie, ich hab gute Neuigkeiten", sagte er. „Wir haben eine Möglichkeit gefunden, dich wieder sichtbar werden zu lassen. Aber irgendwie musst du aus dem Bloor raus. Emma hat die hier gebastelt, als Tarnung für deinen Zeh. Da ... es ist eine Spinne."

Als Antwort kam ein leises Lachen und die Spinne wurde Charlie aus der Hand genommen. „Das ist bestimmt sehr nützlich, aber ich geh doch nicht raus, solange ich noch unsichtbar bin. Wo soll ich denn hin?"

Charlie nannte ihm Miss Ingledews Adresse. „Das ist direkt bei der Kathedrale und Miss Ingledew wird sich um dich kümmern, bis du ... na ja, bis du geheilt bist."

„*Wie* soll ich denn geheilt werden?", fragte Ollie misstrauisch.

Charlie ging auf, dass er wohl nicht umhin kam, ihm das mit der Boa zu sagen. Er schilderte ihm Billys seltsames Verschwinden und Wiederauftauchen. „Es klappt, vertrau mir."

„Die Boa?", krächzte Ollie. „Kommt nicht infrage. Die macht mich alle."

„Aber du *bist* doch schon alle, so mehr oder weniger. Ich meine, unsichtbar zu sein ist doch ein ziemlich jämmerliches Leben, oder? Willst du denn nicht nach Hause zu deinen Eltern? Überleg doch mal.

Willst du nicht, dass dein Bruder dich wieder als richtigen, ganzen Jungen sieht?"

Langes Schweigen, dann ein Seufzen und schließlich wieder Ollies Stimme aus dem Dunkel. „Doch", sagte er. „Doch, das will ich."

Charlie hatte ein schlechtes Gewissen, weil er von Mr Boldova – oder besser gesagt Samuel Sparks – gesprochen hatte. Einen Moment lang hatte er vor, Ollie die Wahrheit zu eröffnen: dass sie nicht wussten, wo sein Bruder war. Aber als er Ollies Namen sagte, kam keine Antwort und er begriff, dass der unsichtbare Junge sich davongemacht hatte.

Hoffentlich kommt er raus, dachte Charlie. Sonst war alles umsonst.

Die Köchin trug den Deckelkorb in ihr geheimes Reich hinter der Küche. Dort stellte sie sich auf einen Stuhl und öffnete die Luke in ihrer niedrigen Balkendecke.

„Hmm. Dürfte gerade durchpassen", murmelte sie vor sich hin.

Drei glühende Augenpaare sahen aus dem Dunkel auf sie herab.

„Ah, da seid ihr ja", sagte sie. „Brave Katzen. Ich habe ein Paket für euch. Hier kommt es." Und sie hievte den Korb durch die Luke.

Falls irgendein schlafloser Bürger in diesen sternklaren Morgenstunden aus dem Fenster gesehen hätte,

hätte sich ihm ein wahrhaft seltsamer Anblick geboten. Drei große Katzen liefen durch die menschenleeren Straßen, die eine gelb, die zweite orange und die dritte leuchtend kupferrot. Von ihrem Fell ging ein goldenes Glühen aus und ihre Schnurrhaare funkelten wie reinstes Silber. Die Katzen hielten das Ende eines Lederriemens zwischen den Zähnen und zogen einen rollenden Deckelkorb hinter sich her. Was mochte er enthalten? Ein gestohlenes Baby? Unschätzbar wertvolle Juwelen? Oder ein Festmahl für eine Party? Auf die richtige Antwort wäre niemand gekommen.

Die leuchtenden Geschöpfe liefen durch die Stadt, bis sie an einer grünen Tür am Ende einer schmalen Gasse angelangten. Die Tür ging auf und da stand ein sehr kleiner Mann.

„Gut gemacht, meine Schönen", sagte Mr Onimous. „Dann wollen wir mal einen Blick auf euren kostbaren Schatz werfen."

Die Macht der Boa

Für seine Flucht aus dem Bloor wählte Ollie eine Tür, von der kaum jemand wusste.

Als das Unsichtbarsein noch neu und spannend gewesen war, hatte Ollie die Freiheit, die es ihm bescherte, dazu genutzt, seine unersättliche Neugier zu befriedigen. So hatte er eines Nachts den Hinterausgang entdeckt. Aber der war abgeschlossen und auch wenn er's nicht gewesen wäre, hätte Ollie das Gebäude nicht verlassen. Zum einen, weil es draußen stockdunkel war, und zum anderen – wo hätte er denn hinsollen?

Diese Tür befand sich in der hinteren Wand der grünen Küche, in der Mr Weedons Frau Bertha das Regiment führte. Wenn Bertha nicht gerade kochte, saß sie meistens in einem abgewetzten Sessel und las Krimis. Ganz besonders stand sie auf Agatha Christie. Aber selbst wenn sie völlig in ihr Buch versunken schien, hatte Bertha Weedon doch immer ein halbes Auge auf die Tür. Sie wusste gern ganz genau, wer kam und ging.

Draußen vor der Tür war ein kleiner Hof für die

Mülltonnen. Die Müllmänner beschwerten sich immer darüber, und das war auch verständlich. Um auf die Straße zu kommen, mussten sie die Tonnen eine sehr steile Rampe hinaufrollen und dann durch zwei schwere, eisenbeschlagene Tore bugsieren.

Sämtliche Lieferungen kamen durch diese Tore, entweder die Rampe herunter oder aber über eine Steintreppe, die vor allem der Briefträger bevorzugte, seit er einmal die ganze Rampe hinuntergeschliddert war. (Eine matschige Banane war als Schuldige entlarvt worden.)

Am Dienstagmorgen machte sich Ollie auf den Weg hinunter in die grüne Küche. Emmas Spinne passte perfekt auf seinen rechten großen Zeh und es amüsierte ihn, sie einen Satz machen zu sehen, sooft er einen Schritt mit dem rechten Fuß machte.

Im Bloor war es ungewöhnlich ruhig und Ollie dachte, dass sonst noch niemand auf wäre – bis er in die grüne Küche kam. Mrs Weedon stand an der Hintertür, während der Fischhändler und sein Gehilfe riesige Plastikwannen mit tiefgefrorenem Fisch hereinschleppten.

„Da rein! Da rein!", rief Mrs Weedon im Befehlston und zeigte auf den mächtigen Gefrierschrank. „Und machen Sie schnell!"

Ollie wartete, bis die beiden Männer die Plastikwannen in den Gefrierschrank bugsierten, und ergriff dann die Gelegenheit beim Schopf. Als er den rechten

Fuß über die Türschwelle setzte, sah Mrs Weedon die Spinne und stampfte WUMM mit dem Fuß darauf.

„AUTSCH!", jaulte Ollie und ohne groß nachzudenken riss er den linken Fuß hoch und trat Mrs Weedon in die Magengrube.

„VERFLIXT!", schrie Mrs Weedon.

„Was haben Sie denn?", fragte der Fischhändler, der Crabb hieß.

„Das Mistvieh von Spinne – es haut ab!", kreischte Mrs Weedon. „Drauftreten – schnell – sie hat mir die Eingeweide zermalmt!"

„Sie machen Witze", lachte Mr Crabb.

„Mach ich NICHT!", schrie die erzürnte Frau. „Ich bin verletzt."

„Nein, ich meinte, sie machen Witze wegen der Spinne", sagte Mr Crabb."

„Mach ich NICHT!", schrie Mrs Weedon wieder. „ZERTRETEN SIE SIE!"

„Was – eine kleine Spinne?", sagte Mr Crabb ungläubig.

„Sie ist nicht KLEIN! Sie tritt zu wie der Teufel", schrie Mrs Weedon.

„Verstehe", sagte Mr Crabb jetzt ernster. „Komm, Brian, wir gehen."

328 Die beiden Fischhändler stiegen die Steintreppe etwas schneller als sonst hinauf, aber doch nicht schnell genug, um noch eine fette Spinne durch die schweren Tore und die Straße entlanghüpfen zu sehen.

Ollie war seit über einem Jahr nicht mehr draußen gewesen. Er konnte sich auf dem Weg durch die Stadt den einen oder anderen Luftsprung nicht verkneifen. Er war frei. Die Sonne war aufgegangen und die Kuppel der mächtigen Kathedrale glänzte im Morgenlicht.

„Ich bin draußen!", sang Ollie. „Für immer draußen. Und bald bin ich wieder ich!"

Als er die Kathedrale erreichte, schaute er an dem uralten Gebäude hinauf, beeindruckt von den steinernen Monstern, die von dem riesigen Portal herabstarrten.

„Ich bin frei!", rief Ollie.

Es war niemand in der Gegend, also tanzte er über den kopfsteingepflasterten Platz und sang: „Bald bin ich wieder ich, ich, ICH!"

Die Sonne funkelte auf einem kleinen Schaufenster, wo einige dicke ledergebundene Bücher vor einem roten Samtvorhang ausgestellt waren.

„Buchhandlung Ingledew", war über der Ladentür zu lesen. Er lief hin und klingelte.

Eine junge Frau guckte aus einem Fenster im Obergeschoss. Sie starrte auf den Fleck, wo Ollie stand. Selbst auf die Entfernung erkannte sie die dicke schwarze Spinne, die ihre Nichte erst vor ein paar Tagen gebastelt hatte.

„Ollie?", fragte sie.

„Hallo!", sagte Ollie. „Ja, ich bin's."

„Sekunde, ich komme runter."

Gleich darauf öffnete sich die Ladentür mit einem hellen melodischen Klimpern und da stand Miss Ingledew in einem blauen Morgenrock. Ihr hübsches Gesicht lächelte warm und Ollie fühlte sich sofort gut aufgehoben.

„Komm rein, Ollie", sagte Miss Ingledew, an die Spinne gerichtet, weil sie ja sonst nichts sah.

Ollie stieg die Stufen zum Ladenraum hinunter und sah sich um. Lauter Regale mit Büchern. Die Bücher sahen interessant aus, mit ihren aufwändigen, ledernen Einbänden und dem goldenen Prägedruck auf den Rücken.

„Ist das toll hier!", sagte er.

„Danke", sagte Miss Ingledew. Sie schaute sich nervös um und sah die schwarze Spinne beim Ladentisch sitzen. „Ich nehme an, du könntest bestimmt ein Frühstück vertragen."

„Und ob!", seufzte Ollie. „Haben Sie zufällig Marmelade?"

„Jede Menge. Emma hat mich gebeten, welche für dich zu besorgen. Aber vielleicht möchtest du auch Eier und Speck?"

„Eier und Speck!", jubelte Ollie. „Ich habe schon über ein Jahr nichts Warmes mehr gegessen."

330 „Du meine Güte. Das müssen wir schleunigst wiedergutmachen."

„Und nach dem Frühstück, kann ich da geheilt

werden?", fragte Ollie. „Kann ich die blaue Boa sehen und wird sie mich wieder sichtbar machen?"

„Ich glaube, damit warten wir besser bis heute Abend", sagte Miss Ingledew. „Tagsüber ist die Innenstadt sehr voll und ich möchte nicht, dass du zerquetscht wirst – oder verloren gehst."

„Ich auch nicht", sagte Ollie. „Okay, dann also heute Abend. Kann ich jetzt bitte was von der Marmelade haben?"

Während Ollie seine erste warme Mahlzeit seit vielen, vielen Monaten verputzte, wachten die Kinder und Lehrer am Bloor gerade erst auf.

Als Charlie zum Frühstück hinunterging, bemerkte er bei den Lehrern, die an ihm vorbeieilten, eine gewisse Verlegenheit. Noch deutlicher zeigte sie sich, als die Lehrer im Speisesaal die vier Stufen hinaufstiegen und am Lehrertisch Platz nahmen, wo alle sie sehen konnten.

Dr. Bloor räusperte sich andauernd, als wollte er eine Ankündigung machen. Aber er sagte kein Wort. Er sah ziemlich geschafft aus. Das graue Haar stand ihm zu Berge und sein Gesicht war sogar für seine Verhältnisse sehr bleich.

Die Verlegenheit schien die ganze Schule erfasst zu haben. Es war eine außergewöhnliche Nacht gewesen und doch wollte niemand drüber reden. Tatsache war, dass sich die meisten entweder ihrer Feigheit schämten oder sich wie Dr. Bloor gedemütigt fühlten, weil sie es nicht geschafft hatten, dieser Invasion übernatürlicher Erscheinungen Einhalt zu gebieten.

Die seltsame Atmosphäre hielt den ganzen Tag an. Lehrer konnten ihren Schülern nicht in die Augen blicken. Kinder sahen sich kurz an und guckten dann weg. Alle bewegten sich sehr schnell, nicht, weil sie es eilig hatten, irgendwohin zu kommen, sondern vielmehr, um dem zu entfliehen, was hinter ihnen lag.

Charlie fand, es war so, als läge irgendwo im Gebäude eine Bombe. Niemand wusste, wo sie war und wann sie hochgehen würde. Nach dem Abendessen, im Königszimmer, kam es schließlich zum großen Knall.

Tancred war der Zündfunke, wenn man das so sagen konnte. Obwohl er nach dieser anstrengenden Nacht müde war, konnte doch niemand übersehen, dass er etwas ziemlich Selbstzufriedenes ausstrahlte.

Charlie hatte ebenfalls allen Grund, stolz auf sich zu sein, aber er wusste, dass es gefährlich war, das zu zeigen.

Die elf sonderbegabten Kinder saßen auf ihren üblichen Plätzen am runden Tisch, als Tancreds Gesichtsausdruck Belle zum Platzen brachte.

„Hör auf, so zu grinsen, Tancred Torsson!", sagte sie. „Du denkst, ihr kleinen Windmacher seid Wunder wie schlau, aber ihr seid nichts, GAR NICHTS!"

„Ach, ja?", sagte Tancred und grinste noch breiter.

„Also, ich weiß nicht, warum *du* dir immer noch die Mühe machst dieses hübsche Gesicht aufzusetzen. Wir wissen doch alle, wie du wirklich aussiehst, du alte Hexe!"

Alle hielten erschrocken die Luft an und Asa sprang auf und fauchte: „Nimm das sofort zurück, du Flegel!"

„Jetzt fühlst du dich mutig, was, du Mini-Ungeheuer?", spottete Tancred.

Asa wollte sich gerade quer über den Tisch stürzen, als Manfred ihn am Schlafittchen packte.

„Ruhe, alle miteinander!", brüllte er. „Torsson, entschuldige dich!"

„Ich? Warum sollte ich?"

„Sie hat angefangen", sagte Lysander in sachlich vernünftigem Ton.

„Du hast gehört, was ich gesagt habe", knurrte Manfred. „Ich meine es ernst, Torsson. Du bist nämlich nicht so schlau, dass du nicht bestraft werden könntest. ENTSCHULDIGE DICH!"

„Vergiss es einfach!" Tancred schüttelte seinen elektrischen Haarschopf. Was Wind anbelangte, hatte er bemerkenswerte Zurückhaltung geübt, aber nun erzeugte er abwechslungshalber eine neue Art von Wetter. Ein paar Regentropfen platschten auf den Tisch und alle nahmen schnell ihre Bücher auf den Schoß.

„Tropf, tropf", höhnte Zelda Dobinsky. „Jämmerlich. Das soll Regen sein?"

333

Alle wünschten, sie hätte es nicht gesagt. Im nächsten Moment platzte die kleine schwarze Wolke unter der Decke regelrecht und ein Sturzregen brach über die Kinder herein. Er lief ihnen in die Augen, durchnässte ihre Kleider und durchweichte ihre Bücher.

„Dummer Junge!", knurrte Belle mit einer schrecklichen, tiefen Stimme. „Was glaubst du, wer du bist?"

Halb blind von der Sintflut sah Charlie etwas, was er in seinem ganzen Leben nie wieder sehen wollte. Belles hübsches Gesicht wurde braun und hündisch. Zwei Ohren sprossen aus ihrem Kopf und zwei riesige, kahle Flügel wuchsen aus ihren Schultern. Belle verwandelte sich in eine Riesenfledermaus.

Yolanda hob die kahlen Flügel und stürzte sich mit einem spitzen durchdringenden Schrei auf Tancred, der „Jiieks!" machte und unter den Tisch tauchte. Wie alle anderen auch – außer Asa, der sitzen blieb und die Fledermaus verzückt betrachtete.

Das groteske Geschöpf begann im Raum umherzuflattern, wobei es mit den Flügeln an Bücherborden und Bildern hängen blieb. Die Wanduhr krachte zu Boden, eine ganze Reihe Bücher wurden vom Bord gefegt und als Charlie unterm Tisch hervorspähte, sah er das Bild des Roten Königs heftig wackeln. Charlie sprang auf und stürzte hin, um es festzuhalten.

„LASS ES LOS!", brüllte die grässliche Fledermausstimme.

Aber Charlie konnte den König nicht herunterkrachen lassen. Als er den schweren Goldrahmen zu fassen bekam, schoss Yolanda auf ihn herab.

Es war Dr. Bloor, der Charlie unbeabsichtigt rettete. Plötzlich ging die Tür auf und die Fledermaus krachte dagegen. Mit einem schrillen Schrei plumpste sie dem Direktor genau vor die Füße.

„Gütiger Gott ... was ist ... wer?", stammelte Dr. Bloor.

„Idiot!", kreischte Yolanda.

„Oh. Ist das ...? Ich habe Sie doch hoffentlich nicht ..."

„Ich bin nicht tot, keine Bange", krächzte die Fledermaus. „Ihr habt mich um Hilfe gebeten, aber ihr tut nicht viel, um euch selbst zu helfen, was? Ihr lasst sie ungeschoren davonkommen."

Sehr zu Dr. Bloors Unbehagen kletterte die Fledermaus seinen Umhang hinauf bis auf seine Schulter und schwang sich dann zur Tür hinaus, wobei sie kreischte: „Jemand wird eine furchtbar unangenehme Überraschung erleben."

Als Yolanda verschwunden war, ließ der Direktor die Schultern kreisen, strich sich den Umhang glatt und wandte sich dann an die Kinder, die jetzt unter dem Tisch hervorgekrabbelt kamen.

„Der Krach, der aus diesem Zimmer kommt, ist unerträglich. Manfred, kannst du denn nicht für Ordnung sorgen?"

„Doch, natürlich, Sir", sagte Manfred und wurde knallrot. „Außergewöhnliche Umstände, Sir."

„Großer Gott, du bist ja klatschnass, Manfred!", bemerkte Dr. Bloor.

„Torsson", sagte Manfred.

„Torsson, hol sofort einen Wischmopp und wisch diese Sauerei auf. Und ihr anderen räumt hier auf. Und RUHE JETZT!"

Als der Direktor hinausrauschte, war es schon acht Uhr und die Abschlussklässler hatten keine Lust, das Chaos zu beseitigen.

Billy wurde befreit, weil ihm bereits die Augen vor Müdigkeit zufielen, und Dorcas klagte über Kopfschmerzen. Die Zahl der Arbeitskräfte reduzierte sich auf fünf.

„Immer wir", seufzte Emma und krempelte die Ärmel auf.

„Wem wohl die unangenehme Überraschung droht?", murmelte Charlie.

„Ich wette, das werden wir bald herausfinden", sagte Lysander.

Um halb neun befand Miss Ingledew, dass es jetzt Zeit war, Ollie ins Café *Zum glücklichen Haustier* zu bringen. Die Straßen waren jetzt bestimmt leer und es bestand keine Gefahr mehr, dass ihn jemand über den Haufen rannte. Sie hatte sich bereits vergewissert, dass im Café alles bereit war.

„Bereiter geht's nicht, meine Liebe", hatte ihr Mr Onimous' sanfte Stimme am Telefon erklärt.

Als Miss Ingledew die Ladentür abschloss, entging ihr, dass über dem Portal der Kathedrale eine riesige Fledermaus hing.

„Am besten, du fasst mich an der Hand", erklärte sie Ollie. „Wenn's dir nichts ausmacht? Ich will nicht, dass du verloren gehst."

„Nein, macht mir nichts aus", sagte Ollie. „Sie erinnern mich ein bisschen an meine Mum. Ist ewig her, dass *sie* mich an die Hand genommen hat."

Es bestürzte Miss Ingledew ein wenig, ihre Finger verschwinden zu sehen, als Ollies kleine Hand sie umschloss. Aber sie sagte sich, dass sie wohl auf so was gefasst sein musste, jetzt, wo sie Teil der seltsamen Welt ihrer Nichte Emma war.

Sie gingen rasch zur Hauptstraße und folgten ihr bis zur Frog Street und obwohl sie die große Fledermaus, die im Schattendunkel hinter ihnen herflatterte, nicht sahen, spürten doch beide, Miss Ingledew und Ollie, dieses seltsame Kribbeln im Nacken, das einem sagt, dass hinter einem etwas faul ist.

Miss Ingledew sah sich mehrmals um, aber das listige Wesen schaffte es, sich als davongewehter und an einem Laternenpfahl, Ladenschild oder Fensterbrett hängen gebliebener Müllsack zu tarnen. Ein paar Leute allerdings sahen die ungewöhnlich große Fledermaus an ihren Fenstern vorbeisegeln. Ein Mann rief im Zoo an, ein anderer beim Tierschutzverein. Aber was sie da über ihre Größe berichteten, klang einfach lächerlich. Ein solches Tier gebe es nicht, erklärte man ihnen. Es sei wahrscheinlich ein Luftballon oder ein Drachen gewesen oder aber, wenn man sich die Bemerkung erlauben dürfe, irgendetwas mit den Augen.

Als Miss Ingledew mit ihrem unsichtbaren Begleiter beim Café *Zum glücklichen Haustier* ankam, klingelte sie. Das Fenster war dunkel und für einen Moment verließ Ollie der Mut. Doch dann ging die Tür auf und da stand ein extrem kleiner Mann und sah ihm direkt in die Augen. Das tat so gut. So lange schon hatte ihm niemand mehr in die Augen geschaut. Ollie fing schon an, sich wieder als ganzer Mensch zu fühlen.

„Das ist Ollie", sagte Miss Ingledew und hielt ihre verschwundenen Finger hoch.

„Ganz offensichtlich", entgegnete Mr Onimous. „Freut mich sehr dich kennenzulernen, Ollie. Hereinspaziert!"

Mr Onimous führte sie durch das dunkle Café in eine gemütliche Küche, wo Ollie zu seinem Erstaunen drei leuchtende Katzen auf einer Gefriertruhe sitzen sah, während ein gelber Hund in einem Korb döste und eine sehr große Frau unter dem aufmerksamen Blick einer schwarzen Ratte, die auf ihrer Schulter saß, einen Teig machte.

„Aha!", sagte die sehr große Frau, die eine sehr lange Nase hatte. „Der verschwundene Junge! Willkommen, Ollie Sparks. Ich bin Onoria, Jungchen. Mrs Onimous." Ihr Blick wanderte ein bisschen in der Gegend herum. Offenbar verstand sie es nicht so gut wie ihr Mann zu erraten, wo unsichtbare Leute gerade waren. Aber sie war ja auch so hoch droben.

Ollie hätte gern gewusst, wie ein so kleiner Mann an eine so große Frau geraten war. Unter normalen Umständen hätte er gefragt. Aber dies waren keine normalen Umstände, also fragte er stattdessen: „Ist sie hier – die Boa?"

„Dort, mein Jungchen." Mrs Onimous zeigte auf einen großen Deckelkorb gleich zu ihren Füßen. „Ich habe ihr vorgesungen. Das arme Dingelchen hat kein leichtes Leben gehabt."

„Verzeihung", sagte Miss Ingledew schüchtern, „aber wäre es vielleicht möglich, ein Tässchen Tee zu bekommen, bevor wir … äh … bevor es losgeht?"

„Wo habe ich nur meinen Kopf?", rief Mr Onimous. „Manieren, Orvil, Manieren. Setzen Sie sich doch, meine Liebe." Er rückte einen Stuhl ab und Miss Ingledew setzte sich dankbar hin.

Ollie sagte, er wolle während der „Behandlung" lieber stehen. Für die Schlange sei es doch sicher leichter so. „Kann ich sie jetzt sehen?", fragte er.

Mrs Onimous öffnete den Korbdeckel und Ollie erblickte die schreckliche Boa, die ihn damals umschlungen und unsichtbar gemacht hatte. Sie war nicht ganz so, wie er sie in Erinnerung hatte. Die leuchtend saphirblaue Haut war zu einem weichen Silberblau verblasst. Außerdem schien sie kleiner geworden zu sein. Und irgendetwas an ihrem Gesichtsausdruck wirkte jetzt sanfter und freundlicher.

Die Schlange hob plötzlich den silbrigen Kopf und zwitscherte wie ein Vogel. Ollie wich zurück.

„Ist das nicht ein reizendes Geschöpf", seufzte Mrs Onimous. „Milch und Zucker, meine Lieben?"

Miss Ingledew sagte: „Nur Milch, bitte." Und Ollie: „Gar nichts, danke. Wahrscheinlich kriege ich später Durst."

Während Miss Ingledew und die Onimouses ihren Tee tranken, ging Ollie um den Korb herum. Die kleinen, schwarzen Augen der Schlange folgten ihm. Offenbar konnte sie ihn sehen.

Als Ollie stehen blieb, glitt die Boa graziös aus dem Korb und begann sich um seine unsichtbaren Knöchel zu schlingen. Ollie hielt den Atem an.

„Meint ihr, sie weiß, was sie zu tun hat?", flüsterte Mrs Onimous.

„Hoffen wir's", sagte ihr Mann. „Bist du bereit, Ollie?"

„Ja, bin ich", sagte Ollie. „Ich denke dran, wie ich meinen Bruder wiedersehen werde. Und wie ich wieder nach Hause kommen werde, nach Schloss Funkenstein. Es heißt so, weil mein Vater und mein Bruder Steinen Licht entlocken können – wussten Sie das?"

„Und was machst du so, mein Jungchen?", fragte Mrs Onimous. Sie sah Ollie als einen Patienten, den es abzulenken galt, während etwas Schmerzhaftes mit ihm gemacht wurde.

„Ich spiele nur Flöte", sagte Ollie, der bis jetzt überhaupt keinen Schmerz spürte.

„Ich würde dich gern mal spielen hören", sagte Mrs Onimous.

Die Boa wand sich immer höher, aber das, was die glänzenden Windungen umfingen, war immer noch nicht sichtbar.

„Ich mache jetzt die Augen zu", erklärte Ollie, „für den Fall, dass es nicht funktioniert. Ich will nicht enttäuscht werden."

Miss Ingledew stellte ihre Tasse hin. Sie konnte nicht hingucken. Es war einfach zu viel. Das Experiment klappte nicht. Der arme Ollie würde für immer unsichtbar bleiben, aber sie war schon dabei, zu beschließen, was sie dann machen würde. Sie würde ihn wieder in den Buchladen mitnehmen und seine Eltern anrufen. Ein unsichtbarer Sohn war schließlich immer noch besser als gar kein Sohn.

Und dann sah sie die Füße. Zuerst einen, mit einer Spinne auf dem großen Zeh. Dann den anderen. Bloße, verfroren aussehende Füße, die dringend Socken und Schuhe brauchten.

„Da kommen die Beine", flüsterte Mr Onimous.

Er hätte ebenso gut brüllen können, denn Runnerbean, durch die unmöglichen Vorgänge aufgeschreckt, sprang aus seinem Korb und bellte wie wild.

„Sch-sch, still, sei ein braver Hund", sagte Mrs Onimous.

Runnerbean legte sich grunzend wieder hin, hielt aber ein wachsames Auge auf den Fortgang des Geschehens, denn allmählich kam immer mehr von Ollie zum Vorschein. Die Katzen taten so, als hätten sie das alles schon gesehen. Sie blieben ruhig, aber aufmerksam.

„Oh, der arme Junge, guckt euch nur seine Hose an", sagte Mrs Onimous und meinte die Stofffetzen, die Ollie kaum über die Knie reichten.

Die Schlange kletterte immer höher und jetzt sahen sie einen verschlissenen grauen Pullover, der seinem Träger mindestens zwei Größen zu klein war. Dünne Handgelenke ragten weit aus den durchgewetzten Ärmeln heraus.

„Gott steh mir bei!", rief Mr Onimous, als sich der Hals der Boa um einen wirren braunen Haarschopf schmiegte. Ein Gesicht tauchte zwischen den langen Strähnen auf: zwei große blaue Augen mit dunklen Ringen, ein fein geschnittener Mund und eine spitze, neugierig aussehende Nase.

342

„Oh!", seufzte Miss Ingledew. „Ollie!"

Die Schlange wand sich um Ollies Kopf, bis sie

aussah wie ein glänzender Turban, und Ollies Augenbrauen fuhren überrascht und erregt in die Höhe.

„Bin ich wieder da?", fragte er. „Es fühlt sich so an."

„Und ob du wieder da bist", sagte Mr Onimous. „Du bist ganz und gar sichtbar, Ollie Sparks. Gratuliere!"

Es schien der Situation angemessen zu applaudieren, also klatschten alle, Ollie eingeschlossen, aber nur leise, um die Boa nicht zu erschrecken.

Die Schlange schien von den Anstrengungen müde. Sie schloss die Augen und versuchte es sich auf Ollies Kopf bequem zu machen.

Mrs Onimous hievte die Boa von Ollie herunter und legte sie in den Korb.

„Das muss gefeiert werden", sagte sie. „Orvil, mach uns noch eine Kanne Tee, sei so lieb. Und ich schaue mal, ob ich etwas Kuchen finde."

Nach einer äußerst vergnügten Stunde, in der eine große Menge Entscheidungen gefällt wurden, verließ Miss Ingledew das Café und eilte zu ihrem Buchladen zurück. Sie wusste Ollie in guten Händen. Im Moment nahm er bereits das erste Bad seit über einem Jahr. Mrs Onimous hatte alles im Griff. Sie würde dem Jungen neue Kleider beschaffen. Ihm die Haare schneiden. Dann würde er erst einmal ordentlich zu essen kriegen und sich richtig ausruhen, ehe er die lange Heimreise nach Schloss Funkenstein antrat.

Miss Ingledew war so froh über den Ausgang der Sache, dass sie eine ihrer Lieblingsmelodien vor sich hin summte. An der Kreuzung wäre sie beinah in Richtung Filbert Street weitergegangen. Sie hätte die frohe Botschaft so gern Paton Darkwood überbracht, aber das ging nicht. Grandma Bones Bezichtigungen nagten immer noch an ihr.

„Ich stelle doch wirklich *niemandem* nach", murmelte Miss Ingledew vor sich hin. „Und ich lasse mir das von niemandem nachsagen."

Sie schlug, jetzt etwas langsameren Schritts und etwas gedämpfterer Laune, ihren Heimweg ein und merkte gar nicht, dass die große Fledermaus sie noch immer verfolgte. Im Schutz der Dunkelheit flatterte sie hinter ihr her, Cathedral Close entlang. Dann hängte sie sich an eine Dachrinne und beobachtete, wie Miss Ingledew in ihren Laden ging und die Tür von innen abschloss.

Die Fledermaus flog weiter, bis zum Grauen Hügel und durch Darkly Wynd. Sie segelte über die Dächer und schlüpfte durch ein offenes Fenster ganz oben in der dritten Nummer dreizehn.

Kurz darauf betrat Yolanda Darkwood, die jetzt keine Fledermaus mehr war, den Arbeitsraum ihrer Großnichte Venetia.

344   „Großartig", murmelte sie, während sie den Blick über die Kleidungsstücke schweifen ließ, die auf Venetias langem Tisch ausgebreitet waren. Da lagen

blaue und grüne Umhänge, seidene Kleider, Samtwämser und Kniehosen, farbige Beinkleider, Halsketten, Westen, Rüschenhemden, wollene Tücher und ausgefallene Gürtel und Schuhe aller Art.

Venetia war eifrig dabei, Pailletten auf den Saum eines langen, schwarzen Rocks zu nähen. In ihrer Reichweite, an der Tischkante, standen diverse Büchsen, Gläser und Schachteln. Ab und zu stippte Venetia die Finger in eins dieser Behältnisse, entnahm ihm ein paar Körnchen farbiges Pulver, eine großzügige Prise zerkleinerte Kräuter oder einen Tupfer Flüssigkeit und betupfte damit den Stoff, ehe sie die Pailletten daraufnähte.

„Hast du den Umhang fertig?", fragte Yolanda.

„Noch nicht ganz." Venetia sah auf und zuckte zusammen.

„Du hast mich wohl lieber als hübsches, kleines Mädchen", sagte Yolanda, deren Alter und boshafter Charakter jetzt nur zu deutlich sichtbar waren.

„Keineswegs, Tantchen. Du hast mich nur überrascht, das ist alles."

„Ich bin müde", sagte Yolanda. „Ich habe stundenlang diese einmischungssüchtige Frau beobachtet. Sie hatte den Jungen, da bin ich mir sicher. Sie hat uns alles verdorben. Grizelda hat Recht, sie muss weg. Und ihre verflixte fliegende Nichte auch."

345

„Hast du den Gürtel präpariert?"

„Das übernimmt unsere kleine Freundin Dorcas."

„Gut. Setz dich doch, Tantchen. Ruh deine Füße aus." Venetia zog einen Stuhl heran.

„Ich will den Umhang fertig machen", entgegnete Yolanda. Sie setzte sich an die Nähmaschine und zog den grünen Umhang zu sich. „Dieses verflixte Gör, dieses kleine Biest – hält sich für so-o-o-o clever. Aber der wird sich wundern."

„Wer, Tantchen?"

„Dieser Torsson-Bengel. Hat mich eine alte Hexe genannt. EINE ALTE HEXE!", kreischte Yolanda.

Ein schwarzer Edelsteingürtel

Das Mädchen, das sich Belle Donner nannte, war vom Bloor verschwunden. Die meisten Kinder waren froh, sie los zu sein.

Aber Charlie wusste, dass er Yolanda Darkwood nicht zum letzten Mal gesehen hatte. Von der Köchin hatte er erfahren, dass Ollies Begegnung mit der blauen Boa ganz und gar erfolgreich verlaufen war. Das war toll, aber Ollie fragte immer wieder nach seinem Bruder. Und niemand wusste, was aus Samuel Sparks geworden war.

Charlie besprach das Problem mit Fidelio, der sich seit der Nacht des Windes und der Geister erst recht ausgeschlossen fühlte.

„Vor dem Wochenende können wir da gar nichts machen", sagte Fidelio. „Und dann soll ich auf der Hochzeit meines Cousins Geige spielen, das hat mein Vater für mich arrangiert. Aber ich werd's sausen lassen, um dir zu helfen. Die anderen scheinen ja ganz schön beschäftigt."

Das stimmte. Als Tancred und Lysander gehört hatten, dass mit Ollie alles glatt gegangen war, hatten sie ihre Aufgabe als erfüllt betrachtet. Gabriel musste jede Menge Klavier üben und von Billy war keine echte Hilfe zu erwarten. Er lief geistesabwesend durch die Gegend, noch benommen von seiner Begegnung mit der Boa und ganz damit beschäftigt, dem Wiedersehen mit Rembrandt entgegenzufiebern.

Aber am schlimmsten war Emma dran. Dorcas hatte ihr die Hände mit einer außergewöhnlich festen Schnur gefesselt und seit jener Nacht taten ihr die Finger, die sich schon in Federn verwandelt hatten, ständig weh. Der Schmerz war so schlimm, dass Emma kaum ihren Füller halten konnte. Aber sie hatte versprochen, Olivia einen ganz besonderen Gürtel zu machen, und nichts würde sie davon abhalten.

Mrs Marlowe, die Schauspiellehrerin, war von Olivias Spiel bei den Proben so beeindruckt gewesen, dass sie ihr die Rolle der Ersten Prinzessin gegeben hatte. Und Emma, die sich für Olivia freute, hatte sich bereit erklärt, ihr das tollste Kostüm aller Zeiten zu machen.

Das lange Kleid war schon fertig und hing an einer Stange ganz hinten in der Kostümschneiderei. Es war aus roter Seide mit glänzend schwarzen Einsätzen. Die engen, langen Ärmel hatten Rüschenmanschetten aus glitzerndem schwarzen Tüll und der Rocksaum war mit winzigen schwarzen Pailletten besetzt. Alle bewunderten das Kleid und Olivia kam oft zu Emma in den Kostümbildnerei-Unterricht, um einfach nur dazustehen und ihr tolles Kostüm zu bestaunen. Jetzt fehlte nur noch ein Gürtel.

Den hatte Emma gerade in Arbeit, aber sie fürchtete, dass er nie fertig werden würde. Heute hatte sie erst zwei schwarze Jettperlen aufgenäht und schon taten ihr sämtliche Fingergelenke weh.

„Soll ich ein Stück für dich machen?", fragte Dorcas, die Emma an einem der großen Arbeitstische gegenübersaß.

„Nein, danke, ich schaff's schon", sagte Emma. Sie platzierte die nächste glänzende Jettperle. Jede Perle hatte eine winzige Drahtöse, die auf dem Gürtel festgenäht wurde. So konnten sich alle Perlen einzeln bewegen und funkeln und blitzen, wenn sich das Licht darin brach. Der Effekt war verblüffend: ein Gürtel wie aus schwarzen Edelsteinen.

Emma hob die Hand. „Kann ich bitte ein Glas Wasser trinken gehen?", fragte sie Miss Singerly, die Lehrerin für Kostümbildnerei.

„Natürlich. Alles in Ordnung, Emma?" Miss Singerly war besorgt. Emma war noch blasser als sonst und kam so langsam mit ihrer Arbeit voran.

„Alles okay. Ich hab nur Durst." Emma ging aus dem Klassenraum und machte sich auf den langen Weg zu den Garderoben. Als sie getrunken hatte, lehnte sie sich gegen das Waschbecken und massierte ihre schmerzenden Finger. Ob sie wohl jemals wieder fliegen würde?

Emma wusste nicht genau, wie lange sie draußen gewesen war, aber als sie wieder zurückkam, hatte jemand eine ganze Reihe Perlen auf den Gürtel genäht.

„Dachte, du könntest ein bisschen Hilfe gebrauchen", sagte Dorcas.

„Danke." Emma wusste nicht, ob sie dankbar oder misstrauisch sein sollte. Dorcas war ungewohnt freundlich, seit Belle fort war.

Es klingelte und Emma legte den Gürtel sorgsam zusammen und steckte ihn in ihre Tasche. Sie würde übers Wochenende daran arbeiten müssen, also schlug sie eine Handvoll Perlen in ihr Taschentuch ein und packte es ebenfalls ein.

Es war Freitag und Emma freute sich sehr darauf, in ihrem gemütlichen Zimmer über dem Buchladen so richtig auszuschlafen.

Alle, die an der Rettungsaktion beteiligt gewesen waren, konnten es gar nicht erwarten Ollie zu sehen. Selbst Tancred und Lysander waren bereit, Fledermäuse und Spinnen (so sie denn auftauchen sollten) in Kauf zu nehmen, um einen sichtbar gewordenen unsichtbaren Jungen zu Gesicht zu bekommen.

„Die olle Fledermaus ist wohl sowieso längst nach Transsylvanien geflogen", witzelte Gabriel, als sie zu den Schulbussen hinausrannten.

„Würde mich nicht drauf verlassen", murmelte Charlie.

Zu Hause wartete eine Überraschung auf Charlie. Maisie war wieder da. Sie saß gerade mit Onkel Paton beim Tee, als Charlie hereinkam.

Nach ausgiebigen Umarmungen und Tränen (auf Maisies Seite) setzte ihm seine Lieblingsgroßmutter einen Teller mit Fisch und Pommes vor, damit er aß, während sie ihm etwas sehr Interessantes erzählen würde.

„Hör dir das an, Charlie", sagte sein Onkel gewichtig. „Das könnte einiges erklären."

„Okay. Schieß los, Maisie", sagte Charlie.

Maisie rückte ihren Stuhl dichter an seinen heran.

„Also, Charlie, wie du ja weißt, bin ich bei meiner Schwester gewesen."

„Geht's ihr besser?", fragte Charlie.

„Viel besser, danke, Charlie. Sie ist ja ein ganzes Stück älter als ich und weiß viel mehr über unsere Familiengeschichte. Ich habe keine Ahnung, warum sie gewartet hat, bis sie an der Schwelle des Todes stand, um mir das zu erzählen, aber …"

In dem Moment kam Charlies Mutter herein und eine weitere Serie Umarmungen war fällig.

„Geduld, Charlie", sagte Onkel Paton. „Es lohnt das Warten."

Erst als Amy Bone ebenfalls einen Teller mit Fisch vor sich stehen hatte, hielt es Maisie für angebracht weiterzuerzählen.

„Wo war ich stehen geblieben?", fragte sie.

„Deine Schwester stand gerade an der Schwelle des Todes."

„Ja, stand sie. Na ja, und plötzlich sagte sie: ‚Maisie', sagte sie: ‚Wenn ich sterbe, nimm die Papiere aus meinem Schreibtisch an dich. Lass nicht zu, dass sie sie verbrennen.' – ‚Natürlich nicht', habe ich gesagt und ihre arme weiße Hand getätschelt. Und dann hat sie drauf bestanden, dass ich die Papiere gleich hole und auf der Stelle sortiere. So ein Chaos! Jahrelang hatte sie lauter unnützes Zeug gehortet. Als ich das meiste schon neben ihrem Bett auf dem Fußboden ausgebreitet hatte, nahm ich eine alte braune Papiertüte in die Hand und heraus kam eine Pergamentrolle." Maisie hielt inne und sah Charlie an. „Es war ein Familienstammbaum, Charlie, und weißt du, was daraus hervorgeht?"

„Keinen Schimmer", sagte Charlie.

„Tja, ganz oben im Stammbaum steht so ein komischer, unaussprechlicher Name. Als ich meine Schwester gefragt habe, wer das war, hat sie gesagt: ‚Er war ein Zauberer, soweit man weiß. Ein walisischer Zauberer. Deshalb hat er so einen unaussprechlichen Namen.'"

„Ein Zauberer?", sagte Charlie und setzte sich kerzengerade auf. „Bist du sicher?"

„Ganz sicher", sagte Maisie strahlend. „Wir Jonesens sind also doch keine Niemande. Wir sind genauso besonders wie die Darkwoods. Da hast du's!"

Mrs Bone rührte nachdenklich in ihrem Tee. „Aber das heißt, Charlie hat es von beiden Seiten geerbt", sagte sie. „Die Gaben – oder Kräfte – oder was auch immer."

„Genau", sagte Onkel Paton und hieb erregt mit der Faust auf den Tisch. „Siehst du, Charlie? Der Zauberstab gehört *doch* von Rechts wegen dir. Deshalb funktioniert er bei dir und bei sonst niemandem. Dieser gerissene alte Hexenmeister muss ihn deinem Ahnherrn gestohlen haben. Ich habe mir mal die Geburtsdaten angesehen – Skarpo war ein ganzes Stück jünger – er könnte der Lehrling des Zauberers gewesen sein. Vielleicht hat er den Stab gestohlen, als der Alte starb."

„Vielleicht hat Skarpo ja deshalb nicht mehr versucht mich auszutricksen. Wegen des Zauberstabs und meiner Abstammung von dem Zauberer."

„Möglich, dass er sich überlegt hat, was du mit dem Zauberstab tun könntest, und dass ihm das doch ein bisschen unheimlich war", sagte Paton.

Charlie kratzte sich den Haarschopf. „Wow!", sagte er leise. „Wow! Ich hab die doppelte Dosis abgekriegt." Er wusste nicht recht, wie er das fand, aber jedenfalls war er ganz schön von den Socken. „Meinst du, Grandma Bone weiß es?"

„Könnte sein, dass sie's erraten hat", sagte Onkel Paton. „Vergiss nicht, Eustacia ist Hellseherin. Vielleicht hatte sie ja so eine Ahnung."

Charlie starrte auf sein Essen. Ihm war plötzlich ganz seltsam zumute. „Ist es okay, wenn wir eine Weile nicht mehr davon reden?", murmelte er. „Ich muss erst mal drüber nachdenken."

„Aber sicher, Schatz", sagte Maisie. „Ist wohl schon ein kleiner Schock, was? Aber ich gebe dir den Stammbaum zum Anschauen. Schließlich bist du der Letzte unseres Zweigs der Familie Jones."

Charlie nahm die knittrige Pergamentrolle mit ins Bett. Eine ganze Weile starrte er auf die seltsamen Namen, die Daten, Eheschließungen und Nachkommen und fragte sich, ob wohl irgendwelche dieser Vorfahren magische Kräfte gehabt hatten. Hatten sie den Zauberstab benutzt und wenn ja, wofür?

Es war, gelinde gesagt, eine ereignisreiche Woche gewesen. Und jetzt das. Charlie legte sich hin und schloss die Augen. Im Moment war das alles einfach zu viel.

Als Julia Ingledew am Samstagmorgen den Buchladen aufmachen wollte, fiel ihr Blick auf einen wunderschönen, mit Perlen besetzten Gürtel. Er lag auf ihrem Schreibtisch, wo Emma ihn am Vorabend zurückgelassen hatte.

Julia Ingledew war keine eitle Person, aber sie hatte eine außergewöhnlich schmale Taille und wer könnte ihr verdenken, dass sie darauf stolz war? Sie nahm den Gürtel in die Hand und die schwarzen Steine funkelten im Morgenlicht. Er war für ein Kind gemacht, aber wie er wohl an ihr aussehen würde? Bestimmt würde er ihr genau passen.

Julia schlang den Gürtel um ihre Taille. Er war eng, aber ... sie atmete tief ein ... ja, er passte. Sie schloss die Schnalle und trat vor den Spiegel. Auf ihrem smaragdgrünen Kleid sah der Gürtel einfach fantastisch aus. Julia drehte sich ein wenig vor dem Spiegel und die funkelnden Steine klimperten leise und geheimnisvoll.

„Ooh!", seufzte sie begeistert.

Sie versuchte tief einzuatmen – denn der Gürtel war wirklich sehr eng – kriegte aber irgendwie nicht genug Luft. Sie hustete ziemlich heftig. Ihr Kopf fühlte sich an, als würde er in einen Schraubstock gepresst. Das Gefühl wanderte ihr Rückgrat hinunter und Julia wankte vor Schmerz. Sie versuchte, den Gürtel zu lösen, aber die Schnalle wollte nicht aufgehen. Julias Herz begann zu rasen. „Emma", stöhnte sie. „Hilfe, Emma!"

Charlie saß gerade beim Frühstück, als es klingelte. Endlos. Jemand hielt den Finger auf den Klingelknopf, oder der Knopf hatte sich verklemmt.

„Einen Moment!", rief Charlie kauend. „Komme ja schon!"

„Hilfe! Hilfe!", schrie eine Stimme.

Charlie machte die Haustür auf und Emma fiel

förmlich in die Diele. „Oh, Charlie!", rief sie. „Mit meiner Tante geschieht irgendwas Schreckliches!"

„Was denn?", fragte Charlie und wischte sich den Mund ab.

Der Treppenabsatz war plötzlich voller Großmütter, die beide gleichzeitig riefen: „Ist was passiert?" – „Wer ist da?" – „Was soll der Lärm?"

„Willst du ein Glas Wasser?", fragte Charlie. Die Dringlichkeit der Situation war ihm noch nicht klar geworden.

„Nein", stöhnte Emma. „Ich will, dass jemand mitkommt. Jetzt sofort. Ich will, dass ihr jemand hilft. Ich habe schon den Notarzt angerufen, aber ich wusste nicht, was ich sagen sollte, und ich glaube, sie haben mich nicht ernst genommen."

„Was ist denn los?", fragte Onkel Patons Stimme.

„Oh, Mr Darkwood. Es geht um meine Tante", rief Emma. „Ich glaube, sie stirbt."

„Was?" Mit vier Sätzen war Onkel Paton die Treppe hinunter. „Gehen wir", sagte er.

„Oh, danke!" Emma schoss zur Haustür hinaus. Als sie auf dem Bürgersteig ankam, war ihr Onkel Paton schon mehrere Schritte voraus.

Charlie stand kopfschüttelnd da. Das ging ihm alles zu schnell. Aber er war doch nicht so verwirrt, dass er nicht gesehen hätte, wie fies Grandma Bone grinste, ehe sie wieder in ihrem Zimmer verschwand.

„Ich geh zum Buchladen", erklärte er Maisie.

„Guter Junge", sagte Maisie.

Charlie rannte nach oben und zog den Zauberstab unter seinem Bett hervor. Er wusste selbst nicht, warum ihm das Ding plötzlich so wichtig erschien, aber seit er die Geschichte des Stabs kannte, war ihm, als sollte er ihn in Notsituationen besser dabeihaben.

Als Charlie endlich nach draußen rannte, waren Emma und sein Onkel bereits verschwunden. Charlie rannte die Filbert Street hinauf und die Hauptstraße entlang, bis er mit drei Dackeln kollidierte, deren Herrchen ihn anblaffte: „Pass mit dem Stock da auf!"

Die Buchladentür stand offen und schlug Unheil verkündend im leichten Wind. Charlie verriegelte sie sorgsam hinter sich und vergewisserte sich, dass das „Geschlossen"-Schild richtig herum hing.

Er fand Onkel Paton im hinteren Raum, wo er gerade dabei war, Miss Ingledew von Mund zu Mund zu beatmen. Angesichts dieser Szene guckte Charlie verlegen an die Decke.

„Bitte, sie darf nicht sterben!", rief Emma unter Tränen. „Oh, bitte!"

Charlie ging näher ran. Miss Ingledew lag auf dem Sofa. Ihr Gesicht war bläulich, ihre offenen Augen starrten ins Leere und ihr Mund stand offen wie bei einem Fisch.

Onkel Patons Mund-zu-Mund-Beatmung hatte offensichtlich nichts genützt. Er ging dazu über, die Hände fest auf Miss Ingledews Brust zu pressen.

„Mach den Gürtel auf, Emma!", sagte er.

„Geht nicht", jammerte Emma. „Hab's schon versucht."

„Wie?" Paton zerrte an der Schnalle und ein blauer Blitz schoss über seine Finger. „Autsch! Was zum Teufel ist das?" Er zerrte wieder, mit dem gleichen Ergebnis. Er packte den Gürtel mit beiden Händen und versuchte ihn zu zerreißen. „Unmöglich", knurrte er. „Woraus ist das Ding? Wir brauchen ein Messer – einen Bolzenschneider – irgendetwas, das Stahl durchkriegt."

„Das nützt nichts", sagte Emma kleinlaut. „Ich glaube, er ist verhext. Ich hab ihn herumliegen lassen, als ich ein Glas Wasser trinken wollte. Es ist alles meine Schuld."

Paton starrte sie entsetzt an. „So bestrafen sie andere Menschen", sagte er leise. „Wenn Julia ..." Doch die Worte blieben ihm im Halse stecken. Er fiel auf die Knie, nahm Miss Ingledews bleiche Hand und drückte sie an seine Lippen. „Oh, Liebes", sagte er. „Es tut mir so leid."

Charlie sah entsetzt zu. Es schockierte ihn, seinen Onkel so zu sehen. Wollte er einfach so aufgeben? War Miss Ingledew schon tot? Das konnte er nicht glauben.

358   Er spürte, wie sich in seiner rechten Hand etwas bewegte, und in seinen Fingern kribbelte plötzlich eine eigentümliche Wärme. Charlie sah auf den Zau-

berstab. Wozu hatte er ihn mitgenommen, wenn nicht, um ihn zu benutzen?

„Ich glaube, ich kann ihr helfen", sagte er.

Paton sah ihn an. „Wirklich, Charlie?"

„Ja", sagte Charlie selbstbewusst. Er trat dicht an Miss Ingledew heran und berührte den Juwelengürtel mit der Spitze des Zauberstabs.

Es gab einen grellen Blitz und einen Moment lang sprühte der gesamte Gürtel Funken wie ein Feuerwerkskörper.

„Er brennt!", schrie Emma.

„Nein, das tut er nicht", sagte Charlie entschieden. „*Torra*!", befahl er.

Die Silberspitze des Stabs glühte feurig und der Gürtel zersprang, dass die Jettperlen nur so flogen.

„Gütiger Gott, Charlie", sagte Onkel Paton voller Ehrfurcht. „Woher wusstest du denn nur, was du sagen musstest?"

Charlie konnte es nicht erklären. Vielleicht hatte das seltsame Wort ja schon jahrelang in seinem Kopf gewartet und sich nur nie gemuckst.

Gleich darauf tat Miss Ingledew einen tiefen Seufzer und setzte sich auf. „Ach, herrje", sagte sie. „Bin ich ohnmächtig geworden oder was?"

„Oh, Tante Julia, ich dachte, du wärst tot!", rief Emma und fiel Miss Ingledew um den Hals.

„Tot?", sagte Miss Ingledew verwundert.

„Ach, meine liebe, liebe Julia. Ich kann gar nicht

359

sagen …" Weil er nicht sagen konnte, was er sagen wollte, schnäuzte sich Paton lautstark die Nase.

„Paton, haben Sie mir das Leben gerettet?", fragte Miss Ingledew.

„Leider nein. Das war Charlie."

Miss Ingledew sah auf den Zauberstab, der auf ihrem Schoß ruhte. „Tatsächlich? So schlimm war es? Danke, Charlie."

„Schon okay", sagte Charlie und zog den Zauberstab weg. „Das war nicht nur ich, das waren – wir. Ich und der Zauberstab."

„Verstehe. Dann vielen Dank euch beiden." Miss Ingledew schenkte Charlie ihr wundervollstes Lächeln.

„Geht es Ihnen so weit wieder gut, Julia?", fragte Paton und erhob sich.

„Bestens", sagte Julia munter. „Tut mir leid, dass ich so eine dumme Gans war."

„Aber nicht doch, Julia", widersprach Paton leidenschaftlich. „Sie könnten niemals eine dumme Gans sein. Aber wenn es Ihnen wieder gut geht, habe ich etwas zu erledigen." Er marschierte zur Tür und rief noch: „Pass auf deine Tante auf, Emma. Ich komme später wieder."

Charlie rannte hinter seinem Onkel her, der schon fast am Ende von Cathedral Close war. „Wo willst du hin, Onkel?", rief er.

360

„Das weißt du genau", rief Paton zurück.

Charlie wusste es allerdings. Es war helllichter Tag, aber Paton hatte alle Vorsicht über Bord geworfen. Ohne sich um Schaufenster und Autorücklichter zu kümmern, fegte er auf seinen langen Beinen durch die Stadt wie ein schwarzer Wirbelwind. Bei einer Ampel gab es einen kleinen Zwischenfall, aber zum Glück zersprang nur das gelbe Licht, und ehe sich irgendjemand fragen konnte, warum, war sein Onkel schon auf und davon.

Charlie sah ihn gerade noch in Richtung Grauer Hügel abbiegen. Charlie rannte Darkly Wynd entlang und da stand sein Onkel, vor der Tür der dritten Nummer dreizehn. Er klingelte weder noch klopfte er. Vielmehr holte er mit dem Fuß aus und trat zu. Das alte Holz splitterte und krachte. Paton trat noch einmal zu und die ganze Tür fiel nach drinnen.

Charlie rannte die Vordertreppe hinauf und durch die Türöffnung. Sein Onkel stieg gerade die Hintertreppe zum Souterrain hinab. Charlie folgte ihm die Stufen hinunter, durch einen schmalen Gang und in Tante Venetias Arbeitsraum.

Yolanda saß an einer Nähmaschine auf der anderen Seite eines großen Arbeitstischs, der mit farbigen Kleidungsstücken und Stoffstücken übersät war. Unter dem Füßchen der Nähmaschine klemmte eine grüne Stoffbahn.

361

„Paton, endlich sehen wir uns wieder", sagte die Alte. „Ich hatte gehofft, dass du kommen würdest."

Paton starrte sie geradezu ungläubig an. „Gehofft?", sagte er.

Yolanda setzte ein fieses Grinsen auf. „Aber sicher. Nach dem traurigen Hinscheiden deiner Freundin. Sie ist doch tot? Du hast nicht besonders viel Glück mit den Frauen, was, Paton? Erst deine Mummy und jetzt deine Freundin. Es wäre wesentlich besser für dich, mit uns zusammenzuarbeiten."

„WAS?", donnerte Paton.

„Du hast mich sehr wohl verstanden, und dieser Bengel, der sich da hinter deinem Rücken versteckt, auch."

Charlie umklammerte den Zauberstab. Er fragte sich, wann wohl der Moment gekommen wäre, ihn zu benutzen.

Aber dann war es doch nicht nötig. Er sah, worauf Patons grimmiger Blick gerichtet war, und begriff eine Hundertstelsekunde vor Yolanda, was gleich passieren würde.

Entsetzt nahm die alte Frau die Hände von der Nähmaschine – zu spät.

Das Lämpchen der Nähmaschine explodierte und das ganze Gehäuse war plötzlich weiß glühend. Mit einem grässlichen Schrei schoss die Alte senkrecht in die Luft. Sie drehte sich wie ein Kreisel und ein Strom geisterhafter Wesen quoll aus ihr hervor. Sie schwebten unter der Zimmerdecke – Fledermäuse, Vögel, Spinnen, Hunde, Katzen, Fische, Ungeheuer und schließlich auch die hübsche Belle, mit langen, sehnigen Armen fuchtelnd – und verschwanden.

„Was ist hier los?", rief eine Stimme und Venetia kam hereingestürmt. Sie sah die brennende Nähmaschine, den versengten Stoff, den angekohlten Tisch. „Was hast du getan?", schrie sie Paton an. „Wo ist meine geliebte Tante?"

„Was glaubst du wohl?", erwiderte er.

„Wie konntest du?", schrie sie und wich vor ihm zurück. „Wie kannst du's wagen? Du Satan, du übler Tyrann. Du … du dummer Mensch!"

„Ich hätte es schon längst tun sollen", sagte Paton und wischte sich imaginären Dreck von den Händen.

Inzwischen leckten bereits unzählige Flämmchen an den Kleidungsstücken auf dem Tisch. Funken sprangen auf die Samtvorhänge über und ätzender Brandgeruch erfüllte den Raum.

„Komm, Charlie. Wir müssen hier raus", sagte Onkel Paton.

Sie rannten die Treppe hinauf und hinaus an die frische Luft. Sie husteten vom Rauch und bekamen kaum Luft. Nicht lange und Venetia tauchte ebenfalls auf.

Das Feuerwehrauto hatte ziemliche Mühe, durch die enge Gasse Darkly Wynd zu kommen, schaffte es aber schließlich. Da stand Nummer dreizehn bereits bis zum Obergeschoss in Flammen. Eine Menschenmenge hatte sich versammelt, um das grausige Spektakel zu verfolgen. Die Leute murmelten etwas von schadhaften Leitungen und morschem Holz. Der Brand schien niemanden zu erstaunen.

Die vier Schwestern standen ein Stück abseits und sahen finster schweigend zu. Sie würdigten ihren Bruder keines Blickes.

Als die Feuerwehr den Brand fast unter Kontrolle hatte, entdeckte plötzlich jemand eine Gestalt hinter einem Dachfenster. Ein Rettungskorb wurde ausgefahren, das Dachfenster unter dem Jubel der Menge eingeschlagen, und der Überlebende stieg auf die Plattform herüber. Es war Mr Boldova.

Die Darkwood-Schwestern erklärten, der junge Mann habe sie bei Kostümentwürfen beraten. „Er ist nämlich Künstler", sagte Eustacia.

Mr Boldova war gerade noch rechtzeitig gerettet worden. Unmittelbar darauf ging Venetias Dach in Flammen auf und die Außenwände des Dachgeschosses brachen heraus. Eine Sekunde lang sah die gaffende Menge ganz oben unterm First die dunkle Silhouette eines Klaviers am Abgrund schwanken. Dann kam das Instrument herabgestürzt und die Tasten produzierten eine gespenstische Melodie, als es auf die Souterraintreppe krachte.

„Jetzt fällt's mir wieder ein", sagte Mr Boldova, den der Brand offensichtlich aus seinem Trancezustand geweckt hatte. „Jemand hat immer Klavier gespielt."

364

Aber in dem zerstörten Haus war niemand mehr. Die Feuerwehr hatte alles gründlich durchsucht. Wer auch immer auf dem versteckten Klavier gespielt hatte – er war noch aus dem Haus gekommen.

„Komisch", sagte Mr Boldova. „Den Klavierspieler habe ich nie gesehen, immer nur gehört. Das war alles. Einfach nur wunderschöne Musik."

Charlie dachte an seinen Vater.

Konnte es sein, dass er dort oben in Venetias Speichergeschoss gefangen gehalten worden war, mit einem Klavier als einziger Gesellschaft? Und wenn ja, wo war er jetzt?

Onkel Paton tippte Charlie auf die Schulter. „Du hast diesem Herrn doch etwas zu erzählen oder nicht, Charlie?"

„Hab ich das?", fragte Charlie geistesabwesend. „Ach, ja, klar." Und er erzählte Mr Boldova die ganze Sache mit Ollie.

„Das ist das Schönste, was ich je gehört habe!", sagte der Kunstlehrer. „Kannst du mich zu ihm bringen? Jetzt gleich? Und bitte, könntest du mich vielleicht ab jetzt Samuel nennen? Meine Boldova-Existenz würde ich gern hinter mir lassen."

„Klar, Mr Sparks, äh, Samuel", sagte Charlie. „Ollie ist nicht weit von hier. Und mein Onkel ..." Er guckte sich um, aber Paton war verschwunden. Charlie nahm an, dass er wieder in die Buchhandlung Ingledew gegangen war.

Am Sonntag trafen sich sieben Freunde und ein ganzes Sortiment Tiere im Café *Zum glücklichen Haustier*. Alle wollten den unsichtbaren Jungen sehen. Neu eingekleidet, geschrubbt und mit frisch geschnittenem Haar sah Ollie total normal aus. Das war ziemlich enttäuschend. Aber die Enttäuschung hielt nicht lange an.

„Ich möchte, dass ihr alle nach Schloss Funkenstein kommt", sagte Ollie. „Samuel sagt, bald sind Ferien, also könnt ihr doch eine Woche kommen. Ich habe ewig keine Freunde mehr dort gehabt und ohne euch wäre ich schließlich jetzt nicht hier."

Wen juckte es schon, ob Texte zu lernen waren, Tonleitern geübt oder Kulissen gemalt werden sollten, wenn die Aussicht bestand, eine ganze Woche auf einem Schloss zu verbringen?

„Es ist kein richtiges Schloss", sagte Ollie, „aber dort ist jede Menge Platz. Und da sind Berge und Bäche und Wälder und Wiesen."

Das klang toll.

Charlies geheimer Wunsch ging in Erfüllung: Onkel Paton mietete einen Kleinbus. Kaufen wollte er zwar keinen, weil das doch nicht ganz sein Stil war, wie er ausdrücklich betonte. Aber um acht Kinder, einen Kunstlehrer, eine Buchhändlerin und einen großen Hund zu transportieren, musste ja wohl einer her.

Am nächsten Samstag trafen sie sich alle vor der

Buchhandlung. Kurz nach Einbruch der Dunkelheit fuhr Onkel Paton in einem langen, silbernen Kleinbus vor. Rucksäcke und Schlafsäcke wurden im Kofferraum verstaut, belegte Brote und Getränke unter die Sitze gestopft und alle zwängten sich hinein.

Miss Ingledew saß ganz vorne neben Onkel Paton. Charlie und Fidelio klemmten mit den Brüdern Sparks auf der Sitzbank dahinter, Runnerbean auf den Knien. Und die restlichen fünf quetschten sich hinten rein.

Als sie die Lichter der Stadt hinter sich ließen und ins Dunkel der Landsträßchen eintauchten, fragte Ollie: „Wo ist der andere Junge? Der, der mit der Boa geredet hat?"

Charlie hatte ein schlechtes Gewissen wegen Billy. „Sie lassen ihn nicht aus dem Bloor", sagte er. „Aber eines Tages holen wir ihn da raus. Wisst ihr, Billy ist viel tapferer als wir alle."

Von den anderen kam zustimmendes Gemurmel, doch ehe die Stimmung zu düster werden konnte, sagte Gabriel: „Im Moment geht's Billy aber ganz gut. Ich hab's geschafft, Rembrandt in die Küche zu schmuggeln. Ich wette, die beiden machen sich ein tolles Wochenende. Ach, übrigens, Benedikts Schwanz ist wieder da. Die Köchin hat ein Treffen mit der blauen Boa arrangiert ..."

367

Samuel Sparks erklärte, er sei froh, dass Rembrandt jemanden zum Reden habe. Er habe nie genau gewusst, ob die Ratte bei ihm wirklich glücklich gewesen sei.

„Ich glaube, die hier kann Rembrandt nicht besonders leiden", sagte Samuel und zog zwei Steine aus der Tasche, um sie auf seiner Hand Funken sprühen zu lassen.

„Tiere mögen keine Zauberei", erklärte Gabriel, worauf Runnerbean sich auf Charlies Knien aufrichtete und ein lautes Geheul anstimmte. „Was hab ich gesagt?", sagte Gabriel und alle lachten.

Es war eine lange Fahrt, und Charlie schlief mehrmals ein, um dann wieder wach zu werden, weil Runnerbean seine Liegeposition wechselte oder ihm das Gesicht leckte. Aber dann wachte Charlie davon auf, dass der Bus jäh anhielt. Sie waren an einer Weggabelung und durchs Wagenfenster sah Charlie einen Wegweiser. Da standen zwei Namen. Links ging es nach Funkenstein und rechts nach Yorwynde.

„Yorwynde?", fragte Charlie verschlafen. „Was bedeutet das?"

„Das bedeutet, dass die Straße nach Schloss Darkwood führt", sagte Onkel Paton düster.

Charlie lief ein Schauer über den Rücken. Was hatte Yorath zu seinem Onkel gesagt? „Wenn du meinem Liebling etwas tust, wirst du mit dem Leben dafür bezahlen." Und Paton *hatte* Yolanda etwas getan. Was also würde Yorath tun? Besser nicht dran denken, befand Charlie.

Miss Ingledew legte die Hand auf Patons ver-
krampfte Finger, da sah er sie lächelnd an. *„Diesen
Weg werden wir nicht nehmen."*

Der Wagen fuhr mich einem Ruck an und folgte
dem Wegweiser nach Funkenstein. Die Straße wurde
steil und kurvig, aber schon nach einem kurzen Stück
rief Ollie: „Guckt mal da! Wir sind zu Hause!"

Und da war es, auf einer Anhöhe direkt vor ihnen.
Schloss Funkenstein. Und es machte seinem Namen
alle Ehre. In jedem Fenster des bizarren, verschach-
telten, von Türmchen gekrönten Hauses strahlte eine
Reihe wunderkerzenartiger Lichter.

Ein verschollener Sohn kam nach Hause und ein
Vater sprühte wieder vor guter Laune.

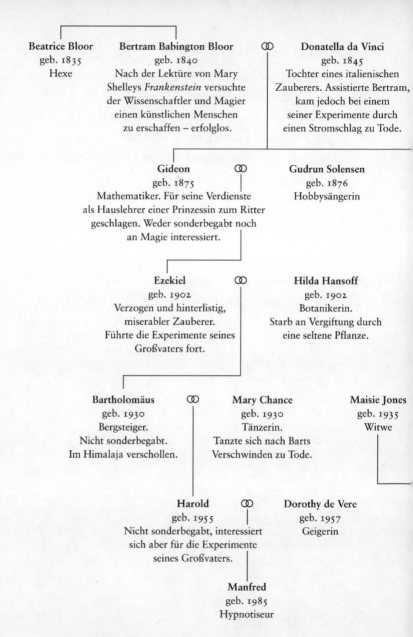

Beatrice Bloor
geb. 1835
Hexe

Bertram Babington Bloor
geb. 1840
Nach der Lektüre von Mary
Shelleys *Frankenstein* versuchte
der Wissenschaftler und Magier
einen künstlichen Menschen
zu erschaffen – erfolglos.

∞

Donatella da Vinci
geb. 1845
Tochter eines italienischen
Zauberers. Assistierte Bertram,
kam jedoch bei einem
seiner Experimente durch
einen Stromschlag zu Tode.

Gideon
geb. 1875
Mathematiker. Für seine Verdienste
als Hauslehrer einer Prinzessin zum Ritter
geschlagen. Weder sonderbegabt noch
an Magie interessiert.

∞

Gudrun Solensen
geb. 1876
Hobbysängerin

Ezekiel
geb. 1902
Verzogen und hinterlistig,
miserabler Zauberer.
Führte die Experimente seines
Großvaters fort.

∞

Hilda Hansoff
geb. 1902
Botanikerin.
Starb an Vergiftung durch
eine seltene Pflanze.

Bartholomäus
geb. 1930
Bergsteiger.
Nicht sonderbegabt.
Im Himalaja verschollen.

∞

Mary Chance
geb. 1930
Tänzerin.
Tanzte sich nach Barts
Verschwinden zu Tode.

Maisie Jones
geb. 1935
Witwe

Harold
geb. 1955
Nicht sonderbegabt, interessiert
sich aber für die Experimente
seines Großvaters.

∞

Dorothy de Vere
geb. 1957
Geigerin

Manfred
geb. 1985
Hypnotiseur

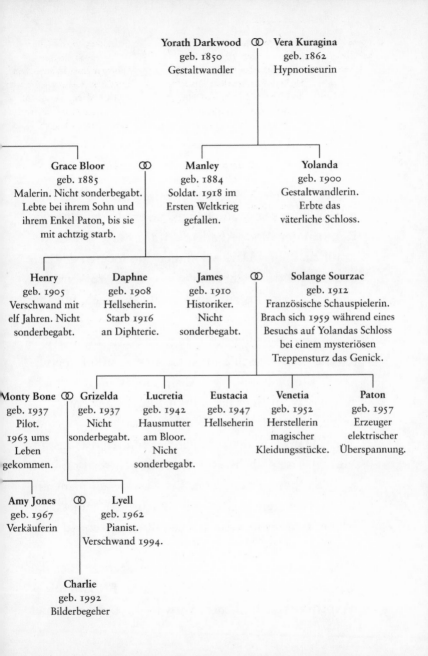

Yorath Darkwood ⚭ **Vera Kuragina**
geb. 1850   geb. 1862
Gestaltwandler   Hypnotiseurin

Grace Bloor ⚭ **Manley**   **Yolanda**
geb. 1885   geb. 1884   geb. 1900
Malerin. Nicht sonderbegabt.   Soldat. 1918 im   Gestaltwandlerin.
Lebte bei ihrem Sohn und   Ersten Weltkrieg   Erbte das
ihrem Enkel Paton, bis sie   gefallen.   väterliche Schloss.
mit achtzig starb.

Henry   **Daphne**   **James** ⚭ **Solange Sourzac**
geb. 1905   geb. 1908   geb. 1910   geb. 1912
Verschwand mit   Hellseherin.   Historiker.   Französische Schauspielerin.
elf Jahren. Nicht   Starb 1916   Nicht   Brach sich 1959 während eines
sonderbegabt.   an Diphterie.   sonderbegabt.   Besuchs auf Yolandas Schloss
     bei einem mysteriösen
     Treppensturz das Genick.

Monty Bone ⚭ **Grizelda**   **Lucretia**   **Eustacia**   **Venetia**   **Paton**
geb. 1937   geb. 1937   geb. 1942   geb. 1947   geb. 1952   geb. 1957
Pilot.   Nicht   Hausmutter   Hellseherin   Herstellerin   Erzeuger
1963 ums   sonderbegabt.   am Bloor.   magischer   elektrischer
Leben   Nicht   Kleidungsstücke.   Überspannung.
gekommen.   sonderbegabt.

Amy Jones ⚭ **Lyell**
geb. 1967   geb. 1962
Verkäuferin   Pianist.
     Verschwand 1994.

Charlie
geb. 1992
Bilderbegeher

Leseprobe aus dem
Ravensburger Taschenbuch 52333
„Charlie Bone und die magische Zeitkugel"
von Jenny Nimmo

Es war Januar neunzehnhundertsechzehn. Der kälteste Winter seit Menschengedenken. In den dunklen Räumen der Bloor-Akademie war es fast so kalt wie draußen. Henry Darkwood, der durch einen der eisigen Gänge trabte, begann vor sich hin zu summen. Das munterte ihn auf. Es wärmte die Seele und die Füße.

Zu beiden Seiten des Gangs flackerten und zischten die gespenstisch blauen Gaslichter in ihren eisernen Haltern. Es roch grässlich. Henry hätte es nicht gewundert, in einer der dunklen Ecken auf etwas Totes zu stoßen.

Zu Hause, in dem sonnendurchfluteten Haus am Meer, lag seine Schwester Daphne schwer krank im Bett. Sie hatte Diphtherie. Damit sie sich nicht ansteckten, waren Henry und sein Bruder James zum Bruder ihrer Mutter, Sir Gideon Bloor, geschickt worden.

Sir Gideon war nicht die Sorte Mensch, bei der man gerne die Ferien verbracht hätte. Er hatte überhaupt nichts Väterliches. Er war der Direktor einer altehrwürdigen Internatsschule und sorgte dafür, dass das niemand auch nur eine Sekunde lang vergaß.

Die Bloor-Akademie wurde schon seit einigen hundert Jahren von seiner Familie geführt. Sie war eine Schule für Kinder mit außergewöhnlichen Talenten auf dem Gebiet der Musik, der Schauspielerei oder der Malerei. Aber das Bloor nahm auch sogenannte „Sonderbegabte" auf, die ganz andere, höchst ausgefallene Gaben besaßen. Es schauderte Henry schon, wenn er nur daran dachte.

Er war jetzt beim Zimmer seines Vetters Zeki angelangt. Zeki war Sir Gideons einziges Kind, und einen unangenehmeren Cousin hätte Henry sich nicht vorstellen können. Zeki gehörte zu den Sonderbegabten, und Henry hatte den Verdacht, dass seine Gabe eher fieser Art war.

Henry öffnete die Tür und linste ins Zimmer. Auf der Fensterbank standen lauter Einmachgläser. In den Gläsern waberten seltsame Wesen in einer klaren Flüssigkeit. Wasser war das bestimmt nicht. Die Wesen waren blass und ohne feste Form. Eins war blau.

„Was machst du da?"

Tante Gudrun kam den Gang entlangmarschiert, und ihre Schritte wurden vom Unheil verkündenden Zischeln ihres langen, schwarzen Rocks übertönt. Sie war sehr groß und hatte Unmengen von gelbem Haar, das sie auf dem Hinterkopf zu einem Knoten aufgesteckt trug. Eine wahre Wikingerin (sie war tatsächlich Norwegerin) mit einem mächtigen Brustkorb und der entsprechenden Stimme.

Henry sagte: „Äh …"

„Äh ist keine hinreichende Antwort, Henry Darkwood. Du schnüffelst im Zimmer von meinem Zeki herum!"

„Nein, gar nicht", sagte Henry.

„Du sollst doch nicht auf den Gängen herumlungern, Junge. Komm runter in den Salon." Lady Bloor winkte mit dem kleinen Finger, und Henry blieb nichts anderes übrig, als ihr zu folgen.

Seine Tante führte ihn an den mysteriösen verschlossenen Türen vorbei, die Henry erst vor wenigen Minuten vergeblich zu öffnen versucht hatte. Er war ein Junge mit einem starken Forscherdrang und langweilte sich schnell. Er seufzte tief, während er eine knarrende Treppe zum ersten Stock hinuntertrottete.

„So, da sind wir!" Lady Bloor öffnete eine Tür und schubste Henry in das dahinter liegende Zimmer.

Ein kleiner Junge, der auf der Fensterbank gekniet hatte, sprang auf und kam auf Henry zugerannt. „Wo warst du denn?", jammerte er.

„Ich habe mich nur ein bisschen umgeguckt", sagte Henry.

„Ich dachte, du wärst nach Hause gegangen."

„Zu Hause ist meilenweit weg, Jamie." Henry ließ sich in einen Ledersessel am Feuer fallen. Die Scheite in dem großen Eisenkamin schwelten vor sich hin und ließen seltsame Bilder erstehen. Wenn Henry die Augen halb zumachte, sah er beinahe das gemütliche Wohnzimmer seiner Eltern vor sich. Er seufzte wieder.

Tante Gudrun sah Henry mit zusammengezogenen Augenbrauen an und sagte: „Benehmt euch, ihr beiden." Sie ging hinaus und schloss die Tür hinter sich.

Als sie weg war, kam James zu Henrys Sessel und setzte sich auf die Armlehne. „Zeki hat komische Sachen gemacht", flüsterte er.

Henry hatte Zeki noch gar nicht bemerkt, aber jetzt sah er den seltsamen Cousin, in finsteres Schweigen gehüllt, am anderen Ende des Raums. Er saß an einem Tisch, ganz in etwas vertieft, was vor ihm auf der Tischplatte lag. Sein blasses, hageres Gesicht war starr vor Konzentration. Kein Muskel zuckte, kein Atemhauch war zu hören.

„Ich hab Angst gehabt", sagte James leise.

„Warum? Was hat er gemacht?", fragte Henry gedämpft.

„Na ja, ein Puzzle. Die Teile haben über den ganzen Tisch verstreut gelegen. Dann hat Zeki fest draufgeguckt, und sie sind alle zusammengeflutscht. Die meisten jedenfalls. Zu einem Bild. Er hat es mir gezeigt. Es ist ein Schiff, aber ein paar Teile wollen einfach nicht passen."

„Flüstern ist ungezogen", sagte Zeki, ohne den Blick von dem Puzzle zu wenden.

Henry hievte sich aus dem Sessel und schlenderte

zu seinem Cousin hinüber. Er sah auf die zwölf Teile, die neben dem zusammengesetzten Puzzle lagen, dann auf das Bild von dem Schiff. Er brauchte nicht mal eine Minute, um zu erkennen, wo die übrigen Teile hingehörten.

„Hm", sagte Henry, nahm dann wortlos die Teile und fügte sie geschickt in das Bild ein, zwei in den Himmel, drei in den Schiffsrumpf, zwei in die Takelage und die restlichen vier ins Meer.

Zunächst beobachtete Zeki fasziniert Henrys Hände. Erst als Henry das letzte Teil einfügte, sprang er plötzlich auf.

„Wer hat dich denn gefragt? Ich hätte es selbst gekonnt. Ich hätt's gekonnt."

„Entschuldigung", sagte Henry und trat einen Schritt zurück. „Ich dachte, du könntest ein bisschen Hilfe gebrauchen."

„Henry ist gut im Puzzeln", sagte James.

„Und ich bin gut in *anderen* Sachen", fauchte Zeki.

James war zu klein, um die Warnsignale zu erkennen. Die zornigen Blitze, die Zekis schwarze Augen verschossen, zischten direkt über seinen Kopf hinweg.

„Zaubern funktioniert eben nicht immer", sagte der kleine Junge fröhlich. „Henry ist einfach schlauer als du, Zeki."

Diese Bemerkung des armen James Darkwood besiegelte das Schicksal seines Bruders und damit auch sein eigenes.

„Raus hier!", schrie Zeki. „Alle beide. Ihr blöden Darkwoods. Raus hier! Ich kann euren Anblick nicht länger ertragen!"

Henry und James rannten zur Tür. Das bleiche Gesicht ihres Cousins hatte jetzt einen gemeinen Zug, und sie wollten lieber nicht warten, bis er etwas Fieses tat.

„Wo sollen wir hin?", keuchte James, während er hinter seinem Bruder hertrabte.

„In die große Halle, Jamie. Dort können wir Murmeln spielen." Henry zog einen kleinen Lederbeutel aus der Tasche und wedelte damit.

Aber es kam anders. Plötzlich ertönte Tante Gudruns herrische Stimme.

„Schlafenszeit, James."

James tat, als hätte er nichts gehört.

„Jetzt. Auf der Stelle."

„Geh lieber", sagte Henry sanft. „Sonst bestraft sie dich noch."

„Aber ich will noch ein bisschen Murmeln spielen", quengelte James.

Henry schüttelte den Kopf. „Tut mir leid, Jamie. Jetzt nicht. Morgen. Aber ich komme noch und lese dir vor."

„Versprochen? Liest du die Geschichte von den verlorenen Jungs fertig?"

„Hierher, James!", kommandierte Tante Gudrun.

„Fest versprochen", sagte Henry, und er gedachte

auch, dieses Versprechen zu halten. Doch Zeki hatte anderes mit ihm vor.

Mit hängendem Kopf trottete James auf die große Gestalt am Ende des Flurs zu.

„Und du, Henry!", rief Tante Gudrun. „Mach keine Dummheiten!"

„Nein, Tante Gudrun", sagte Henry.

Als er gerade die pompöse Treppe zur großen Halle hinuntergehen wollte, kam ihm eine Idee. Es war hier schon so kalt, dass sein Atem in kleinen grauen Wölkchen vor ihm schwebte. In der riesigen Halle war es bestimmt noch kälter. Er würde sich noch den Tod holen.

Henry ging denselben Weg zurück, bis er an die Tür zu einem Raum kam, den er schon erkundet hatte. Es war ein großer Lagerraum voller Kleidungsstücke, die ehemalige Bloor-Schüler dagelassen hatten. Da waren reihenweise farbige Umhänge, blau, grün und lila, Borde mit Hüten und Anzügen und Kartons mit alten Lederstiefeln.

Henry suchte sich einen warmen blauen Umhang aus und zog ihn an. Er reichte ihm ein ganzes Stück über die Knie, die perfekte Länge für eine eisige, zugige Eingangshalle. Er konnte sich draufknien, dann würde er die kalten Steinfliesen gar nicht spüren. Henry ging in die Halle hinunter.

Um seine Murmelsammlung beneideten ihn alle seine Freunde. Henrys Vater machte weite Reisen und kam nie zurück, ohne seinem Sohn mindestens eine neue Murmel mitzubringen. Henrys Lederbeutel enthielt Murmeln aus Onyx, Achat, Glas, Marmor, Quarz und sogar aus bemaltem Porzellan.

In der Halle brannte kein Licht, aber ein früh aufgegangener Mond schien durch die hohen, mit Eisblumen bedeckten Fenster und übergoss die grauen Steinfliesen mit einem sanften Perlmuttschimmer.

Henry beschloss, das Ringspiel zu spielen. Das war sein Lieblingsspiel. Ohne Gegner musste er eben alleine trainieren. Mit einem Stück Kreide, das er eigens dafür in der Hosentasche trug, zog Henry mitten in der Halle einen großen Kreis. Dann malte er in diesen Kreis noch einen kleineren. Er wählte dreizehn Murmeln aus seinem Beutel aus und legte sie in Form eines Kreuzes in den kleinen Kreis.

Jetzt musste sich Henry auf den eiskalten Boden knien, genau an den äußeren Kreidekreis. Seine Hände waren bereits blau vor Kälte, und er konnte das Zähneklappern kaum unterdrücken.

Er stopfte sich den Umhang unter die Knie und nahm seine Lieblingsmurmel heraus. Sie war durchsichtig blau, mit einem kleinen glitzernden Silberkern, wie ein funkelnder Stern. Die benutzte er immer als Schussmurmel.

Er stützte die rechte Hand auf, legte die blaue Schussmurmel auf den Boden und schnippte sie mit dem Daumen in Richtung des Murmelkreuzes. Mit einem scharfen „Klick" schoss er eine orangefarbene Murmel aus beiden Kreisen hinaus.

„Bravo!", rief Henry.

Da hörte er hinter sich ein leises Knarzen. Henry spähte mit zusammengekniffenen Augen in die tiefen Schatten auf den eichenholzgetäfelten Wänden. Bildete er sich das nur ein, oder wackelte der große Wandteppich dort ein bisschen hin und her? Hinter dem Wandteppich führte eine kleine Tür in den Westflügel. Henry nahm immer die Haupttreppe, weil der Gang hinter der Tür so dunkel und unheimlich war.

Ein kalter Luftzug streifte seine Knie, und der Wandteppich bewegte sich wieder. Hagel prasselte an die Fenster, und der Wind fegte stöhnend durch den verschneiten Hof.

„Wind." Henry fröstelte und wickelte sich fester in den Umhang. Sicherheitshalber zog er sich sogar die Kapuze über den Kopf.

Im Gang hinter dem Wandteppich stand Ezekiel Bloor, in der einen Hand eine Laterne und in der anderen – eine leuchtende Glaskugel. Strahlend helle Farben wirbelten aus dem Glas hervor, ein Regenbogen, von Gold und Silber durchzogen, Sonnen- und Mondlicht im Wechsel. Zeki wusste, er durfte nicht hingucken.

Die Murmel, die er in der Hand hielt, war uralt. Zekis Großtante Beatrice, die, sollte es denn Hexen geben, garantiert eine gewesen war, hatte ihm die Kugel auf dem Totenbett in die Hand gedrückt. „Die Zeitkugel", hatte sie mit brechender Stimme gesagt. „Für Zeitreisen. Schau niemals hinein, Ezekiel, es sei denn, du willst reisen."

Ezekiel wollte nicht reisen. Er fühlte sich in dem mächtigen grauen Gebäude, das sein Zuhause war, sehr wohl und ließ sich nur sehr selten überreden, es zu verlassen. Aber er wollte zu gern wissen, was passierte, wenn jemand doch in die Zeitkugel guckte. Und wenn jemand in Zekis Augen eine Zeitreise verdient hatte, dann war das sein verflixter Cousin Henry Darkwood.

Henry hatte inzwischen noch drei Murmeln aus dem kleinen Kreidekreis gebolzt. Er hatte, trotz seiner klammen Finger, kein einziges Mal danebengetroffen. Als er gerade wieder zu seinem Platz an der äußeren Kreislinie ging, kam plötzlich eine Glaskugel auf ihn zugerollt. Sie war ein bisschen größer als Henrys blauer Schusser, und winzige bunte Lichtpünktchen umtanzten sie.

„Oh", staunte Henry. Er blieb wie angewurzelt stehen, während die seltsame Murmel weiterrollte, bis sie an seinen Fuß stieß.

Henry hob sie auf. Er sah in die leuchtenden Tiefen der Glaskugel. Er sah goldene Kuppeldächer, Städte im Sonnenlicht, strahlend blauen Himmel und noch viel, viel mehr.

Doch noch während er bestaunte, was sich da vor

seinen Augen abspielte, merkte Henry, dass mit seinem Körper eine Veränderung vor sich ging. Und ihm wurde klar, dass er diese atemberaubenden Dinge nicht hätte betrachten dürfen.

Die eichengetäfelten Wände verschwammen langsam. Das schimmernde Mondlicht verblasste. Henry schwirrte der Kopf und seine Füße lösten sich vom Boden. Weit, weit weg miaute plötzlich eine Katze. Und dann noch eine und noch eine.

Henry dachte an seinen kleinen Bruder. Würde er es bis zu ihm schaffen, ehe er völlig verschwand? Und wenn er es schaffte und sich vor James' Augen endgültig in Luft auflöste, würde der Kleine sich nicht so erschrecken, dass er für immer Albträume hätte? Henry beschloss, James eine Botschaft zu hinterlassen, solange er noch die Kraft dazu hatte. Er zog die Kreide aus der Tasche und schrieb mit der linken Hand (die rechte umklammerte immer noch die Zeitkugel) auf den Steinfußboden: „TUT MIR LEID, JAMES. DIE MURMELN …"

Zu mehr reichte die Zeit nicht mehr. Im nächsten Moment hatte er das Jahr seines elften Geburtstags verlassen und reiste mit rasender Geschwindigkeit vorwärts, in ein Jahr, in dem die meisten Leute, die er kannte, schon tot sein würden.

Charlie Bones erstes Abenteuer

Jenny Nimmo

Charlie Bone und das Geheimnis der sprechenden Bilder

Charlie ist ein ganz normaler Junge. Zumindest glaubt er das, bis er plötzlich Stimmen von Leuten hört, die auf Fotografien abgebildet sind. Großmutter Bone ist wie elektrisiert: Charlie ist doch im Besitz einer magischen Gabe, wie sie in ihrer Familie vererbt wird! Grandma Bone und ihre düsteren Schwestern schicken Charlie auf die Bloor-Akademie, eine Schule für „außergewöhnlich" begabte Kinder. Dort sind Charlies Fähigkeiten schneller gefragt, als er dachte ...

ISBN 978-3-473-**52324**-5